Victime

Les dernières révélations
de Marilyn Monroe

Matthew Smith

Victime

Les dernières révélations de Marilyn Monroe

Traduit de l'anglais
par Marie-Claude Elsen

Plon

Titre original

Victim
The Secret Tapes of Marilyn Monroe

ISBN édition originale : 0-712-66278-2
ISBN Plon : 2-259-19874-0

Ce livre est dédié à Peter, Martin, JoAnne, Stephen, Tracey et Michael.

Avant-propos

par Donald O'Connor

J'avais déjà eu l'occasion de croiser Marilyn Monroe, mais je n'ai véritablement fait sa connaissance que lorsque nous avons partagé le haut de l'affiche de *La Joyeuse Parade*. Ethel Merman, Mitzi Gaynor, Dan Dailey et Johnny Ray figuraient également au générique de ce film plein de délicieuses chansons d'Irving Berlin qui nous permettaient à tous d'exprimer notre talent.

Je me souviens bien de cette époque et je peux dire que, pour Marilyn, il ne s'agissait pas de la plus heureuse de sa vie. Elle était en plein divorce d'avec Joe DiMaggio et vivait une épreuve, car il la faisait surveiller constamment, si bien qu'elle ne pouvait pas faire un pas sans être épiée.

Lorsque tomba la nouvelle de la mort de Marilyn et l'annonce de son suicide, j'ai ressenti, du plus profond de mon être, qu'il y avait maldonne. Je la connaissais assez bien pour savoir qu'elle ne pouvait pas s'être suicidée ; cela n'était pas dans sa nature. Elle a été assassinée, mais par qui ? Certains nous demandent de croire que les responsables étaient John F. Kennedy et son frère, mais est-ce envisageable ? Je dois déclarer tout de suite qu'en ce qui me concerne, cette version est totalement incroyable.

La vérité se trouve enfouie depuis bien trop longtemps quelque part, elle attend d'être déterrée par quelqu'un qui nous révélera le véritable déroulement des faits. Le décès de Marilyn a suscité un immense mystère, mais des réponses ont fini par être extraites avec minutie de la fiction créée autour des circonstances et des raisons de sa mort. Je salue la profondeur de l'enquête menée par Matthew Smith, dont je trouve les conclusions et explications fascinantes.

Donald O'Connor

Introduction

par Robert F. Slatzer

Il y a plus de quarante ans mourait la plus célèbre beauté de Hollywood : Marilyn Monroe.

La nouvelle de son prétendu suicide fut claironnée dans le monde entier. Cependant, lorsque le passage du temps eut tout recouvert de poussière, il s'avéra que son décès n'était pas du tout un suicide. En fait, il fit l'objet d'un gigantesque étouffement remontant jusqu'à la Maison-Blanche, qui aujourd'hui encore, bien que de manière moins virulente, continue à opérer. Sa mort permit néanmoins des rencontres improbables : c'est ainsi que j'eus la chance de faire la connaissance de l'excellent auteur et enquêteur Matthew Smith et de l'ancien assistant du procureur du district, John Miner, aux références irréprochables. Ces deux hommes, dignes et probes, suscitent le plus grand respect chez leurs pairs.

Comment nous sommes-nous rencontrés tous les trois ? Tout commença par une déclaration du sergent Jack Clemmons, ancien sergent des services de police de Los Angeles aujourd'hui décédé (le premier officier à enquêter sur le décès de Marilyn), qui m'affirma en 1962, quelques jours après la mort de cette dernière : « Il s'agit incontestablement d'une affaire de meurtre. » Peu de temps après, en partie à cause de cette remarque, le sergent Clemmons perdit son poste et la pension qui lui était due après seize années de service, et eut pendant longtemps du mal à trouver un autre emploi.

John Miner, pour sa part, assista à l'autopsie de Marilyn mais il eut la dignité, pendant plus de quarante ans, de ne pas en parler.

Après la remarque de Clemmons et plusieurs conversations que j'avais eues avec lui au fil des mois suivants, j'ai pris sur moi d'enquêter sur la femme que j'avais bien connue pendant seize ans. Ce faisant, je me suis heurté, comme Matthew Smith et John Miner, à de nombreuses portes fermées, à des personnes qui ne voulaient ou ne pouvaient pas parler. J'ai publié un ouvrage sur mes découvertes, *The Life and Curious Death of Marilyn Monroe* (La Vie et la Mort curieuse de Marilyn Monroe) ; lequel a engendré une foule d'autres ouvrages qui ont également révélé l'existence d'une conspiration du silence et la preuve que Marilyn ne s'était pas donné la mort. Entre-temps, Matthew Smith, qui étudiait cette affaire depuis longtemps, a signé un livre intitulé *The Men Who Murdered Marilyn Monroe* (Les hommes qui ont assassiné Marilyn Monroe), récit très vivant de la mort de la star.

Au fil des années qui ont suivi le décès de Marilyn, John Miner et moi, par la suite rejoints par Matthew Smith, avons adressé des pétitions aux autorités locales, afin d'obtenir la réouverture de l'affaire et la tenue d'une enquête spéciale. Nos demandes sont malheureusement restées lettres mortes. En 1985, nous avons failli parvenir à nos fins et le Grand Jury de Los Angeles a approuvé notre requête, mais quelques jours plus tard le président du Grand Jury a été licencié et le rideau, une fois de plus, tiré sur l'affaire.

Entre-temps, John Miner a respecté pendant quarante ans la promesse qu'il avait faite à feu Ralph Greenson, le psychiatre de Marilyn, de garder le silence, de ne jamais révéler le contenu des bandes de Marilyn, des enregistrements secrets effectués juste avant sa mort qui vont être ici divulgués pour la première fois. En conséquence, le résultat final du travail de Matthew Smith, auquel a collaboré John Miner, tente d'effacer la honte que représente le prétendu suicide de Marilyn. A présent la vérité va apparaître au grand jour, et je suis persuadé que l'âme de Marilyn, où qu'elle soit, adresse un sourire aux amis qu'elle conserve ici-bas et qui s'efforcent de réhabiliter son nom.

Je suis sûr que vous, lecteurs de ce nouveau livre, partagerez les sentiments qu'il me procure, et que vous vous direz « c'est passionnant ».

Après tout, il n'existe pas de prescription pour les meurtres.

Robert F. Slatzer,
Hollywood, Californie

Préface

Rien n'est plus ardu que d'essayer d'élucider une énigme vieille de quarante ans. Si le recul et la possibilité de voir les événements en perspective constituent un avantage, ce dernier est malheureusement subordonné au handicap représenté par le nombre considérable de témoins décédés. De plus, parmi les personnes au courant de choses sur les événements, reste un noyau dur formé de ceux qui refuseront toujours de nous divulguer ce qu'ils savent. Malgré tout, comme dans le cas de la mort de Marilyn Monroe, finit par émerger une image plus claire, composée d'intrigues, de dissimulations, de mensonges, de tromperies... L'image d'un meurtre.

J'ai commencé à effectuer des recherches sur le décès de Marilyn Monroe dans le cadre de mon travail sur l'assassinat du président John F. Kennedy et, plus tard, du meurtre du sénateur Robert F. Kennedy. En m'attaquant ensuite aux événements de Chappaquiddick et à la quasi-mort politique du sénateur Edward Kennedy, j'ai acquis la conviction qu'un schéma se dégageait nettement de tous ces événements, mais qui ne débutait pas le jour où le président Kennedy fut abattu. A mes yeux, ce schéma commença en 1962 avec l'assassinat de Marilyn Monroe.

Lorsque j'ai achevé mon premier livre sur la mort de Marilyn Monroe en 1996, je pensais qu'à défaut d'une découverte capitale il ne restait guère matière à enquêter. Bien évidemment, il y a des percées successives, et lorsqu'un auteur a la chance d'obtenir un scoop, il s'en satisfait, même s'il ne s'agit que d'un détail modeste. Ce n'est pas du tout le cas ici. L'obtention des droits mondiaux de reproduction exclusive des enregistrements effectués par Marilyn très peu de temps avant sa mort représente un gigantesque pas en avant. Nous cherchons à connaître les préoccupations de Marilyn au moment de sa mort, et c'est elle-même qui nous les dévoile. De nombreux points qui ne faisaient par le passé que l'objet de spéculations sont à présent confirmés.

Le tableau qui s'offre à notre vue est plus clair et mieux défini et je pense que ce puzzle, vieux de quarante années, est enfin complété. La publication des bandes nous permettra peut-être de franchir le pas de géant nécessaire pour convaincre les autorités de Los Angeles d'exhumer le corps de Marilyn, afin d'obtenir une confirmation définitive, par le biais d'une nouvelle autopsie et d'une enquête à retardement. Le Dr Thomas Noguchi, qui effectue la première autopsie et qui eut la frustration de ne pas pouvoir mener sa tâche jusqu'au bout, et John Miner, qui assista à toute l'autopsie en qualité d'assistant du procureur et qui sait ce qui empêcha l'achèvement de cette dernière, sont tous les deux en faveur de cette exhumation. L'un comme l'autre ont exprimé le souhait de participer à toute nouvelle enquête découlant de cette autopsie.

Je dois souligner ici que la publication de certaines séquences des bandes, estimées d'ordre extrêmement intime et privé, a fait l'objet d'une grande discrétion. Certaines références ont été omises, par souci des convenances. Si j'avais publié ces extraits, Marilyn en aurait éprouvé de la gêne, et je suis convaincu que mes lecteurs auraient été embarrassés pour elle.

Matthew Smith,
Sheffield

Chapitre 1

Affrontement inévitable

En cette année 1962, le plateau du tournage de *Something's Got to Give* s'était transformé en champ de bataille. Le metteur en scène, George Cukor, et la star, Marilyn Monroe, se chamaillaient tous les jours. Cukor renâclait à diriger ce film, le dernier du contrat qui le liait à la Twentieth Century Fox, et aurait de loin préféré se trouver ailleurs. Le tournage de *My Fair Lady* correspondait sans doute davantage à ses désirs et ses ambitions. Mais la Fox ne voulait pas en entendre parler et le contraignait à remplir cette obligation contractuelle, sous peine de poursuites judiciaires.

Le scénario, confié au talentueux Nunnally Johnson, s'inspirait de *Mon épouse favorite*, dans lequel Cary Grant et Irene Dunne avaient obtenu un très grand succès à la fin des années trente. Marilyn, qui s'entendait bien avec Nunnally Johnson, attendait avec impatience le tournage de cette comédie, censée marquer un tournant dans sa carrière d'actrice. De son côté Cukor, qui préférait la version originale, faisait tout pour le saboter en exigeant sans cesse de nouvelles moutures du scénario, de telle sorte que lorsque le tournage débuta, ce dernier était loin d'être achevé. On en arriva même au stade, en cours de production, où ces modifications en tout genre, loin d'améliorer le premier

script, étaient parvenues à réduire à quatre pages le maté-
riau original.

La Twentieth Century Fox se débattait alors dans de
graves problèmes financiers provoqués par le dépassement
de budget de *Cléopâtre*, le film à grand spectacle dans
lequel Elizabeth Taylor et Richard Burton tenaient le haut
de l'affiche. Les dépenses avaient largement dépassé les
30 millions de dollars, somme encore jamais atteinte, et
rendu le studio exsangue. Comme Elizabeth Taylor ne supportait pas le climat anglais, la Fox avait été contrainte,
pour permettre au tournage de *Cléopâtre* d'avancer, de
transporter toute l'équipe de Londres à Rome. Ce film
menaçait de ruiner le studio. La Fox ignorait qu'après lui
avoir coûté en définitive 43 millions de dollars, il se dégon-
flerait au box office comme un ballon de baudruche. Pour
tenter de se renflouer un peu, le studio avait vendu son *back
lot*[1] et fermé son école de jeunes talents afin de réduire ses
dépenses. Entre 1961 et 1962 il avait produit moins du tiers
des trente et un films substantiels prévus à son programme
et avait réduit de moitié le nombre de ses producteurs sous
contrat. Quant à celui de ses employés, qui dépassait les
2 000, il avait été ramené à 600. Dans le même temps, le
nombre de ses stars sous contrat avait considérablement
rétréci et n'était plus que le quart de celui d'antan. Après
une perte de plus de 20 millions de dollars enregistrée en
1961, la compagnie cherchait avant tout à garder la tête
hors de l'eau.

Nunnally Johnson doutait même que *Something's Got to
Give* fût jamais tourné. La Fox en était réduite à jouer son
avenir à pile ou face. Tout le monde ignorait si le tournage
de ce film allait améliorer sa situation financière ou la dété-
riorer encore davantage. Malgré un budget modeste,
comparé au nombre de millions engloutis par *Cléopâtre*, il
s'agissait néanmoins de la plus chère de ses productions de
l'époque. Avant même qu'un mètre de pellicule n'ait été
imprimé, le scénario avait déjà coûté à lui seul environ

---

1. Grand terrain à l'arrière des studios de cinéma (*N.d.T.*).

300 000 dollars, soit plusieurs fois la somme qui lui était allouée, et les changements quotidiens continuaient à mutiler les pages approuvées.

Cukor n'appréciait pas du tout le remplacement de David Brown, le producteur de *Something's*, par Henry Weinstein, car il soupçonnait ce nouveau venu d'avoir été choisi en raison des liens qu'il entretenait avec Ralph Greenson, le psychiatre de Marilyn. D'où des frictions, d'autant que Greenson, ainsi que son beau-frère, l'avocat Milton « Mickey » Ruddin, qui était intervenu pour aider Marilyn en panne d'agent à l'époque, ne facilitaient pas les choses. Marilyn qui, déjà dirigée par Cukor dans *Le Milliardaire*, l'avait qualifié de « meilleur metteur en scène de comédie de l'histoire de Hollywood », se retrouvait à présent otage malgré elle de ce mélange d'intérêts et d'influences contradictoires. Si elle s'attendait à une collaboration facile avec son metteur en scène, elle déchanta très rapidement.

On lui faisait parvenir les modifications du scénario tous les soirs, si bien qu'elle avait tout juste le temps d'en prendre connaissance avant la journée de travail suivante. Ces changements étaient dactylographiés sur du papier bleu, afin de les distinguer du scénario de départ, tapé sur du papier blanc. Les modifications apportées au scénario révisé l'étaient sur du papier jaune, et celles concernant les révisions des révisions sur du papier rose. Marilyn, submergée par leur volume, s'en plaignit à Cukor. Entre eux, le torchon brûlait. Cukor, de connivence avec Henry Weinstein, essaya de la rouler en lui fournissant les changements sur du papier blanc pour qu'elle ne les remarque pas, mais elle ne se laissa pas prendre à ce subterfuge, répliquant par des modifications de son cru. Résultat, on était en plein chaos.

Ces révisions de dernière minute produisaient un autre effet désastreux sur la production de *Something's Got to Give* : Marilyn était de moins en moins capable de se donner à fond à son metteur en scène dès la première prise, au point que les journalistes se mirent à gloser et cancaner sur le déclin de ses facultés mentales, aggravé par tous les médicaments qu'elle prenait. Les personnes présentes sur le plateau notaient cependant une différence entre le tournage des scènes qui n'avaient pas été réécrites et celui de celles rapiécées en toute hâte. Marilyn n'avait aucun problème avec les prises des premières. Avec les autres, elle ne parvenait pas toujours à mémoriser le texte d'un gros plan qu'elle venait de prononcer quelques instants plus tôt pour un plan américain. Comme elle devait se colleter aux révisions qu'on lui apportait tard le soir, pour s'apercevoir le lendemain qu'elles avaient encore été réécrites juste avant la prise, on ne s'étonnera pas qu'elle ait éprouvé des difficultés à les assimiler. Malheureusement, le coût des scènes à retourner ne cessait d'augmenter et le dépassement de budget de croître.

Un jour où elle était d'humeur légère, elle se tourna vers George Cukor après la vingtième prise d'une scène où apparaissait Tippy, le chien de la famille. « Il fait des progrès », constata-t-elle gaiement, et Cukor en rit avec elle. Marilyn, qui adorait les animaux, faisait preuve de beaucoup de patience avec ce chien. Ce fut l'un des rares moments privilégiés d'un tournage par ailleurs très tendu.

Walter Bernstein, le scénariste de plateau censé apporter les changements mineurs au fil du tournage, avait vu sa tâche se transformer en cauchemar. Il arrivait en septième position, après six collègues qui s'étaient désistés sitôt engagés, avant même le début du tournage. Ne voyant pas le besoin de consulter Marilyn à propos du scénario, Bernstein ne comprenait pas non plus le dilemme de Weinstein et lui fit remarquer que dans son contrat elle n'avait aucun droit de regard. « Marilyn n'a pas besoin que cette approbation figure au contrat, répliqua Weinstein. Si quelque chose ne lui plaît pas, elle ne vient pas tourner. » Une remarque tout simplement frappée au coin du bon sens de la part du producteur.

Les insomnies de Marilyn constituaient son problème le plus grave. Si elle ne dormait pas, elle était incapable de donner le meilleur d'elle-même et de déployer le perfectionnisme qui était le sien sur un plateau. Ses médecins la bourraient de remèdes en tout genre qui ne donnaient que des résultats mitigés. Il lui arrivait, certains matins, en raison des médicaments qu'elle avait avalés, d'être mal fichue. Certains jours, le cocktail de comprimés ingurgité la veille au soir la terrassait au point qu'elle était dans l'incapacité totale de travailler (si elle a survécu, c'est grâce à ses connaissances très poussées en pharmacologie). Tous ces problèmes ne contribuaient pas à détendre la situation sur le plateau. Cukor continuait à pester contre elle, et elle, à lui rendre la monnaie de sa pièce.

Marilyn avait la réputation de paniquer au moment d'apparaître devant la caméra. Elle se faisait attendre, sous prétexte de problèmes de maquillage imaginaires ou de répétitions supplémentaires. Elle invoquait toutes les excuses qui lui venaient à l'esprit pour retarder le moment fatidique. Parfois, on la voyait même vomir avant d'entrer sur le plateau. Selon le producteur Henry Weinstein qui se montrait compatissant, « nous connaissons tous l'angoisse, la tristesse, les grands chagrins, mais là, il s'agissait d'une terreur viscérale ». Qui ne datait pas de la veille. Robert Mitchum m'a raconté qu'elle souffrait déjà de ce problème à l'époque où ils tournaient ensemble *La Rivière sans retour* et on sait qu'il en alla de même pendant le tournage des *Misfits* (Les Désaxés). « Marilyn voyait sa coiffeuse à 7 heures du matin, m'a-t-il confié, puis elle retournait à son appartement. Après quoi, elle avait peur d'en sortir. Elle redoutait de quitter le cocon dans lequel elle se trouvait, quel qu'il soit. » Ce problème se manifestait également sous une autre forme : « Chaque fois que le metteur en scène disait "action", m'a raconté Mitchum avec compassion, ses règles se déclenchaient. Cela lui posait un énorme problème. Et eux pensaient qu'elle était juste caractérielle. »

Pendant le tournage de *Something's Got to Give*, Marilyn, une fois qu'elle était parvenue à mettre un pied sur le plateau, se donnait néanmoins à fond. En temps normal, elle connaissait son texte par cœur et se pliait volontiers aux quatre volontés de son metteur en scène. Elle faisait davantage que compenser ses retards invétérés et ne manifestait aucune objection à répéter une prise autant de fois que le désirait Cukor. Elle-même avait tourné vingt de ses vingt-neuf films pour la Fox et ce n'était pas la dureté du travail qui la faisait rechigner, même si on la vit un jour s'évanouir de fatigue sur le plateau. De plus, elle suscitait le respect. Walter Bernstein lui-même, le scénariste frustré, reconnut qu'elle était « [...] fine, cultivée, intelligente et douée ».

Le 1er juin Marilyn fêta son trente-sixième anniversaire. Cukor avait interdit toute célébration avant la fin de la journée de tournage, mais à 18 heures l'équipe lui fit la surprise d'une petite fête. On apporta un superbe gâteau d'anniversaire et les réjouissances commencèrent. Dean Martin, son partenaire en tête de distribution de *Something's Got to Give*, tenait le rôle de son mari. Dans le film, ce dernier venait de se remarier, après la disparition de sa femme (Marilyn) dans un naufrage quelques années plus tôt et l'officialisation de son décès. La nouvelle épouse était interprétée par Cyd Charisse. Tom Tryon et Phil Silvers tenaient des rôles secondaires. Le personnage d'Ellen Arden, joué par Marilyn, réapparaissait au moment même où son mari venait de convoler pour la seconde fois. Leurs deux enfants intervenaient également dans l'intrigue, une comédie légère comme une bulle de champagne, qui éloignait Marilyn de son image de *Bus Stop*.

Malheureusement, les différends ne s'apaisèrent pas et le budget connut bientôt un dépassement d'un million de dollars, alors que n'étaient en boîte que six minutes de film. Le renvoi de Marilyn vint sur le tapis. Nunnally Johnson, au courant des démêlés du tournage, envoya un télégramme à Peter Levathes, le directeur du studio : « Si vous virez quelqu'un de ce film, ne devriez-vous pas vous demander d'abord qui, de George Cukor ou de Marilyn, attire le public ? Vous devriez vous séparer de George car ils ne s'entendent absolument pas et c'est cela qui perturbe Marilyn. » Si Marilyn ne fut pas renvoyée, Cukor ne le fut pas davantage. Pour le moment en tout cas.

Ralph Greenson, le psychiatre de Marilyn, prit des vacances de cinq semaines pendant le tournage. Il s'était

engagé à donner une conférence en Europe, où il séjourna
ensuite avec sa femme, Hildi. Son indisponibilité déséqui-
libra Marilyn – quand bien même aurait-elle rechigné à le
reconnaître – car elle en était arrivée à se reposer entièrement sur lui. Greenson lui laissa bien des béquilles – des
médicaments – pour la durée de son absence, mais qui
étaient loin de constituer un soutien suffisant. Son fardeau
était donc encore plus pesant, à un moment où elle avait
besoin de toute l'aide dont elle aurait pu disposer. La goutte
qui fit déborder le vase fut le temps qu'elle s'octroya pour
se rendre à New York, afin de participer au gala en l'honneur de l'anniversaire du président Kennedy. Bien que la
Fox eût donné au départ son feu vert à ce voyage, elle le
lui interdisait à présent, par souci de limiter le retard du
tournage et aussi d'établir son autorité sur le plateau. Le
studio déclara à Marilyn que toute désobéissance lui vau-
drait de sérieuses pénalités. Marilyn passa outre. Marilyn
fut licenciée.

Chapitre 2

Journées chargées

On peut reconnaître que, bien qu'ayant été poussée à bout, Marilyn avait exaspéré la Fox, surtout à cette époque où le studio croulait sous les problèmes financiers. Lorsqu'elle daignait mettre les pieds sur le plateau, elle était en conflit avec Cukor et, dans la guerre du scénario, exigeait sans cesse des modifications onéreuses et agaçantes. Lorsqu'elle ne se montrait pas, son absence leur coûtait de plus en plus d'argent, sans qu'ils eussent le moindre métrage de pellicule en boîte. Sur 36 jours de tournage, Marilyn ne s'était montrée que 12 fois et Cukor avait été contraint de tourner les scènes où elle n'apparaissait pas avec les autres membres de la distribution. Mais lorsque, après s'être éclipsée en prétextant qu'elle était souffrante, elle apparut sur la scène du Madison Square Garden, en train de susurrer « *Happy Birthday* » au Président pour son quarante-cinquième anniversaire, le studio, voulant à tout prix asseoir son autorité, jeta l'éponge. Les dirigeants de la Twentieth Century Fox s'emportèrent et demandèrent un demi-million de dollars de dédommagement à Marilyn Monroe Productions Incorporated pour « violation volontaire de contrat », en la sommant de ne pas revenir. Plus tard ils réclamèrent une somme encore plus élevée, 750 000 dollars.

On annonça que Lee Remick allait reprendre son rôle. En fait, elle n'arrivait qu'en troisième position derrière Kim

Novak et Shirley MacLaine qui l'avaient toutes deux refusé. Puis Dean Martin, qui disposait par contrat du droit d'approuver le choix de sa partenaire, déclara qu'en vertu de cette clause il ne jouerait avec personne d'autre que Marilyn. Sa loyauté tira les larmes des yeux de celle-ci. Le studio, pour contourner le problème Martin, essaya d'engager Robert Mitchum. « Ils m'ont posé la question, m'ont demandé de le remplacer, m'a-t-il raconté, mais Dean m'avait mis au courant et j'ai refusé. Elle ne s'entendait pas avec George Cukor. Cukor écumait. Un vrai cinglé. J'ai tourné avec lui un film intitulé *Desire Me*. Personne ne désirait en faire partie ! » C'est alors qu'intervint un changement de cadres à la Fox. Une semaine après avoir renvoyé Marilyn, le studio lui faisait des appels du pied pour qu'elle revienne.

« Bon débarras », avait répliqué dédaigneusement Marilyn quand on l'avait virée. Sans doute aurait-elle aimé véritablement faire sienne cette boutade qui n'était qu'une manifestation de son dépit. Elle se retrouvait vraiment acculée, mais cependant pleine d'idées sur la manière de se sortir de ce mauvais pas. Elle décida de poser pour certains des plus grands photographes de cinéma de l'époque. Bert Stern, George Barris et Douglas Kirkland savaient comment la présenter sous son jour le plus sensationnel, et en ce qui concernait le studio, le plus désirable. Le résultat ne se fit pas attendre, sous la forme d'un coup de fil de l'un des directeurs de la Fox. Les nouveaux dirigeants du studio avaient évalué la situation. Ils avaient un film à moitié tourné sur les bras, la plus onéreuse de leurs productions en cours, puisqu'ils y avaient déjà investi 35 millions de dollars. Son abandon leur reviendrait encore plus cher que l'établissement d'autres contrats. En définitive, ce renvoi fut tout à fait profitable à Marilyn, puisqu'elle se vit accorder un contrat révisé trois fois plus juteux que le précédent. De plus, avec les royalties que lui rapportaient des films comme *Certains l'aiment chaud* et *Les Désaxés*, le dernier en date, elle roulait sur l'or.

Marilyn était optimiste. Les choses se déroulaient à présent selon ses souhaits. Elle venait d'acheter une maison. Propriétaire pour la première fois de sa vie, elle en était enchantée. La maison possédait des poutres apparentes, un vaste salon central et de petites chambres. Elle l'avait fait entièrement moquetter de laine blanche moelleuse et s'occupait, pièce par pièce, de la décorer selon ses goûts. Elle prenait son temps pour choisir des objets qui lui plaisaient. Des meubles venaient d'arriver du Mexique, mais la tâche était loin d'être terminée. Elle engagea un homme à tout faire pour moderniser la plomberie de la salle de bains : sa maison serait vraiment superbe. Elle avait été séduite par son architecture, inspirée de celle d'une hacienda mexicaine. Bien que modeste et sans aucune comparaison avec les somptueuses demeures de ses amis et collègues de Hollywood, elle correspondait à ses vœux. Elle possédait une piscine et un jardin attrayants, luxe dont ne disposaient pas les jeunes femmes vivant dans des appartements. Marilyn aimait acheter des plantes pour son jardin et dépensait 100 dollars par mois – somme conséquente à l'époque – pour son entretien.

On était au début du mois d'août et tout s'annonçait sous les meilleurs auspices. Sa vie présente et son avenir immédiat étaient assurés. Elle avait désormais l'esprit clair pour regarder plus loin et réfléchir à d'autres projets. Jules Styne évoquait avec elle l'éventualité d'un remake, sous forme de comédie musicale, de *A Tree Grows in Brooklyn*. Elle y aurait Frank Sinatra pour partenaire. Une compagnie italienne s'intéressait à elle et voulait lui faire tourner quatre films, avec de gros cachets à la clé.

On était le samedi 4 août. Le lendemain, elle avait rendez-vous avec un ami journaliste, Sidney Skolsky, pour parler d'un film qu'elle souhaitait tourner sur la « bombe platine » Jean Harlow. Adolescente, Marilyn vouait une immense admiration à ce personnage hors du commun. En l'incarnant à l'écran, elle remplirait tout simplement un rêve. Le lundi, elle avait une obligation : rencontrer son avocat, Milton Rudin, pour modifier les termes de son testament. Elle devait aussi voir Gene Kelly plus tard dans la journée, afin de parler d'un projet, un film qui allait sortir plus tard sous le titre *What a Way to Go*. La vie de Marilyn débordait donc de promesses.

Dans un domaine cependant, la situation ne lui souriait pas. Les spéculations au sujet d'une aventure entre Marilyn et le ministre de la Justice, Robert Kennedy, ont fait rage des années durant, sans que les enquêteurs ni les journalistes ne parviennent à mettre le doigt sur une confirmation en bonne et due forme. Les enregistrements secrets de Marilyn, reproduits ici même, en apportent la preuve. En ce début d'été 1962, il s'agissait du seul point vraiment sombre dans la vie de la star. Elle avait eu une liaison torride avec le sénateur John Kennedy qui, après son élection à la Maison-Blanche, avait coupé les ponts et refusait désormais de la voir. Comme le feu couvait cependant encore dans le cœur de Marilyn, elle s'attendait que son galant héros trouve un prétexte pour venir la retrouver à Los Angeles. Mais elle s'illusionnait et ce rêve ne se concrétiserait jamais. Tout avait à présent changé ; l'enjeu était trop grand pour le nouveau Président. De plus, JFK n'était absolument pas doué pour rompre en douceur. Peut-être ne savait-il pas comment s'y prendre. En tout cas, il cassait net.

Robert fut envoyé en émissaire auprès de Marilyn, afin de lui faire comprendre la situation et de la calmer, même si d'aucuns doutaient qu'il s'agisse là de ses vrais motifs. En tout cas, il succomba à son tour à son charme et une autre liaison commença, tout aussi torride qu'avec John. Marilyn tomba follement amoureuse du ministre de la Justice, frère du Président. Elle était convaincue qu'il allait divorcer pour l'épouser. Ils étaient inséparables. Plusieurs des amis intimes de Marilyn rapportèrent qu'elle avait subi un avortement – probablement au Mexique – très peu de temps avant sa mort. A la question de savoir qui était le père de l'enfant, ils oscillaient entre John et Robert Kennedy. Subitement en tout cas, Robert adopta une attitude vindicative et agressive à l'égard de Marilyn. Il ne semblait plus avoir qu'une idée en tête : récupérer quelque chose qu'elle détenait et dont, semble-t-il, elle ne voulait pas se démettre.

Il semble que Robert mit à son tour un terme à leur liaison, de façon aussi cruelle que son frère. Lui aussi cassa
net. Il cessa de lui rendre visite et refusa de répondre à ses
nombreux coups de fil. Il fit changer son numéro de téléphone privé et elle comprit vite, quand elle essayait de le
joindre en passant par le standard du ministère de la Justice,
qu'il avait donné pour instruction qu'on ne lui passe pas ses
appels. Selon ceux qui eurent vent de l'attitude de Robert
Kennedy, Marilyn aurait réagi en sombrant dans une profonde dépression. Un scénario sans bavures, auquel beaucoup souscrivent encore, mais qui, comme beaucoup de
scénarios sans bavures, ne correspondait pas vraiment à la
réalité. Cela n'empêcha pas le samedi 4 août d'être une journée fort décisive, pour bien d'autres raisons.

De manière totalement inattendue, en plein cœur de la
nuit – le lendemain dimanche 5 août à 4 h 25 du matin pour
être précis – le téléphone sonna dans la permanence du
commissariat de Los Angeles ouest et une voix annonça au
policier de garde que Marilyn était morte.

Chapitre 3

Curieux comportement

Le policier en poste cette nuit-là était le sergent Jack Clemmons. Répondre au téléphone ne faisait pas partie de ses attributions, mais il décrocha parce qu'il se trouvait à côté de l'appareil. Impulsion dont il se loua, car ce détail implique que, dans une certaine mesure, il suivit les choses depuis le début.

« Commissariat de Los Angeles, sergent Jack Clemmons », dit-il en décrochant. A l'autre bout du fil, le docteur Ralph Greenson lui annonça : « Marilyn est morte d'une overdose. » « Qu'est-ce que vous dites ? » répliqua Clemmons, éberlué. « Marilyn Monroe est morte. Elle s'est suicidée », répondit Greenson avec davantage d'emphase. Le sergent lui annonça qu'il arrivait tout de suite et partit sur-le-champ. Ce n'était pas non plus son job de se rendre en trombe sur les lieux d'un suicide, mais il estima plus avisé de s'assurer que cet appel n'était pas simplement une blague morbide, car le commissariat faisait de temps en temps l'objet de canulars téléphoniques. Si Clemmons transmettait cette information à ses supérieurs et qu'elle se révélait en définitive erronée, cela risquait de mettre pas mal de monde dans l'embarras. La nuit ayant été très calme, il avait eu du mal à ne pas s'assoupir. Un petit bol d'air frais allait lui faire le plus grand bien.

A son arrivée sur place il fut reçu par Mme Murray, qui

se présenta à lui comme la gouvernante. On l'emmena auprès du corps de Marilyn. Clemmons demanda à la gouvernante si quelqu'un d'autre était présent dans la maison et elle lui répondit qu'il n'y avait que le Dr Ralph Greenson, psychiatre de Marilyn, et le Dr Hyman Engelberg, son généraliste. Rétrospectivement, c'est lors de cette première vision du cadavre que Clemmons comprit que quelque chose clochait. Le corps nu de Marilyn était allongé en diagonale, visage contre le matelas. Ses orteils étaient inclinés vers le bas à droite, sa tête vers le haut à gauche, et elle avait les bras le long du corps. On l'avait recouverte d'un drap. Clemmons ne lui fit pas l'outrage de le soulever pour la regarder. Ce qu'il entrevit lui suffit. Le visage disait tout, avec la mèche de cheveux blonds qui dépassait du bord supérieur du drap. Elle était bien morte. Lorsqu'il demanda qui avait découvert le corps, et à quelle heure, ce fut Mme Murray qui prit la parole. Elle l'avait trouvée vers minuit et avait tout de suite appelé le Dr Greenson. La première réaction du sergent fut de leur demander pourquoi ils avaient attendu jusqu'à 4 h 25 du matin pour mettre la police au courant mais il n'obtint pas de réponse satisfaisante. « Mme Murray se conduisait comme si elle avait peur, rapporta Clemmons. Elle était solennelle et en retrait. Elle parlait d'une voix étouffée. » Les médecins n'avaient pour leur part pas grand-chose à dire, mais le Dr Greenson, qui semblait avoir été choisi comme porte-parole, reconnut qu'ils avaient dû attendre l'autorisation du service publicité de la Twentieth Century Fox pour divulguer la nouvelle. Les médecins savaient pourtant parfaitement que la loi les obligeait à avertir la police dans le cas d'une information relevant du coroner, et Clemmons savait qu'ils savaient. Il ne se laissa pas démonter.

« Le Dr Engelberg paraissait déprimé, il avait l'air triste, dit Clemmons. Il avait les épaules affaissées et lui aussi s'exprimait d'une voix lasse et monotone. Le Dr Greenson parlait à voix basse, sauf lorsque j'ai dû lui demander de hausser le ton à deux ou trois reprises parce que je ne comprenais pas ce qu'il disait. Cependant, il y avait quelque chose d'étrange dans l'attitude de Greenson. C'était son expression. Je ne peux pas en donner de meilleure image qu'en la décrivant comme une espèce d'air sardonique. Il me lorgnait et s'adressait à moi d'un ton sarcastique. Vu les circonstances, ça n'avait tout simplement aucun sens. Je ne le quittais pas des yeux en me disant : "Mais qu'est-ce qu'il a, ce type ? Qu'est-ce qui peut le tarabuster ?" » Beaucoup de temps allait s'écouler avant que Clemmons ne puisse répondre aux questions qu'il s'était posées.

En embrassant du regard la chambre de Marilyn, le sergent fut frappé par le fait qu'elle était parfaitement rangée. Les personnes projetant de se suicider ne se distinguent pas par leur sens de l'ordre et, de plus, il est rare qu'elles s'effondrent en ligne bien droite sur leur lit pour mourir. Tout cela lui semblait de plus en plus bizarre. Il jeta un coup d'œil à la table de chevet que Marilyn venait tout juste d'acquérir, sur laquelle se trouvaient, rapporta-t-il, « environ huit ou dix flacons ayant contenu des médicaments, et il [le Dr Greenson] a agité la main pour attirer mon attention dessus, et dit "elle a dû tous les prendre". Je me suis donc approché. Les couvercles de ces flacons étaient enlevés... et ils étaient posés sur la table. Je me suis penché pour regarder dedans, et ils ne contenaient pas le moindre comprimé ni capsule. Ils étaient tous vides. "La vache, me suis-je dit, ça fait un sacré nombre de cachets." On a cherché un verre et j'ai dit : "Qu'est-ce qu'elle a utilisé pour les avaler... De l'eau, elle a dû prendre de l'eau." On a regardé dans la salle de bains adjacente, on a regardé partout dans sa chambre... et il n'y avait pas le moindre verre. » Bien que Clemmons ait tout de suite trouvé cela bizarre, il n'allait saisir l'importance de ce détail que quand il apprit que Marilyn était incapable d'avaler ses médicaments sans eau.

Les médecins et Mme Murray aidèrent Clemmons à trouver un récipient quelconque – n'importe lequel – mais ils firent chou blanc. Evidemment, l'eau courante de la salle de bains aurait pu résoudre le problème, en partie tout au moins, mais le plombier y effectuait des travaux et l'eau était coupée. Les recherches de Clemmons n'allèrent pas plus loin : il n'était pas un policier d'investigation, l'équipe chargée de l'enquête allait bientôt arriver. Son travail consistait à établir l'authenticité de l'appel qu'il avait reçu, et c'était chose faite.

Les médecins et Mme Murray lui avaient opposé un silence assourdissant. Ils s'étaient contentés d'ouvrir la bouche quand il leur posait une question bien précise, attitude très inhabituelle chez les personnes confrontées à un suicide. Dans cette situation, les gens ont tendance à se montrer très prolixes à propos des sentiments que leur inspire l'atrocité d'un tel geste, ils expriment leur inquiétude vis-à-vis de tiers, se montrent anxieux, quand ils ne culpabilisent pas. Tel n'était pas le cas. Aucun message n'avait été trouvé et il n'y avait personne à consoler. Clemmons arriva à soutirer à Mme Murray que Marilyn s'était retirée tôt et qu'elle – Mme Murray – était allée se coucher vers 10 heures du soir. Elle avait remarqué que Marilyn avait transporté le téléphone, relié à une rallonge, dans sa chambre. Elle le faisait pour pouvoir, avant de s'endormir, le placer (caché sous un oreiller) à l'extérieur de sa chambre, après avoir donné ses coups de fil. Comme elle avait beaucoup de mal à trouver le sommeil, elle ne voulait pas être dérangée par la sonnerie de l'appareil lorsqu'elle glissait dans les bras de Morphée.

La gouvernante déclara qu'elle s'était réveillée vers minuit et qu'en se rendant dans la salle de bains, elle avait aperçu un rai de lumière sous la porte de la chambre de la star et constaté que le fil du téléphone était toujours à l'intérieur. Elle avait essayé d'ouvrir la porte qui était fermée à clé et avait frappé pour réveiller Marilyn, afin de s'assurer que tout allait bien. Comme elle n'obtenait pas de réponse malgré ses coups répétés, elle s'était inquiétée et avait appelé le Dr Greenson qui s'était empressé de venir. Le Dr Greenson n'avait pas non plus réussi à réveiller Marilyn. Selon Mme Murray, il était ensuite sorti de la maison, l'avait contournée pour gagner la chambre par l'extérieur, avait jeté un regard par l'entrebâillement des rideaux et aperçu son corps dénudé, étendu sur le lit. Il avait brisé une vitre pour pouvoir ouvrir la fenêtre, était entré et avait trouvé Marilyn morte.

Sur le chemin de Brentwood, Clemmons avait demandé des renforts par radio. Mal à l'aise, il attendit l'arrivée de ses collègues pour repartir. Cette histoire n'était pas claire. Pendant qu'il était dans la maison, des bruits de machine à laver et d'aspirateur le dérangèrent. Pour le moins sidérants, vu l'heure et les circonstances. Mme Murray lui soutint que tout devait être bien net avant la pose des scellés sur la maison. Il crut bien aussi la voir empiler des boîtes dans le coffre d'une voiture. Et il eut la sensation, pendant les quatre-vingt-dix minutes qu'il passa dans la maison, que les personnes qu'il vit et auxquelles il parla n'étaient pas les seules présentes sur les lieux. Mais il n'avait aucun mandat officiel pour fouiller les autres pièces.

Le sergent Marvin Iannone, qui devint par la suite chef de la police de Beverley Hills, arriva le premier. Son travail consistait à garder les lieux en l'état et à aider ensuite le plus efficacement possible le sergent détective Robert E. Byron, officier chargé de l'enquête. Byron arriva peu après et reprit note de toutes les déclarations. Par la suite, le lieutenant Grover Armstrong l'aida dans cette tâche. Jack Clemmons allait découvrir plus tard que Byron et Armstrong n'avaient pas eu droit à la même version que lui. Mme Murray, le Dr Greenson et le Dr Engelberg avaient modifié le timing des événements et apporté des modifications à leur récit à l'attention de l'officier chargé de l'enquête. Mme Murray, par exemple, prétendait à présent avoir aperçu la lumière sous la porte à 3 h 30 du matin. Quant à Greenson, il déclara qu'elle l'avait appelé à cette heure-là, au lieu de celle qu'il avait donnée la première fois. Ces modifications leur permirent d'éviter d'expliquer pourquoi ils avaient attendu plusieurs heures pour prévenir la police. Dans cette version brodée, c'était Mme Murray qui s'était servie d'un tisonnier pour repousser un rideau par une fenêtre ouverte de la chambre de Marilyn et qui l'avait aperçue, étendue nue sur son lit, même si le Dr Greenson était toujours censé avoir brisé une vitre pour pénétrer dans la chambre où il avait constaté son décès.

A ce stade, il est exact que Byron comme Armstrong ignoraient tout du récit fait à Clemmons, mais ils ne semblèrent pas percevoir d'irrégularités dans le fil des événements. Ils se contentèrent d'une vague réprimande à Mme Murray, puisque Byron écrivit dans son rapport :

> *L'officier pense que Mme Murray s'est montrée vague et peut-être évasive dans ses réponses au sujet des activités de Mlle Monroe à l'époque. On ignore si elle l'a fait ou non exprès.*

Ni Byron ni Armstrong ne relevèrent les invraisemblances qui commençaient néanmoins à apparaître dans les déclarations faites par les médecins. Par exemple, Greenson déclara qu'il était venu directement quand on l'avait appelé à 3 h 30 et qu'il avait téléphoné au Dr Engelberg une fois sur les lieux. Hyman Engelberg affirma qu'il s'était habillé, s'était rendu en voiture à Brentwood, avait examiné le corps et dressé le certificat de décès à 3 h 50, c'est-à-dire à peine vingt minutes plus tard ! Ce détail ne nécessitait-il pas d'être étudié ? De plus, si 3 h 50 était l'heure exacte, il ne pouvait avoir échappé au Dr Engelberg que la rigidité cadavérique était déjà bien installée quand il examina le corps. Lorsque Guy Hockett, du service du coroner, emporta le corps de Marilyn à la morgue moins de deux heures après, ce dernier était si raide qu'il fut obligé de lui plier les bras pour le caser sur le brancard.

Les contradictions jaillissaient de toutes parts. Le sergent détective Byron ne remarqua pas qu'avec l'épaisse moquette que Marilyn avait fait installer partout dans la maison, il était impossible de voir la moindre lumière filtrer sous sa porte, en dépit des dires de Mme Murray. Il aurait pu aussi se demander pourquoi la gouvernante avait dû passer devant la porte de Marilyn. La chambre qu'elle occupait possédait sa propre salle de bains adjacente et elle n'avait pas à passer devant celle de Marilyn pour y entrer. La vitre cassée soulevait, elle aussi, des questions restées sans réponses. Pourquoi, par exemple, y avait-il tant d'éclats de verre *à l'extérieur* de la fenêtre ? Et aussi, quelle urgence avait poussé Mme Murray à contacter au plus vite son gendre, Norman Jeffries, pour qu'il vienne tout de suite la réparer ?

Plus tard, se posa aussi la question des cachets disparus. D'après Clemmons, tous les flacons de médicaments qui se trouvaient sur la table de Marilyn étaient vides. Pourtant, à la lecture du rapport du toxicologue, il apprit par la suite avec stupéfaction qu'un certain nombre de comprimés avaient été trouvés dans ces flacons, hormis deux d'entre eux. S'ils avaient été extraits des flacons avant son entrée dans la maison, qui s'était chargé de le faire ? Et qui s'était chargé de les y replacer pour les soumettre au toxicologue ? Et dans quel but ?

L'enquête du sergent détective Byron s'avéra dans le meilleur des cas superficielle. Il ne sembla remarquer ni les contradictions ni les irrégularités qui lui crevaient les yeux. Pourtant, Robert Byron était loin d'être incompétent : Tom Reddin, chef de la police de Los Angeles, aujourd'hui à la retraite et assistant du chef de la police Parker dans les années soixante, m'a confié à quel point il était estimé de ses supérieurs. Comment donc expliquer qu'après avoir écrit dans son rapport : « J'ai eu le sentiment que [...] tout avait été répété », il n'ait pas essayé d'aller au-delà des apparences ? On en arrive donc inévitablement à la question suivante : devait-il, était-il censé remarquer quelque chose, faire quelque chose, ou lui avait-on donné l'ordre de fermer les yeux ?

Chapitre 4

Activité frénétique

De retour à son bureau, le sergent Jack Clemmons téléphona à Jim Dougherty, l'une de ses connaissances. Dougherty, à présent policier, avait été le premier mari de Marilyn et vivait dans le voisinage. D'autres se chargèrent vraisemblablement d'annoncer la nouvelle à ses autres ex-époux, le célèbre joueur de base-ball Joe DiMaggio, et l'écrivain de renommée mondiale Arthur Miller. Robert Slatzer, son ami de longue date, auquel elle n'avait été mariée que quelques jours avant que le studio n'intervienne et ne casse leur union, allait pour sa part en prendre connaissance à la radio. Clemmons s'installa pour répondre aux appels téléphoniques en provenance de tous les Etats-Unis et du monde entier.

Pendant que le corps de Marilyn était emporté par Guy Hockett en ce dimanche matin dans le silence et la solitude de la morgue où on le plaçait sur une table pour le préparer à l'autopsie, sa maison se transformait en véritable gare centrale. Milton Rudin, son nouvel avocat, s'y trouvait, au milieu des policiers affairés. Pat Newcomb, son attachée de presse, déclara qu'elle avait appris la nouvelle vers 4 heures du matin et était arrivée en hâte, et Inez Melson, chargée de ses affaires professionnelles, arriva bientôt elle aussi. Hazel Washington, la femme de chambre de Marilyn au studio, appela pour récupérer une table de jeux et quelques chaises qu'elle lui avait prêtées. La maison bourdonnait d'activité.

Par la suite, on apprit qu'une activité encore plus frénétique y avait régné avant qu'on n'avertisse Clemmons. Arthur Jacobs, l'agent de publicité ultra doué de la Fox, et deux autres employés du service publicité du studio s'étaient rendus chez Marilyn et avaient fouillé dans ses dossiers. Ils avaient emporté quelques documents et en avaient détruit plusieurs sur place. D'ailleurs, ils n'étaient apparemment pas les seuls résolus à mettre la main sur les papiers de Marilyn. Au mois de mars de cette année-là, quatre mois à peine avant sa mort, elle avait fait changer la serrure de son secrétaire qui avait été forcée. A présent cela recommençait et toutes sortes d'individus dévalisaient le meuble.

Peter Lawford, époux de Pat, la sœur du président Kennedy, s'était lié d'amitié avec Marilyn quelques années auparavant. Au cours de la nuit, il entra et sortit plusieurs fois de sa maison. Ces allées et venues l'amenèrent à appeler le détective privé Fred Otash, le dimanche en tout début de matinée, pour le charger de « faire place nette ». La question clé est bien évidemment de savoir « de quoi ». Là encore, la réponse la plus probable est : de certains documents. Otash déclara qu'il reçut l'ordre d'enlever « [...] tout ce qui pouvait incriminer le Président ». De plus, Lawford ne repartit pas les mains vides, et il ne fut pas le seul à se servir. Fred Otash affirma par la suite que quand ses hommes arrivèrent, « [...] l'endroit grouillait de monde. Ils n'ont absolument pas pu y faire place nette ». La maison était cependant remarquablement en ordre à l'arrivée de Clemmons. J'ai rencontré ce dernier et bavardé avec lui à Los Angeles quelques années avant sa mort. Il m'a raconté qu'il n'y avait aucune lettre ni document en vue. « On aurait dit que la maison avait été nettoyée. »

Si des choses bizarres se déroulèrent dans le silence de la nuit durant les heures précédant celle où la police fut prévenue, elles ne s'arrêtèrent pas ensuite. On entendit Hazel Washington déclarer : « Mon chou, ces agents ont brûlé des documents dans la cheminée. » Quant à Inez Melson, elle embrouilla encore davantage la pseudo-enquête en déclarant qu'elle avait trouvé plusieurs flacons contenant des capsules de Nembutal et de Seconal sur la table de chevet de Marilyn. Elle prétendit qu'elle les avait toutes jetées dans les toilettes. Mais le sergent Clemmons confirma que tous les flacons posés sur la table de chevet étaient vides. Il fut par conséquent sidéré à la lecture d'un rapport ultérieur, selon lequel des flacons en partie emplis de comprimés avaient été remis au bureau du coroner. Il était impensable qu'Inez Melson ait pu trouver d'autres flacons et cachets. Si une enquête était en cours, voilà ce qu'ils appelaient « poser les scellés ». Et dans le cas inverse, voilà ce qu'ils qualifiaient d'« enquête ».

Cette nuit-là, toutes les personnes qui entrèrent et sortirent de la maison du Fifth Helena Drive avaient des raisons personnelles de le faire. Les représentants du studio voulaient apparemment supprimer tous les documents relatifs à leurs transactions avec Marilyn. Les vieux contrats qui la liaient à eux par exemple, et ces derniers étaient nombreux. Elle avait tourné vingt films pour la Twentieth Century Fox, qui ne voulait pas que subsiste la moindre trace de leur association. Hazel Washington parla d'« agents » qui avaient brûlé des documents dans la cheminée. Il serait intéressant de savoir qui ils représentaient et quelle était leur mission exacte. Tout ce beau monde était fort affairé.

Il semble que ce fut Milton Rudin, l'avocat, qui prit en quelque sorte la direction des opérations après le départ d'Arthur Jacobs et des médecins. Pat Newcomb déclara que c'était lui qui lui avait appris la nouvelle vers 4 heures du matin et qu'elle s'était précipitée sur les lieux. Le sergent Jack Clemmons, qui imaginait avoir été le premier avisé de la mort de Marilyn – à 4 h 25 du matin, heure officielle de la notification au commissariat –, apprit par la suite, en reconstituant le puzzle, que le monde entier en avait eu connaissance avant lui, et que le monde entier avait pu pénétrer librement dans la maison de Marilyn sans que la police n'ait pu prétendre l'empêcher une seconde.

Au beau milieu du chaos indescriptible qui entoura cet

événement tragique, ce fut par la voix de la machine publicitaire de la Fox que le monde apprit la mort de Marilyn Monroe, laquelle, à les entendre, s'était suicidée. Ses fans, comme l'ensemble du milieu cinématographique, en restèrent abasourdis. Cependant, tout le monde ne prit pas cette nouvelle pour argent comptant et quelques reporters commencèrent à enquêter. Ils ne reçurent aucune aide des autorités. La police n'avait aucune information supplémentaire à leur fournir qui ne venait pas étayer celles déjà diffusées et un voile de mystère enveloppa la mort de la star qui, selon toutes les apparences, était au sommet quelques jours avant sa disparition. Le bureau du coroner « confirma » par la suite que son décès avait été provoqué par une overdose qu'elle avait prise elle-même et se refusa à tout autre commentaire. Tous les policiers qui étaient entrés et sortis de la maison de Marilyn eurent vite fait de garder bouche cousue. Quant aux rapports de l'« enquête officielle », divulgués plus tard, ils n'avaient pas grand-chose à voir avec ce qui s'était réellement produit dans la maison du Fifth Helena Drive.

La veille de la mort de Marilyn, le samedi 4 août, fit l'objet d'un examen particulier de la part de ceux qui avaient du mal à croire à toute cette histoire. Les personnes qui avaient vu Marilyn ou qui lui avaient parlé au téléphone ce jour-là furent passées au gril pour obtenir des indices. Quel était son état d'esprit ? Etait-elle déprimée ? Avait-elle laissé un mot ? Qui était la dernière personne à l'avoir vue ? Beaucoup d'années s'écoulèrent avant que n'émerge un fait ahurissant : son dernier visiteur, vraisemblablement, fut le ministre de la Justice Robert Kennedy, frère du Président.

Chapitre 5

« Assassins ! Assassins ! »

Natalie, la jolie veuve d'Arthur Jacobs, l'agent de publicité, se souvient très bien de la nuit du samedi 4 août. « Nous nous trouvions au Hollywood Bowl, m'a-t-elle raconté. Nous n'étions pas encore mariés. Nous assistions à un concert d'Henry Mancini. Nous savourions la musique quand un jeune employé de la salle s'est glissé auprès d'Arthur pour lui chuchoter quelque chose à l'oreille. Arthur s'est éclipsé et en revenant m'a dit de rester jusqu'à la fin du concert mais qu'il était obligé de partir. "Il s'est passé quelque chose chez Marilyn", m'a-t-il annoncé. Il était environ 22 h 30 et, à cette heure-là, il ne lui fallait pas plus de trente minutes pour se rendre chez Marilyn. Pendant deux jours, je ne l'ai pas vu. »

Elle avait l'impression que ce coup de fil venait de chez Marilyn et que c'était Pat Newcomb, l'attachée de presse de Marilyn qui faisait partie de l'équipe d'Arthur Jacobs, qui avait appelé. Natalie m'a aussi déclaré par la suite que Pat lui avait confirmé avoir été la première à arriver sur les lieux. Version que s'est acharnée à démentir ladite Pat, s'accrochant à celle selon laquelle elle n'avait appris la nouvelle que le dimanche vers 4 heures du matin, par un appel de Milton Rudin, l'avocat de Marilyn. Sur ces entrefaites, elle se serait rendue là-bas.

Avant que cet élément ne disparaisse, il serait bon de

noter que Pat Newcomb a reconnu, d'une part, avoir été dans la maison avant que le sergent Jack Clemmons et le commissariat n'aient reçu la notification officielle de la mort de Marilyn et que, d'autre part, Milton Rudin se trouvait déjà sur place. Version qui corrobore l'impression du sergent que des individus se cachaient dans la maison à son arrivée. Il est difficile de dire combien de personnes sont entrées – et sorties – de la maison avant que le décès de Marilyn ne soit notifié à Clemmons.

La version de Pat Newcomb soulève un certain nombre de questions, à moins qu'elle n'ait été sur place au moment de la mort de Marilyn, qu'elle ne soit rentrée chez elle et ait été effectivement appelée par Milton Rudin à 4 heures. Le problème vient du fait qu'en ce samedi soir fatal elle assista à la réception donnée par Peter Lawford dans sa maison du bord de mer. D'autres invités en ont témoigné, dont le producteur George Durgom qui déclara qu'elle était arrivée à 21 h 30. Auparavant, Lawford s'était entretenu au téléphone avec son associé en affaires, Milton Ebbins, auquel il demandait conseil sur la manière de s'occuper d'une urgence concernant Marilyn. Ebbins contacta l'avocat de Marilyn, Milton Rudin, qui appela Helena Drive vers 21 heures. Mme Murray lui répondit que tout allait bien. Ce sujet ne fut-il pas abordé dans la conversation avec Pat Newcomb qui arriva peu de temps après ? Dans ce cas, cette dernière ne se fit-elle pas du souci à propos de l'état de Marilyn ?

Pat Newcomb ne s'aperçut-elle pas des coups de fil « affolés » passés plus tard dans la soirée par Peter Lawford à Joe et Dolores Narr qui comptaient au nombre de ses invités et étaient rentrés chez eux avant 23 heures ? Elle se trouvait au cœur du lieu qui se révéla le centre de l'intrigue, dans la mesure où on a la preuve que la maison du bord de mer de Lawford fut cette nuit-là le théâtre de nombreux coups de fil et activités tournant autour de Marilyn Monroe. Est-il possible que Pat soit tranquillement rentrée chez elle sans avoir remarqué quoi que ce soit ? Vers minuit, sinon avant, son hôte accompagnait Marilyn à l'hôpital en ambulance. Peu après son décès, il organisait le « nettoyage » de la maison de la star, afin d'effacer toute trace de ses liens avec les frères Kennedy. Tout cela se passa-t-il à l'insu de Pat Newcomb ?

Le sergent Byron bûcha sur les questions qu'il avait posées, prit soigneusement des notes et soumit une espèce de compte rendu de ses constatations. Le voici :

Le décès a été prononcé le 5/8/62 à 3 h 45 du matin. Peut-être accidentel, étant survenu entre le 4/8 et le 5/8/62 à 3 h 35 du matin, dans la maison sise 12305 Fifth Helena Drive, Brentwood, dans Rtpg Dist. 814, rapport # 62-509 463.

Le 4 août 1962, Marilyn Monroe s'est retirée dans sa chambre vers huit heures du soir. Mme Eunice Murray, demeurant 933 Ocean Ave. à Santa Monica, Californie, 395-7752, CR 61890, a remarqué une lumière dans la chambre de Mlle Monroe. Mme Murray n'a pas pu réveiller Mlle Monroe en frappant à la porte, ni quand elle a de nouveau essayé à 3 h 30 du matin, ayant constaté que la lumière était encore allumée. La porte était fermée à clef. Sur ce, Mme Murray est allée observer Mlle Monroe par la fenêtre de la chambre, a constaté qu'elle gisait sur le ventre dans une position qui lui a semblé anormale. Mme Murray a alors appelé le Dr Ralph Greenson, psychiatre de Mlle Monroe, demeurant 436 North Roxbury Drive, Beverley Hills, Californie, CR 14050. En pénétrant dans la chambre après avoir brisé la vitre, il a constaté que Mlle Monroe était peut-être morte. Il a alors téléphoné au Dr Hyman Engelberg, demeurant 9730 Wilshire Boulevard, également à Beverley Hills, CR 54366, qui s'est rendu sur les lieux et a déclaré que Mlle Monroe était décédée à 3 h 35 du matin. Le Dr Ralph Greenson avait vu Mlle Monroe le 4 août 1962 à 17 h 15, à sa demande, parce qu'elle ne parvenait pas à dormir. Cela faisait environ un an qu'il la traitait. Quand le Dr Greenson l'a trouvée, elle était nue, le récepteur du téléphone dans une main, allongée sur le ventre. Un agent de police a été appelé et à son arrivée, il a trouvé Mlle Monroe dans la posture décrite ci-dessus, hormis le téléphone, que le Dr Greenson avait enlevé. Plus de 15 flacons de médicaments ont été trouvés sur sa table de chevet, dont certains prescrits sur ordonnance. Sur l'un de ces flacons était indiqué Nembutal 1,5 mg, prescription #. 20853 du Dr Engelberg. A propos de ce flacon précis, le Dr Engelberg a déclaré qu'il en avait renouvelé l'ordonnance environ deux jours plus tôt et qu'il devait contenir une cinquantaine de capsules quand le pharmacien l'avait rempli.

Si je reviens au début de ce rapport dans son ensemble insignifiant, j'ai l'impression que le sergent Byron fit preuve d'une perspicacité remarquable au sujet des événements à propos desquels il établissait un premier compte rendu. Qu'il puisse indiquer, sans bénéficier d'une autopsie ou d'un rapport du coroner, que la mort était « peut-être accidentelle » relève tout simplement du tour de force. Il ne doutait apparemment pas d'être en présence d'un suicide qu'il déclara « peut-être accidentel » ce dont devait encore débattre le coroner, lequel disposerait, lui, du rapport d'autopsie et de l'avis de la Brigade du Suicide de Los Angeles, et formulerait alors « suicide probable ». Cela n'indiquerait-il pas que quelqu'un souffla au sergent Byron que le suicide ne serait acceptable qu'accompagné de la mention « possible » ou, plus fort encore, « probable » ? Ou alors, ne modifia-t-il pas plus tard son rapport « initial », lui ôtant par là même sa valeur spécifique ?

Dans le rapport de Byron, Mme Murray a modifié l'heure de la découverte du corps. Il s'agit à présent de 3 h 30, c'est-à-dire l'heure où elle appela le Dr Greenson, tout en ayant d'abord regardé par la fenêtre de la chambre. Greenson, à son arrivée Fifth Helena Drive, téléphona au Dr Engelberg qui, disaient-ils, arriva sur-le-champ. Le sergent Byron ne paraît pas s'étonner que Greenson se soit habillé et soit arrivé chez Marilyn en un clin d'œil, et pas davantage que le Dr Engelberg – exploit encore plus remarquable – ait eu le temps de s'habiller, de venir en voiture, de procéder à un examen et de la déclarer morte à 3 h 35 ! Un rapport consécutif de Byron n'apporte que peu d'éléments supplémentaires, même si Engelberg n'arrive à présent qu'à 3 h 50 et déclare le décès à cette heure-là. Il est cependant pour le moins étrange qu'un policier expérimenté puisse s'abstenir dans son rapport d'attirer l'attention sur un trou de vingt-cinq minutes inexpliqué entre 4 heures, heure à laquelle les médecins déclarent avoir appelé la police, et 4 h 25, heure à laquelle leur coup de fil fut effectivement noté. Byron ne s'interroge absolument pas. Comme s'il n'avait rien remarqué.

Le Dr Greenson a reçu un coup de fil de Mme Eunice Murray, la personne ayant signalé les faits, le 5/8/62 à 3 h 30 du matin. Elle lui disait qu'elle ne pouvait pas entrer dans la chambre de Mlle Monroe et que la lumière était allumée. Il lui a suggéré de frapper à la porte et de regarder par la fenêtre de la chambre, puis de le rappeler. Mme Murray l'a rappelé à 3 h 35 et lui a dit que Mlle Monroe était allongée sur son lit, le téléphone dans une main, dans une posture anormale. S'étant déjà habillé, le Dr Greenson s'est rendu de chez lui à la résidence de la défunte, située à environ 1,5 kilomètre. Le Dr Greenson a également demandé à Mme Murray de prévenir le Dr Engelberg.

Il était environ 3 h 40 quand le Dr Greenson est arrivé chez la défunte. Il a brisé la vitre et il est entré dans la maison par la fenêtre, puis il a ôté le téléphone de la main de la défunte.

La rigidité cadavérique s'était déjà installée. Le Dr Engelberg est arrivé à 3 h 50 et a déclaré le décès de Mlle Monroe. Les deux médecins mentionnés ci-dessus ont discuté quelques minutes. Ils estiment tous les deux que le Dr Engelberg a appelé le commissariat vers 4 h 00.

Après vérification auprès de la Commission des réclamations et du Bureau de Los Angeles Ouest, le commissariat de police a reçu l'appel à 4 h 25. On a vérifié la ligne de Mlle Monroe, GR. 61890, et constaté qu'aucun appel longue distance n'avait été effectué à l'heure de ces faits. On vérifie en ce moment le numéro de téléphone 742-4830.

Dans sa version, Mme Murray passe *deux* coups de fil à Ralph Greenson, et c'est elle qui appelle le Dr Engelberg. Le Dr Greenson n'arrive que cinq minutes après le second appel de Mme Murray et le Dr Engelberg dix minutes plus tard. Du point de vue de la rapidité, tout cela, même à l'heure la plus tranquille de la nuit, relève de l'exploit. Quand bien même leur accorde-t-on la version de la chronologie des événements révisée par rapport à celle qu'ils ont fournie au sergent Jack Clemmons, qui comprenait un trou totalement inexpliqué de plusieurs heures, cette version révisée laisse encore un vide de trente-cinq minutes entre la signature du certificat de décès et le moment où le commissariat en a reçu la notification. Dans ce rapport supplémentaire, Byron n'estime pas nécessaire d'indiquer qu'il modifie l'heure de la déclaration du décès de Marilyn par le Dr Engelberg et ne précise pas que son premier rapport était erroné. Tout compte fait, les rapports de Byron sont des versions approximatives et inexactes, sans grande valeur, des événements. Il apparaît également que si l'un de ses supérieurs en a pris connaissance, il n'a pas estimé utile ou désirable de les mettre en doute ni de réprimander le sergent Byron pour son travail bâclé.

Dans l'impasse où habitait Marilyn, plusieurs personnes déclarèrent qu'une femme s'était précipitée hors de la maison le dimanche un peu avant l'aube en hurlant : « Assassins ! Assassins ! Vous êtes contents, à présent que vous l'avez tuée ? » Ce détail vint à l'oreille de certains reporters, dont la célèbre Florabel Muir, qui commencèrent ensemble une enquête. Ils en obtinrent confirmation. Muir se chargea de découvrir l'identité de cette femme et put éliminer la gouvernante, Eunice Murray. Elle porta alors son attention sur Pat Newcomb, qui avait déclaré ne pas être arrivée à la maison avant qu'on ne l'appelle à 4 heures du matin. Elle

imagina que Newcomb avait été tenue à l'écart le plus longtemps possible et qu'à son arrivée elle avait compris qu'un
crime avait été commis. Florabel Muir n'a jamais appro-
fondi son intuition et lorsque j'ai abordé ce sujet avec Pat
Newcomb, elle a refusé d'y apporter le moindre commentaire. En dehors de Pat Newcomb, on ne voit cependant
pas de qui il pouvait s'agir. Hormis Mme Murray, elle est
la seule femme dont on sait qu'elle était présente dans la
maison à cette heure-là. Un autre rapport ajoutait une tirade
destinée directement aux journalistes : « Continuez à tirer,
vautours ! Espèces de suceurs de sang ! Espèces de vampi-
res ! Vous ne pouvez même pas la laisser mourir en paix ! »
Florabel Muir a sans doute appris avec un grand intérêt que
Pat Newcomb avait été licenciée *illico* par Arthur Jacobs,

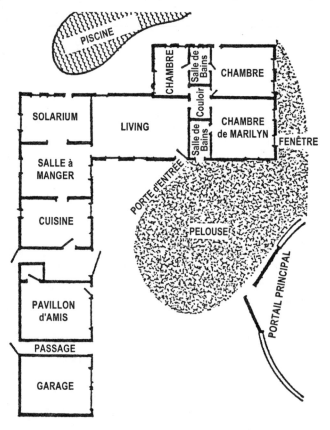

sous prétexte de sa « dispute » avec les reporters, au cours de laquelle elle avait piqué une crise d'hystérie et avait dû être maîtrisée par un policier.

Dans les rares commentaires, succincts, qu'elle fit à la presse, Pat Newcomb n'apporta que peu d'éclaircissements sur ce qui s'était passé peu de temps avant la mort de Marilyn. Dans son numéro du 15 août 1962, le *Los Angeles Herald Examiner* écrivait :

> *Mlle Newcomb attribue au moins une partie du bonheur de Mlle Monroe au cours des dernières heures de sa vie au fait que la* Twentieth Century Fox *semblait prête à reprendre* Something's Got to Give, *dont le rôle principal allait être reconfié à leur star sous contrat.*
>
> *« Marilyn était très contente que la production soit relancée », rapporte Mlle Newcomb. Et enchantée d'apprendre que les dirigeants new-yorkais du studio avaient fait des commentaires très enthousiastes à propos des extraits du film qu'ils avaient visionnés.*
>
> *« Pourtant, Marilyn avait une raison beaucoup plus simple d'être heureuse. Après sept années d'absence, elle était de retour en Californie où elle se sentait à la fois en paix et comblée. »*

Deux jours avant cet article, le même journal avait annoncé :

> *L'attachée de presse personnelle de Marilyn, Pat Newcomb, est au chômage. Elle passerait des vacances à Hyannis Port en compagnie de M. et Mme Lawford, dans la résidence estivale du Président.*
>
> *Des amis ont déclaré qu'elle avait été renvoyée à la suite de sa prise de bec avec les journalistes consécutive à la mort de la star.*
>
> *Le matin où on a retrouvé Marilyn morte [...] Mlle Newcomb se serait colletée avec des photographes de presse qui essayaient de prendre des clichés des lieux. AU CHÔMAGE.*

> *L'Agence Arthur Jacobs, employeur de Mlle New-*
> *comb pour la promotion de Marilyn, s'est contentée de*
> *déclarer : « Elle ne fait plus partie de la société. »*
> *Sa ligne téléphonique a été débranchée.*

La veuve d'Arthur Jacobs m'a raconté lors d'un entretien que Pat avait été renvoyée à la suite d'une dispute avec elle (Natalie), même si, comme le rapportait le journal, ce licenciement était lié au moins à l'une des altercations rapportées ci-dessus, sinon aux deux. N'est-ce pas également étrange que Natalie évoque une dispute qu'elles auraient eue justement à ce moment-là, étant donné qu'elle et son mari étaient de très bons amis de Marilyn, à laquelle ils essayaient d'apporter le plus grand soutien possible ? Etrange que Pat ait pu *à la fois* se quereller avec la femme de son patron et perdre son travail à ce moment précis ?

Mais il y a encore plus surprenant, puisque Pat Newcomb, après s'être s'envolée directement pour Hyannis Port ou, plus précisément, pour la maison du ministre de la Justice, Robert F. Kennedy, prit six mois de vacances en Europe. Et notre stupéfaction ne s'arrête pas là : à son retour, elle fut engagée dans l'un des services du gouvernement à Washington.

Chapitre 6

Ambulances, mobiles et pots-de-vin

Selon certaines rumeurs, une ambulance aurait été appelée à la résidence de Marilyn et l'aurait emmenée en urgence à l'hôpital aux petites heures du 5 août. Cet élément apparut au grand jour pour la première fois en 1982, lorsqu'un certain Ken Hunter, employé d'une grande société appartenant à Walter Schaefer, déclara qu'il s'était rendu Fifth Helena Drive où il avait trouvé Marilyn Monroe déjà morte. Il indiqua le nom de son collègue, Murray Liebowitz, qui s'empressa de nier avoir jamais mis les pieds là-bas. En 1985 Walter Schaefer en personne, après avoir démenti pendant toutes ces années avoir jamais envoyé une ambulance là-bas, finit par l'admettre, ajoutant que Liebowitz y avait bien accompagné Hunter.

Schaefer alla même plus loin. Il déclara que Marilyn était encore en vie à l'arrivée de Hunter et Liebowitz et qu'on l'avait transportée en urgence à l'hôpital de Santa Monica. Il prétendit ignorer comment son corps avait été ramené Fifth Helena Drive. On ne s'étonnera guère qu'il n'ait pas eu envie d'ébruiter le fait qu'un cadavre avait été transporté dans l'une de ses ambulances. Une vive concurrence régnait dans le milieu ambulancier et ce genre de révélation aurait gravement nui à son entreprise. A la question de savoir pourquoi il s'était tu pendant si longtemps, Schaefer apporta une réponse explosive. Il déclara que quatre-vingts

pour cent de ses activités se faisaient avec des services muni-
cipaux et du comté et que, s'il avait parlé, il aurait pu faire
faillite, étant donné que les Kennedy étaient impliqués. Il
est pour le moins intéressant que Schaefer ait été si bien
informé de la relation Marilyn-Kennedy et qu'il ait estimé
que les Kennedy se seraient retrouvés dans l'embarras si
une ambulance était introduite dans ce scénario.

Peu après cet aveu de Schaefer, une autre version concernant l'ambulance circula. Elle émanait d'un individu
dénommé James Hall, qui prétendait avoir été employé
comme ambulancier par Schaefer et s'être rendu Fifth
Helena Drive, accompagné de Liebowitz. Hall raconta qu'il
était arrivé là-bas le dimanche matin vers 3 h 30 et qu'il
avait trouvé Marilyn dans le lit du pavillon d'amis. Selon
lui, Pat Newcomb était sur place, en pleine crise d'hystérie.
Elle hurlait « Elle est morte ! Elle est morte ! » et le gênait
dans son travail. Il jugea qu'il fallait effectuer une réanimation cardiaque et il dut placer Marilyn sur le sol, car le
lit était trop mou. Il déclara que Liebowitz et lui avaient
malencontreusement laissé tomber Marilyn, chute qui avait
provoqué un bleu à la hanche (celui, à l'entendre, observé
par la suite par le médecin légiste). Hall soutint que c'était
la preuve que Marilyn était encore en vie à cette heure-là,
puisque les cadavres ne gardent pas d'hématomes.

Hall prétendit que le bouche à bouche qu'il avait administré à Marilyn fonctionnait et qu'elle réagissait. L'arrivée
d'un homme qui prétendait être son médecin l'avait toutefois empêché de poursuivre la réanimation. Il lui avait cédé
la place et le médecin n'était pas parvenu, selon ses dires, à
ramener Marilyn à la vie et avait sorti une seringue hypodermique de sa sacoche, déjà munie d'une longue aiguille. Il
lui avait fait une piqûre en écartant un sein, mais n'avait pu
enfoncer l'aiguille jusqu'au bout, car elle avait heurté une
côte. D'après Hall, le médecin avait continué à appuyer et
quelque chose avait cédé. Marilyn était morte une minute
plus tard. Pendant longtemps, Hall précisa qu'il avait cru
avoir vu le médecin administrer à Marilyn une piqûre
d'adrénaline. Mais à l'époque où il fit ce récit, il déclara

cependant qu'il pensait avoir assisté à l'assassinat de la star. Pour lui, l'assassin de Marilyn n'était autre que le Dr Greenson.

Selon Hall, Marilyn était morte peu après 3 h 30 du matin. S'il disait vrai, tous les récits et horaires fournis précédemment ne tenaient plus. Mais face à tous les faits avérés, son récit, haut en couleur, s'effondra vite. Pour commencer, le cadavre de Marilyn n'aurait pas pu, si elle était morte à 3 h 30, avoir atteint l'état extrême de rigidité cadavérique dans lequel Guy Hockett, l'employé du coroner, l'emporta à 5 h 30. Ce dernier estima qu'elle avait dû mourir environ six heures avant son intervention. Le récit de Hall rendait également Hyman Engelberg coupable de complicité de meurtre, étant donné qu'il avait signé une déclaration de décès à 3 h 50 du matin et qu'il avait dû être sur place tout le temps. De la même manière Mme Murray, Pat Newcomb et Peter Lawford – présent lui aussi selon Hall – étaient tous parties prenantes de cet acte monstrueux.

Ralph Greenson était l'un des psychiatres américains les plus réputés. Penser qu'il ait pu participer à l'assassinat de Marilyn relève du non-sens pur et simple. Pour quelle raison aurait-il commis un acte pareil ? Quel aurait été son mobile ? Le décès de Marilyn, loin de lui faire gagner quelque chose, lui fut fort préjudiciable. N'oublions pas qu'elle était sa patiente la plus célèbre. Toute espèce d'implication de sa part ne pouvait que signer sa ruine, en dehors de lui faire courir le risque de se voir accusé de meurtre. L'immense intégrité du Dr Greenson était de notoriété publique et il aurait fallu qu'il ait complètement perdu la tête pour remplir le rôle que lui attribuait Hall. Il n'en existait d'ailleurs pas la moindre preuve. Comme cela se confirma par la suite, la réputation de Greenson pâtit du fait que la mort de Marilyn fut attribuée à un suicide. Un psychiatre ne peut connaître pire échec que le suicide de l'un de ses patients.

De la même façon, Engelberg était un généraliste aux compétences reconnues et à la réputation sans tache. Il était

proprement inconcevable qu'il ait pu assister au meurtre de
Marilyn ou rester tapi dans une pièce voisine pendant
qu'elle se débattait pour rester en vie. Pour couronner
le tout, Hall s'était vraiment emmêlé les pédales. Ralph
Greenson, qu'il qualifiait de médecin, n'exerçait que la psychanalyse, et c'était en qualité de psychanalyste qu'il soi-
gnait Marilyn. D'où la raison pour laquelle Marilyn avait
également recours au Dr Engelberg. Imaginer Greenson
dans le rôle d'un médecin généraliste, sortant d'un geste
théâtral une seringue hypodermique, surtout en présence
d'Engelberg dans la maison, relevait de la pure idiotie.
Engelberg, de la même manière, n'aurait jamais envisagé,
ne serait-ce qu'une seconde, d'empiéter sur le royaume du
psychanalyste.

Hall aurait dû également savoir que les médecins n'ont
pas pour habitude de se promener avec des seringues hypo-
dermiques toutes prêtes dans leur sacoche. En dehors du
danger et du manque d'hygiène que cela impliquerait, la
seringue pourrait être abîmée. Cette suggestion avait
quelque chose de ridicule. D'après la description de Hall, il
s'agissait d'une aiguille à la longueur suffisante pour injecter
l'adrénaline directement dans le cœur. Non : cette invention, créée de toutes pièces, n'était destinée qu'à calomnier
affreusement les médecins.

Au cours de mon enquête sur la mort de Marilyn, j'ai
interviewé le Dr Noguchi qui a pratiqué l'autopsie de la
star. Je lui ai demandé, très précisément, s'il avait constaté
qu'une côte avait été abîmée, ce qui aurait conféré un certain degré de crédibilité au récit de Hall (ce bruit de rupture qu'il prétendait avoir entendu quand l'aiguille fut
enfoncée). Le Dr Noguchi m'a répondu que rien n'indiquait
qu'elle eût reçu une piqûre et qu'au cours de l'autopsie il
avait prélevé la cage thoracique. Aucune côte ne présentait
de lésion, et il m'a assuré qu'aucune fracture ni dégât n'aurait pu échapper à son examen minutieux.

Lors d'un long entretien, John Miner, procureur général
adjoint au moment du décès de Marilyn, m'a fait la même
réponse. Miner, qui avait fait des études de médecine avant

ses études de droit, avait assisté à toute l'autopsie, en qualité de représentant du procureur.

Le récit de Hall ne résiste à aucune forme d'analyse. Sur la base de tout ce que j'ai appris des événements ayant précédé et suivi la mort de Marilyn, il relève purement et simplement d'une invention malveillante. Il ne fait pas de doute que ses propos attirèrent sur lui les feux des projecteurs. Peut-être est-ce là ce qu'il recherchait. Schaefer, interrogé, répondit qu'il n'avait jamais employé Hall. Il s'avéra qu'il mentait, mais le fait que Hall eût effectivement travaillé pour son entreprise ne corroborait en rien ses déclarations calomnieuses. Comme nous le verrons plus tard, au fur et à mesure que les événements s'éclaircissaient et qu'une tranche horaire plus vraisemblable se précisait, l'absurdité du récit de Hall apparut de plus en plus au grand jour.

On notera avec un certain intérêt que le procureur du comté de Los Angeles, lors d'une enquête « préliminaire » sur la mort de Marilyn menée en 1982, sembla accorder un certain crédit à la version de Hall, mais pas à celle de Hunter. Il refusa de tenir pour preuves toutes les références à une ambulance. Il ne traita ces allusions que comme une rumeur, si bien que les implications inouïes soulevées par la présence d'une ambulance sur les lieux, de même que la déclaration selon laquelle la star était alors encore en vie, ne furent pas prises en compte et se perdirent dans le temps.

En fait, il aurait suffi au procureur de poser la question aux voisins de Marilyn pour obtenir la confirmation de la présence d'une ambulance sur les lieux. Ceux qui furent interrogés répondirent qu'ils en avaient effectivement vu une. Si l'on cherche une raison à ce laxisme, il apparaît que, vingt ans après la mort de Marilyn, la pression politique n'était pas retombée. Les implications, à cette époque encore, n'auraient pas été, semble-t-il, sans de profondes répercussions. On aurait appris en particulier que les autorités en place avaient mené une enquête vaseuse et superficielle au moment du décès de Marilyn, comme nous avons déjà des motifs de l'affirmer, et qu'il existait bien une scandaleuse conspiration.

Le récit de Ken Hunter, l'ambulancier qui prétendait s'être rendu chez Marilyn, tenait debout, mais ce dernier nia néanmoins l'avoir jamais transportée à l'hôpital. Trois ans s'étaient écoulés depuis la révélation de Hunter lorsque Walter Schaefer reconnut ce transport précipité à l'hôpital de Santa Monica. Le problème soulevé par le démenti de Hunter n'est guère difficile à analyser. Schaefer, en tant que patron, ne devait rendre compte à personne de ses déclarations. Tel n'était pas le cas de Hunter, et nous avons déjà mentionné la concurrence qui régnait dans le milieu ambulancier. Si Hunter reconnaissait avoir foncé à l'hôpital et être arrivé trop tard, cela nuisait à sa réputation, de même qu'à celle de son entreprise. Il semble également qu'on incita Hunter à rebrousser chemin pour ramener le corps de Marilyn chez elle, alors qu'il était strictement interdit à une ambulance de servir de corbillard. Aussi longtemps que Hunter soutint qu'il ne l'avait pas conduite à l'hôpital, la question de savoir s'il avait ramené son corps chez elle resta sans fondement. Mais Schaefer savait parfaitement, malgré son refus de l'admettre – même en 1985 –, que son ambulance avait ramené le corps de la star à son domicile. Peut-être ne parvenait-il pas à encaisser ce détail. Il voulait bien reconnaître une partie des faits, mais sans aller jusqu'au bout.

Nous pouvons avoir la conviction que quelqu'un appela l'ambulance de Schaefer et qu'elle conduisit Marilyn en catastrophe à l'hôpital. Si on étudie le cadre horaire des événements induit du coup de fil passé à Arthur Jacobs au Hollywood Bowl pour lui demander de se précipiter chez Marilyn, cette dernière avait été découverte dans un état grave le samedi à 22 h 30. Cela posé, on peut dire que le Dr Engelberg lança une espèce de bombe lorsqu'il se décida enfin à évoquer la chronologie des événements. Alors que durant la période de l'enquête autour du décès de Marilyn il avait laissé le soin au Dr Greenson de faire des déclarations en leurs deux noms, il prit plus tard la parole. Malheureusement, ses commentaires ne furent guère relevés. Il rapporta que l'alarme avait été donnée « entre 11 heures et minuit », détail qui tendait à corroborer les propos de Natalie Jacobs à propos du Hollywood Bowl et changeait complètement les règles du jeu.

Si on ne tient pas compte des horaires fluctuants fournis par Mme Murray, il est possible d'établir une version plus réaliste des événements. Il est probable que quelqu'un téléphona au Dr Engelberg de chez Marilyn vers 23 heures et que ce dernier était sorti. L'ambulance fut appelée et arriva sans doute entre minuit et 1 heure du matin. Ken Hunter évoquait « les petites heures de l'aube » et citait « environ 1 h 30 », mais il peut s'agir de l'heure à laquelle il partit. Les voisins de Marilyn, Abe Landau et son épouse, déclarèrent avoir vu une ambulance à 1 heure du matin. Selon eux, il y avait en même temps une voiture de police et plusieurs autres véhicules. Ken Hunter, même s'il le nia par la suite, déclara d'abord avoir vu la police arriver avant qu'il ait quitté le Fifth Helena Drive. Nous pouvons avoir l'assurance que le sergent Jack Clemmons, qui fut contacté trois heures après, ignorait tout de la présence de la police à la maison vers 1 heure du matin. Tous ces éléments nous fournissent cependant un indice essentiel sur le véritable déroulement des faits.

Ken Hunter cessa de faire la moindre déclaration à ce sujet. Murray Liebowitz nia s'être jamais rendu chez Marilyn et maintint avec force qu'il ignorait tout de la présence d'une ambulance Fifth Helena Drive, mais nous pouvons replacer ses dénégations dans leur contexte. James Hall, dont nous avons rejeté le témoignage, rapporta de son plein gré qu'un jour où il écoutait un talk-show à la radio, un employé de Schaefer l'avait appelé pour lui parler de Liebowitz. Cet employé lui raconta que Liebowitz lui avait fait faire le tour d'au moins six laveries automatiques de voitures. Lorsqu'il l'avait interrogé sur le pourquoi de cette balade, Liebowitz lui avait répondu : « Je ne suis pas censé vous dire ce qui est arrivé à Marilyn cette nuit-là, mais sachez qu'après les funérailles j'ai reçu un gros pot-de-vin. A présent, je suis le propriétaire de ces laveries. »

Liebowitz déclara à cet individu les avoir achetées avec

cet argent, reçu en contrepartie de son silence. « Je ne continue à travailler pour Schaefer que pour préserver les apparences », lui aurait précisé Liebowitz. Cela est tout à fait crédible, et on peut se demander s'il en alla de même avec les autres. En vérité, il semble que des pots-de-vin furent distribués sans compter. Tout de suite après l'enquête sur la mort de Marilyn, par exemple, Mme Murray quitta son appartement sans laisser d'adresse et prit des vacances en Europe, qui furent suivies de deux autres séjours sur le Vieux Continent au cours des années soixante. Une fois sa version « installée », elle s'y tint fermement et les rares occasions où elle commit un impair furent des moments où la vérité lui échappait, en aucun cas où elle la formulait de son plein gré. De nombreuses années plus tard, l'ex-épouse du Dr Engelberg affirma que son mari avait placé de l'argent sur un compte en Suisse après le décès de Marilyn.

Si l'on admet la présence de l'ambulance, voici le déroulement des faits : Marilyn fut découverte entre 22 heures et 22 h 30 dans un état comateux. On ne parvint pas à la réveiller. On téléphona au Dr Engelberg, qui n'était pas chez lui. Arthur Jacobs fut appelé et se rendit directement au domicile de la star, et il est probable qu'on chercha le Dr Greenson, lequel, à cette heure-là, dînait en ville en compagnie de sa femme. Entre minuit et 1 heure du matin, l'ambulance fut appelée et conduisit Marilyn en catastrophe à l'hôpital de Santa Monica. Dans ce cas, à la lumière de nos connaissances, il apparaît sensé de conclure que Marilyn mourut pendant le trajet. Si les ambulanciers arrivèrent à l'hôpital alors que c'était chose faite, ils ne s'inquiétèrent pas de l'y faire admettre, et ce faisant, de perdre le contrôle de la situation. On peut aussi arguer que l'hôpital n'était sans doute pas enchanté d'admettre un cadavre. Il semble que Marilyn fut alors ramenée chez elle, où fut tissée autour de son décès une toile de mensonges et de tromperies qui nous empêcha de connaître la vérité pendant des décennies.

La conclusion de ce chapitre n'émane pas moins de l'un des personnages clés de l'énigme, à savoir Mme Murray. En 1985, elle fut interviewée par la BBC dans le cadre d'une émission sur la mort de Marilyn dont l'auteur était le célèbre journaliste d'investigation Anthony Summers. Face à la caméra, elle répéta sa version habituelle. Cependant, l'enregistrement terminé, elle confessa à l'équipe, parmi d'autres détails, qu'une ambulance et un « médecin » étaient bien arrivés à la maison alors que Marilyn vivait encore. Un autre de ses petits dérapages, tout simplement.

Chapitre 7

L'autopsie

L'autopsie du corps de Marilyn Monroe fut pratiquée par le Dr Thomas Noguchi le dimanche 5 août. Le Dr Noguchi était un jeune membre de l'équipe du coroner, mais hautement qualifié. Dans un livre qu'il publia en 1983 [1], Noguchi fit une déclaration instructive : « En temps normal, un médecin légiste plus expérimenté aurait pratiqué cette autopsie, observait-il. Cependant, le Dr Curphey [le coroner] passa un seul coup de fil dans la matinée du dimanche pour me confier ce travail. »

Cela fit beaucoup réfléchir Noguchi. « J'étais persuadé que cette autopsie allait présenter un problème scientifique très particulier », telle fut sa première réaction. Mais après plus ample réflexion, il changea d'avis : « Un suicide de routine, me suis-je dit. Mais dans ce cas, pour quelle raison le Dr Curphey m'a-t-il confié cette autopsie ? Peut-être parce qu'elle n'allait pas correspondre aux faits stipulés dans le rapport d'enquête. » Le Dr Noguchi suggérait-il là que Curphey l'avait chargé de cette tâche parce qu'il serait le membre de son équipe le plus facile à « contrôler », si les faits contredisaient l'hypothèse du suicide ? « J'ai réalisé l'énormité de la responsabilité qui m'attendait, écrivit

---

1. Thomas T. Noguchi MD et Joseph DiMona, *Coroner*, New York, 1983.

Noguchi. Je savais que le monde entier exigerait de savoir ce qui était arrivé à la bien-aimée Marilyn Monroe. Cette responsabilité en tête, j'ai commencé mon examen en cherchant minutieusement à l'aide d'une loupe des traces de piqûres indiquant qu'on lui aurait injecté une drogue. Et de la même manière, j'ai cherché des traces de violences physiques. Je n'ai trouvé aucune marque de piqûres... » Un petit hématome inexplicable fut bien découvert sur une hanche, mais tenu pour insignifiant. Le genre de bleu que l'on se fait en se cognant contre un meuble, déclara Noguchi, qui n'établit pas le moindre lien entre cette meurtrissure et le décès de Marilyn.

John Miner, à l'époque procureur général adjoint, à la tête du service médico-légal qu'il avait fondé et qui se spécialisait dans l'enquête et la poursuite en justice de crimes présentant des problèmes médicaux compliqués, assista à toute l'autopsie. Il m'a déclaré : « J'assistais à autant d'autopsies que mon emploi du temps me le permettait, c'est-à-dire à plusieurs milliers par an. La pathologie médico-légale demande au corps de révéler tout ce qu'il peut sur ce qui a entraîné sa mort : comment il est mort ; s'il a été assassiné. Pour obtenir des réponses, on a recours à la chirurgie, aux examens au microscope et aux sciences de laboratoire... Le processus débute et se termine avec le médecin légiste, qui est le chirurgien pratiquant l'autopsie. J'ai participé à l'examen à la loupe du moindre centimètre de la peau de Marilyn Monroe pour y trouver des traces de piqûre. Il n'y en avait pas la moindre. »

Le Dr Noguchi procéda ensuite à des prélèvements des organes génitaux, de l'anus, du rectum et de la bouche qui, soumis à un examen au microscope, révéleraient toute trace d'activité sexuelle, s'il y en avait eu. Examen qui se révéla négatif. Il entreprit alors la dissection du corps et l'autopsie elle-même ne révéla aucune cause apparente de décès. L'étape suivante allait consister en un examen en laboratoire d'échantillons extraits du corps, comprenant les organes, le cerveau, du sang, de l'urine, des prélèvements des zones génitales, anales et orales, et le contenu de l'estomac. C'est alors que les sonnettes commencèrent à tinter.

L'examen initial du contenu de l'estomac ne révéla absolument rien. Il ne présentait aucune trace de médicaments ou d'alcool, pas davantage de gélatine révélatrice, puisqu'elle aurait indiqué l'ingestion de remèdes en capsules. Le duodénum ne révéla rien non plus et un examen des reins, qui ne contenaient pas de barbituriques, laissa entendre que les médicaments avaient été administrés sans passer par l'estomac. Noguchi n'avait pas non plus trouvé trace de la coloration jaune que laisse d'ordinaire la gélatine dans l'œsophage. Ce fut le toxicologue qui fournit la réponse. Le décès de Marilyn était dû à une absorption massive d'un barbiturique, le Nembutal, souvent prescrit contre les désordres du système nerveux et les insomnies. L'analyse de son sang et de son foie le révélait nettement. Un certain volume d'hydrate de chloral – utilisé dans les « Mickey Finns » (boissons droguées) – fut également détecté, et bien qu'il ne s'agisse pas d'une dose fatale, il fournit peut-être une indication précise sur la cause de sa mort.

Bien que le coroner Theodore Curphey n'eût trouvé aucune trace de médicaments ou de capsules de gélatine dans l'estomac de la défunte, il déclara : « [...] J'en conclus que le décès de Marilyn Monroe a été provoqué par les sédatifs qu'elle a pris et qu'il s'agit probablement d'un suicide. » Lors d'une conférence de presse, il décrivit Marilyn avalant les capsules « en une gorgée – disons – en quelques secondes ». Il fut également dit que Marilyn avait absorbé environ 47 capsules de Nembutal, additionnées d'un grand nombre d'autres contenant de l'hydrate de chloral. L'adjonction du terme *probable* au verdict de suicide était significative. Elle en adoucissait miséricordieusement la dureté, laissant la place à un « suicide accidentel », en dépit du fait qu'elle ne corroborait pas davantage les résultats obtenus par le Dr Noguchi. L'adjonction de ce terme *probable* eut néanmoins pour effet de permettre à la Twentieth Century Fox de faire sa demande d'indemnités aux assurances, qui s'élevait à des millions de dollars, à un moment où le studio était particulièrement fragile financièrement. On pourrait également dire que la Fox fut supprimée de l'équation dans des circonstances où elle aurait pu contester un verdict de suicide sans appel.

Pour revenir à l'autopsie, le Dr Noguchi devait découvrir comment avait été administrée la dose fatale de barbituriques. Comme nous l'avons dit, l'estomac vide révéla que Marilyn n'avait pas avalé l'important nombre de capsules nécessaire à la présence de 4,5 mg par 100 g dans son sang, indépendamment de ce qu'affirmait le coroner. On ne pouvait pas non plus expliquer de la sorte les 13 mg par 100 g de pentobarbital – révélant aussi des barbituriques. Du fait que les médicaments n'avaient pas atteint le duodénum, on écarta également l'éventualité d'un lavage d'estomac pratiqué sans succès pour essayer de la ranimer, qui aurait expliqué son estomac vide. L'administration par injection était également impossible, non seulement à cause de l'absence de marques de piqûres, mais parce que la dose de médicaments trouvée dans le foie ne correspondait pas à une injection assez puissante pour causer une mort instantanée, bien antérieure à tout métabolisme du foie. Marilyn était morte lentement, son organisme ayant mis un certain temps à absorber les drogues.

Le Dr Noguchi reçut le rapport du toxicologue quelques heures après avoir achevé l'autopsie. Dans son livre il déclare : « [...] en le lisant, une sonnette d'alarme retentit tout de suite dans ma tête... En plus [du foie et des échantillons de sang] j'avais envoyé d'autre organes, en particulier l'estomac et son contenu ainsi que l'intestin, pour "examen toxicologique supplémentaire". J'ai tout de suite remarqué que les techniciens du laboratoire n'avaient pas examiné les autres organes que je leur avais envoyés. Ils n'avaient analysé que le sang et le foie... Raymond J. Abernathy [le toxicologue en chef] pensait apparemment qu'il n'était pas nécessaire de procéder à des analyses plus poussées.

« J'aurais cependant dû insister pour que tous les organes, contenu de l'estomac et segments de l'intestin inclus, soient analysés. Mais je n'ai pas suivi la procédure comme j'aurais dû le faire. En qualité de nouveau médecin légiste, il me semblait que je ne pouvais pas m'opposer aux chefs de service à propos des procédures et les preuves [la présence de barbituriques et d'hydrate de chloral dans le sang et le foie, associée au fait qu'on avait signalé la présence d'un flacon de Nembutal vide et d'un flacon d'hydrate de chloral à moitié vide] m'avaient convaincu, tout comme l'avaient été les toxicologues, que la quantité de drogues absorbée par Mlle Monroe était suffisante pour provoquer sa mort. » Tout cela sentait la déclaration à l'emporte-pièce, destinée à dissimuler des irrégularités évidentes. Mais les choses ne s'arrêtèrent pas là. Le Dr Noguchi voulut récupérer les spécimens qu'il avait fournis pour procéder à des analyses plus poussées, *mais ils avaient disparu.* Le contenu de l'estomac, les échantillons d'organes et les prélèvements s'étaient tous évanouis dans la nature. On ne pouvait plus procéder à des examens au microscope et il devenait impossible, par exemple, de dire si Marilyn avait récemment subi un avortement. Abernathy déclara : « Je suis désolé, mais je m'en suis débarrassé parce que nous avons classé l'affaire. » Jamais, au cours des milliers d'autopsies auxquelles il assista au fil des ans, John Miner ne vit se produire pareille chose. Tom Reddin, le chef de la police à la retraite, qui était l'assistant du chef Parker quand Marilyn mourut, déclara qu'il était illégal de détruire de telles preuves.

A la lumière de ces faits, on perçoit distinctement que ce nouveau membre de l'équipe du coroner avait été choisi pour pratiquer l'autopsie parce qu'on soupçonnait quelque chose de louche – ou qu'on en avait même la certitude – et que son statut permettait à ses collègues de ne pas respecter ses conclusions, de circonscrire l'autopsie et de participer à un étouffement de l'affaire. Noguchi en eut-il conscience ? Est-ce pour cela qu'il attira, dans le livre qu'il rédigea plus tard, l'attention sur sa position de médecin légiste débutant ? Quoi qu'il en soit, rien ne peut porter atteinte à l'honnêteté et à l'intégrité de Noguchi. Dans le scénario de l'autopsie, il était le dindon de la farce.

Revint à John Miner d'envisager comment les drogues avaient été administrées si Marilyn ne les avait pas avalées et s'il n'y avait pas eu d'injection. Ne restait qu'une seule voie possible, et au début il pensa à des suppositoires. Cependant, cela se révéla tout à fait impossible, en raison du volume énorme de barbituriques. Il gardait nettement présente à l'esprit l'image de la couleur violacée du côlon sigmoïde. En la remarquant pendant l'autopsie, il avait demandé au Dr Noguchi de pratiquer un prélèvement anal, mais cela n'avait pas été fait. De toute sa vie professionnelle, c'était la première fois qu'il voyait un côlon de cette couleur. Si les drogues avaient été introduites par suppositoires, elles n'auraient pas pu remonter assez loin pour provoquer cette décoloration du côlon. « Toute décoloration ou irritation seraient restées confinées à la zone du rectum », m'a-t-il déclaré.

John Miner décida de consulter deux pathologistes éminents à propos de ce côlon violacé. Il envoya des copies du dossier de l'autopsie de Marilyn au Dr Milton Halpern, médecin en chef de la Ville de New York, et au Dr Leopold Breitnecker, l'un des plus éminents pathologistes européens. Il obtint une réponse identique de ces deux médecins. Selon eux, la teinte violacée du côlon provenait d'une réaction inflammatoire aux barbituriques dans le gros intestin. Miner disposait à présent de la réponse. Les drogues avaient été absorbées par le gros intestin, qui n'avait pas été examiné durant l'autopsie. Leur important volume ne pouvait par conséquent avoir été administré que d'une seule manière : par lavement. Au début des années soixante le Nembutal était disponible sous forme liquide et, de toute façon, la poudre de Nembutal extraite des capsules se dissout facilement dans l'eau. De plus, il apprit par la suite que tout le matériel nécessaire aux lavements était disponible dans la salle de bains de Marilyn, étant donné que la star – de même que nombre de ses collègues – y recourait régulièrement comme traitement de beauté et de santé. Elle en parle beaucoup dans les enregistrements secrets qu'elle fit à l'attention de son psychiatre, que nous reproduisons plus loin dans ce livre.

L'autopsie terminée, John Miner n'avait pas encore achevé sa tâche. Le coroner Theodore Cuphrey lui demanda d'interroger le Dr Ralph Greenson le mercredi suivant l'autopsie, sans doute en raison de ses qualifications et de ses antécédents. Bien que Miner eût informé le coroner que Greenson faisait partie de ses amis, ce dernier insista pour qu'il s'entretienne avec lui. Miner rapporta que Greenson était abattu. Leur conversation dura quatre heures. Revenant sur ses déclarations précédentes, le psychiatre disait à présent qu'il était convaincu que Marilyn ne s'était pas suicidée. John Miner rédigea un mémorandum à l'attention du coroner, dont il fit une copie destinée au procureur, mais cela ne changea absolument rien. Curphey déclara que Marilyn s'était suicidée alors qu'il disposait des preuves de Noguchi selon lesquelles elle ne pouvait pas être morte par absorption de plus de 40 capsules de barbituriques, additionnée d'une grande quantité de capsules d'hydrate de chloral, « en une seule gorgée – disons – en quelques secondes », ainsi que de l'avis professionnel précis de Greenson qu'il avait lui-même recherché et dont il décidait à présent de ne pas tenir compte. Il était clair comme de l'eau de roche que Curphey voulait un avis qui soutiendrait son verdict de suicide et qu'il croyait que Greenson était l'homme qui le lui fournirait. Lorsqu'il s'avéra que ce n'était pas le cas, il laissa totalement tomber les déclarations du Dr Greenson.

C'est alors que les deux exemplaires du mémorandum de Miner disparurent sans laisser de trace.

Chapitre 8

Le mémorandum Miner

John Miner fut loin de réaliser tout de suite que son mémorandum était « perdu ». Au début, il eut l'impression que ses destinataires se contentaient de l'ignorer. Le temps passant, il prit conscience que les copies qu'il avait envoyées, l'une au coroner et l'autre au procureur, ne se trouvaient pas là où elles auraient dû être.

On avait envoyé Miner interroger le Dr Ralph Greenson chez lui parce que l'opinion de celui-ci sur le décès de Marilyn arrivait en deuxième position, juste derrière celui du Dr Noguchi, le médecin légiste. Greenson était extrêmement proche de Marilyn et au courant de ses pensées et secrets les plus intimes. Il ne fait pas de doute que le coroner Curphey se serait retrouvé en position beaucoup plus solide s'il avait obtenu le soutien que Greenson – et seulement Greenson – pouvait lui apporter dans sa thèse en faveur d'un suicide. Or le Dr Greenson avait déjà évoqué le suicide quand on avait trouvé Marilyn morte le dimanche 5 août.

Miner lui rendit visite trois jours plus tard, le mercredi 8 août, pour obtenir une déclaration. Ralph Greenson n'avait pas cessé de réfléchir aux événements. Sans doute apprécia-t-il que John Miner eût été chargé de cette démarche, car les deux hommes se connaissaient et se vouaient un respect mutuel. Avec lui il pouvait mettre son âme à nu sans embarras. C'était un homme ayant des connaissances médicales, qui comprenait ce qu'était la psychiatrie. Davantage encore, un homme en lequel il pouvait implicitement avoir confiance.

Ils parlèrent quatre heures durant. Dès le début, il apparut clairement que le Dr Greenson souffrait d'un grand stress. Son inquiétude était visible et il fut soulagé de partager son fardeau avec John Miner. Il avait eu amplement le temps d'analyser les événements et il lui confia qu'il était convaincu que Marilyn Monroe ne s'était pas suicidée. Les choses allèrent même plus loin. Comme il ne formula pas que, selon lui, sa mort avait peut-être été provoquée par un accident, John Miner en conclut qu'il pouvait également écarter cette possibilité.

J'ai longuement parlé à John Miner à Los Angeles à deux reprises. Je me suis beaucoup entretenu avec lui au téléphone et par écrit. Il avait gardé un exemplaire du mémorandum envoyé au coroner et au procureur, mais il n'arriva pas à remettre la main dessus, quarante ans après. Des déménagements successifs l'avaient en définitive relégué dans le coin – armoire, grenier ou dossier – où nous rangeons tous les documents dont nous ne voulons pas nous séparer. Je lui ai demandé s'il pouvait le reconstituer pour moi et il a accepté de faire tout son possible. Voici le contenu de son mémorandum, d'après tous les souvenirs qu'il a pu rassembler :

A l'attention de : Dr Theodore Curphey, MD,
Médecin légiste en chef, Coroner du comté de Los Angeles
Palais de justice
Los Angeles, CA 90012

Après l'autopsie, vous m'avez demandé d'interroger le psychiatre de Marilyn Monroe, le Dr Ralph Greenson, à propos de la question du suicide.
Le Dr Greenson m'a accordé cet entretien, à condition que je n'en révèle jamais le contenu, mais en m'autori-

*sant à divulguer la conclusion que j'en tirais à propos de
la question du suicide.*

*Le Dr Greenson m'a déclaré : « Marilyn Monroe ne
s'est pas suicidée. Cependant je peux avoir des préjugés
en la matière, car le suicide d'un patient est une catastrophe pour un psychiatre. Par conséquent, je vais laisser à sa propre voix le soin de vous éclairer, dans un
enregistrement qu'elle a effectué chez elle à mon attention. Elle y exprime des pensées qui lui viennent librement à l'esprit, qu'elle était incapable de formuler
pendant nos séances à mon cabinet. »*

*Ted, ce que Marilyn Monroe dit sur ces bandes exclut
toute possibilité qu'elle se soit tuée, volontairement ou
accidentellement. Elle ne s'est pas suicidée.*

En date du 8/8/62   *John W. Miner*
Assistant du procureur,
Chef du département médico-légal,
Officier de liaison du coroner.

John Miner resta fidèle à sa parole de ne jamais révéler
ce qu'il avait dit ou entendu durant sa conversation avec
Greenson jusqu'au jour où, de nombreuses années après la
mort du psychiatre en 1979, l'intégrité de ce dernier fut
mise en question, surtout par James Hall qui, comme nous
l'avons vu dans un précédent chapitre, l'accusait de
meurtre. Se rendant compte que Hildi, la veuve de Greenson, était effondrée par les propos de Hall, Miner lui
demanda de le délier de la promesse faite à son mari, pour
pouvoir prendre la défense du psychiatre à partir de ce qu'il
savait. Elle accepta et il commença par ne révéler que les
extraits de leur conversation qui défendaient la personnalité
de Greenson. Par exemple, aucun individu sain d'esprit
n'aurait, en présence d'un verdict de suicide, pris parti
contre le suicide s'il avait commis un crime. Cette personne
n'aurait eu qu'à garder le silence, ne manifester aucune opinion, et n'aurait eu à répondre à aucun argument, en dépit
des cancans.

John Miner n'a jamais révélé le contenu des enregistrements qu'il avait écoutés et dont il possédait une transcription, jusqu'au jour où il m'a donné cette transcription afin de me permettre de la reproduire ici même. Il était parvenu à la conclusion qu'il fallait divulguer le contenu des enregistrements, afin que le nom de Marilyn ne reste pas dans l'histoire de Hollywood entaché de la honte d'un suicide. Les propos enregistrés par Marilyn sont révélateurs à bien des points de vue. Je n'en ai pas reproduit les parties extrêmement intimes qui n'étaient manifestement destinées qu'à son médecin, même si je dois souligner que Marilyn n'a pas effectué ces enregistrements dans le cadre de sa thérapie, à la demande du Dr Greenson. C'était elle qui en avait eu l'idée. Elle disait qu'elle parviendrait peut-être à parler plus librement à son analyste par le biais d'enregistrements effectués chez elle. J'ajouterai simplement que les séquences de la transcription non reproduites prouvent que les techniques du médecin donnaient des résultats satisfaisants.

Le contenu du mémorandum Miner indique qu'une conspiration du silence, que nous décrirons au chapitre suivant, a bien eu lieu. Après avoir pris connaissance du contenu de ce mémorandum, le coroner aurait dû ordonner sur-le-champ une enquête sur la mort de Marilyn, qui aurait eu au moins le mérite de laisser à la vérité une chance d'apparaître au grand jour. Mais il était hors de question de divulguer la vérité sur la mort de Marilyn.

Chapitre 9

La machine médiatique

Les journaux, les magazines, les chaînes de radio et de télévision du monde entier étaient avides d'informations sur le décès de Marilyn. Un communiqué de presse succinct ne suffirait pas ; le public voulait connaître les détails des faits : savoir quand, où et comment elle était exactement morte. L'affaire irait s'amplifiant plutôt que l'inverse, ponctuée par l'autopsie, les rapports du coroner et celui de la police.

Arthur Jacobs fut chargé de divulguer ces informations au public. Arthur, qui dirigeait sa propre entreprise – l'Arthur P. Jacobs Company –, avait été engagé par la Twentieth Century Fox comme agent de publicité de Marilyn, et il disposait d'une organisation puissante œuvrant à partir de Los Angeles et de New York. Pat Newcomb, employée par lui, était avant tout attachée à Marilyn. Marilyn représentait une grosse affaire pour Arthur Jacobs. Les demandes d'interviews et d'articles arrivaient régulièrement, ainsi que celles proposant à la star d'assister à des manifestations caritatives, des cérémonies de récompenses et autres événements. Pat Newcomb avait de quoi s'occuper.

Arthur Jacobs, issu d'une famille très aisée, avait obtenu un diplôme de commerce à l'université de Californie du Sud. Après avoir fait la Seconde Guerre mondiale, il était revenu à Los Angeles en compagnie de deux amis intimes. Les trois hommes, devenus des dirigeants – tout en bas de l'échelle – des studios Warner Brothers, avaient réussi à se faire virer ensemble le même jour. L'un de ces amis était Dick Carroll, qui réussissait fort bien dans le domaine de la confection pour hommes à Los Angeles. L'autre, Harry Lewis, devint célèbre grâce à ses « Hamburger Hamlets », implantés dans toute la région. Arthur, de son côté, fit son trou dans la publicité.

Apjac, comme on le surnommait, se transforma en tisserand des rêves d'autrui. Peu importait que ses clients ne fussent que des personnages ordinaires et falots. Son travail consistait à les rendre excitants, à leur procurer des antécédents dont ils n'auraient pu que rêver, à leur conférer glamour, mystère, fascination, selon les cas. Dans la cité des faux-semblants qu'était Hollywood, Arthur Jacobs créait des images. Parmi ses clients allaient figurer Marlene Dietrich et Grace Kelly.

Si Hollywood était une fabrique à rêves, l'Arthur P. Jacobs Company était une fabrique à rêves à l'intérieur d'une fabrique à rêves. Le propre mariage d'Arthur aurait pu sortir tout droit d'un roman d'amour à l'eau de rose. Un jour, sur le plateau de *Monte Carlo Story* dont la vedette était Marlene Dietrich, il rencontra une jeune actrice, Natalie Trundy, et s'éprit d'elle sur-le-champ. La jeune fille n'avait cependant à l'époque que quatorze ans, âge trop tendre pour une histoire d'amour adulte, si bien qu'Arthur lui déclara : « Je t'épouserai quand tu seras grande. » Et il tint parole. Ils se fiancèrent au cours de l'été 1962. Arthur se trouvait en compagnie de Natalie le soir où éclata le drame de Marilyn.

Ils assistaient à un concert d'Henry Mancini au Hollywood Bowl lorsque Arthur apprit par un coup de fil que Marilyn avait un problème. Il avait organisé cette soirée en amoureux avec Natalie. Après avoir sablé le champagne en écoutant Mancini, ils dîneraient chez Chasen's, le meilleur restaurant de Los Angeles, où il avait réservé une table. Cet appel téléphonique ne lui laissa cependant pas le choix. Il se rendit tout de suite chez Marilyn et, dans la mesure où nous pouvons reconstruire les faits, la trouva dans le coma.

Elle n'était pas morte et il se peut qu'Arthur ait alors pensé à plusieurs hypothèses selon lesquelles elle avait contracté subitement une maladie inexpliquée ou été victime d'une autre de ces overdoses qui n'étaient que des appels au secours. Mais il fut impossible de ramener Marilyn à elle. Les médecins restèrent impuissants et il s'avéra nécessaire d'appeler une ambulance. Ce n'était pas le genre de décision qu'un publicitaire prenait à la légère. Lorsque Marilyn fut transportée en hâte à l'hôpital, Arthur fut contraint de réviser toutes les versions qu'il avait peut-être imaginées. Mais la dernière d'entre elles, incontournable, ne fut pas celle qu'il escomptait – ni qu'il accueillit avec plaisir.

Lorsque le cadavre de Marilyn fut ramené à son domicile, un problème phénoménal s'abattit sur le petit groupe de personnes qui se trouvaient dans la maison. Il s'agissait, outre Arthur, de Peter Lawford qui, semble-t-il, l'accompagna à l'hôpital, de ses médecins, Ralph Greenson et Hyman Engelberg, et de sa gouvernante, Eunice Murray. Ce fut sans doute Peter Lawford qui formula les inquiétudes qui allaient lourdement peser sur eux. Il leur fallait concilier deux faits. Tout d'abord, ils avaient effectué toutes les procédures habituelles, sans parvenir à ramener Marilyn à la vie. Par conséquent, il était improbable qu'elle eût succombé à une overdose. On peut imaginer que ce fut Eunice Murray qui leur apprit que Marilyn avait reçu un dernier visiteur, après le départ duquel elle n'était pas parvenue à la ranimer. La conclusion logique qui s'imposait était qu'elle avait été assassinée.

Le second fait qu'ils devaient prendre en compte était la présence du ministre de la Justice dans la maison à peine quelques heures plus tôt et la très vive altercation qui l'avait opposé à Marilyn. L'établissement d'une relation entre ces deux faits donnait à première vue l'impression que Robert Kennedy était responsable de sa mort. Pourtant, Peter Lawford, qui était aux côtés de Robert Kennedy lorsqu'elle les avait jetés dehors, savait que le ministre de la Justice n'avait absolument rien à voir avec son décès. La situation était cauchemardesque pour Robert Kennedy. De par sa simple implication dans une enquête sur un assassinat, il serait contraint de démissionner. Malgré la présomption d'innocence, sa liaison avec Marilyn Monroe viendrait obligatoirement au grand jour au cours de l'enquête sur le décès de la star. Cette nouvelle entraînerait obligatoirement le glas de sa carrière et des doutes sur le bien-fondé de la présidence de son frère.

Sachant que le chef de la police William Parker était un ami de Robert Kennedy, on peut subodorer qu'il fut la première personne qu'ils appelèrent pour les aider à se sortir de ce pétrin. Milton Rudin, l'avocat de Marilyn, devint lui aussi rapidement partie prenante des débats, sans doute parce qu'on voulait l'empêcher de commettre une bévue et de révéler le pot aux roses en répondant à des questions. Il est tout à fait probable que c'est Parker qui comprit que le meurtre de Marilyn, dans les conditions qui lui étaient décrites, relevait d'une conspiration fomentée par les ennemis des Kennedy pour obtenir ce qui, à première vue, avait été obtenu : l'implication de Robert Kennedy dans une enquête sur un meurtre qui, à elle seule, exigerait qu'il donne sa démission et entraînerait celle du Président. Parker pouvait contrôler ses officiers de police et le bureau du coroner, mais cela ne suffirait pas à empêcher le décès de Marilyn d'éveiller des doutes dans l'esprit des millions de fans qui voudraient connaître les circonstances de sa mort. Il ne pouvait pas non plus interdire à une armée d'enquêteurs, professionnels et amateurs, d'envahir Los Angeles, dans la ferme intention de découvrir le fond de l'énigme qu'ils pressentaient.

Arthur Jacobs était un as des relations publiques. Il savait exactement quand alimenter l'avide machine médiatique en nouvelles sur Marilyn qui mettraient des bâtons dans les roues des curieux. L'opération fut montée avec une telle efficacité que, combinée à l'étouffement sur une grande échelle orchestrée par le chef de la police William Parker, elle parvint à préserver et asseoir efficacement la position des Kennedy et à entraver, pendant plus de vingt ans, les activités de ceux qui cherchaient à connaître la vérité. Mais, même là, un long moment s'écoula avant que le monde ne prenne connaissance du véritable arrière-plan de la mort de la star.

Pat Newcomb fut largement mise à contribution et chargée de fournir un grand nombre d'échos sur Marilyn. A première vue, ce travail n'était guère différent de celui qu'elle effectuait du vivant de la star. Pat était un membre habile et efficace de l'équipe d'Arthur, douée de tout le savoir-faire d'une spécialiste en communication politique. Son job consistait à lire le courrier de ceux qui voulaient publier des articles sur Marilyn ou qui désiraient obtenir une interview d'elle. Elle savait comment présenter Marilyn sous son meilleur jour, cacher ses imprudences et faire mousser ses réussites. Ce qu'elle faisait à présent était creux. La vente du récit de la mort de Marilyn impliquait sans doute d'effectuer les mêmes gestes et exigeait peut-être d'elle les mêmes talents qu'auparavant, mais ce n'était pas la même chose. Ce ne serait plus jamais la même chose.

De bourdonnante, la véritable ruche qu'était en temps normal le bureau d'Arthur Jacobs devint soudain extraordinairement bruyante. Il y transféra rapidement le QG de cette manipulation des médias mondiaux et, le temps passant, certains détails des événements commencèrent à être ébruités. Selon Rupert Allan, l'opération fut « soigneusement orchestrée et magnifiquement exécutée ». Le photographe Lawrence Schiller se souvint qu'un jour où il se trouvait dans le bureau de Jacobs, il entendit Arthur parler avec Pat Newcomb de ce que « les relevés téléphoniques allaient révéler ». Selon les propres termes de Natalie Jacobs, Arthur « monta toute cette histoire ».

De la présence d'un représentant de la famille Kennedy à une réunion on peut déduire que des fonds furent alloués par son intermédiaire, afin d'obliger à garder bouche cousue ceux dont le silence était nécessaire pour pouvoir contrôler les médias et réussir l'étouffement. Selon toutes les apparences, il s'agissait là d'une « troisième dimension » importante du plan. On trouve sans mal des allusions à la circulation de « pots-de-vin » et autres « édulcorants ».

Arthur Jacobs, cela ne fait aucun doute, fit plaisir à beaucoup de monde en parvenant avec succès à manipuler les médias à propos de la mort de Marilyn et à venir à la rescousse des frères Kennedy. Peut-être n'est-ce pas une coïncidence si la Twentieth Century Fox le lança alors dans une carrière de producteur. Il y réussit très bien, produisit *What a Way to Go*, le film prévu au départ pour Marilyn, *Dr Doolittle,* la comédie musicale avec Rex Harrison, et un remake de *Goodbye, Mr Chips.* Ses productions les plus lucratives furent néanmoins *La Planète des singes* et ses suites. Natalie fut distribuée dans tous ces films, exception faite de *What a Way to Go.*

Pat Newcomb, pour sa part, après avoir été rapidement licenciée par Arthur, séjourna chez les Kennedy à Hyannis Port avant d'effectuer un tour du monde. Six mois plus tard, elle entra au service du gouvernement américain à Washington. Des années après, elle revint à Los Angeles où elle reprit son ancien métier dans les relations publiques. Elle est toujours dans le circuit et a représenté nombre des plus grandes stars de Hollywood.

Chapitre 10

La chape du secret

De toute évidence, la police apprit la mort de Marilyn Monroe bien avant l'appel reçu par le sergent Clemmons le dimanche 5 août vers 4 h 25 du matin. Comme nous l'avons déjà dit, l'ambulancier, Ken Hunter, mentionna avoir vu la police à la résidence de Marilyn au moment où il y était, pour refuser par la suite de préciser ce qu'il avait fait là-bas. Par ailleurs, les voisins de Marilyn virent des voitures de police dans l'impasse, à l'instant même où l'ambulance s'y trouvait. Et, indépendamment de tous ces éléments, nous pouvons déduire des événements qui s'ensuivirent le rôle joué au départ par le service de la police de Los Angeles dans le drame de la mort de Marilyn.

Il ne fait guère de doute que décision fut prise, avec l'approbation de la police, de rejeter catégoriquement toutes les références à un acte criminel dans les déclarations au public. L'espèce de conférence destinée à décider de la stratégie à adopter – à laquelle assistait la police – se tint immédiatement après le décès de Marilyn. Michael Selsman, un membre de l'équipe d'Arthur Jacobs qui assistait aux réunions de stratégie de ce dernier, a évoqué la présence d'un autre participant important dans l'organisation de l'étouffement de l'affaire. D'après ses souvenirs, le FBI ou le département d'Etat – il ne peut préciser lequel – leur donna en effet l'instruction, quoi qu'ils entreprennent, de ne mentionner les Kennedy sous aucun prétexte. Apparemment, les services de Washington étaient parfaitement informés de ce qui s'était passé à Los Angeles.

Les quelques personnes qui débattaient de la situation avec Arthur Jacobs décidèrent sans tarder qu'afin de protéger l'intégrité du Président et du ministre de la Justice, Robert F. Kennedy, qui s'était trouvé trop près du lieu du décès ce soir-là pour être à l'abri, il était hors de question d'évoquer l'éventualité d'un meurtre. Une campagne médiatique fut adoptée et, entre-temps, l'affaire fut confiée à la police et à William Parker. L'enquête symbolique menée par le sergent Robert Byron portait l'empreinte de l'influence de Parker. Les témoignages hésitants et fluctuants des témoins principaux interrogés chez Marilyn cette nuit-là indiquaient aussi que « quelque chose avait été organisé », de même que la dissimulation du transport précipité par ambulance à l'hôpital de Santa Monica. Des indices apparaissaient de toutes parts. Les relevés des coups de fil longue distance passés par Marilyn furent confisqués, apparemment par des agents du FBI, et transmis à William Parker en personne.

Tom Reddin, l'adjoint de Parker aujourd'hui à la retraite, m'a rapporté qu'une importante enquête sur les circonstances de la mort de Marilyn s'était en fait déroulée, corroborée par l'existence d'un volumineux dossier dont il avait connaissance. Nous savons désormais que cette enquête fut menée par John Dickie sur l'ordre de Manley J. Bowler, procureur adjoint en chef du district. Dans ce dossier figurait entre autres un entretien avec Robert Kennedy, mais rien de son contenu ne fut jamais divulgué. Il disparut et fut remplacé, selon Tom Reddin, par un dossier « public » maigrichon. D'après la rumeur, Parker emporta l'épais dossier dans ses bagages lors d'un voyage qu'il effectua à Washington et ne le rapporta jamais.

William Parker était un chef de la police très estimé. Personnage au caractère plus que trempé, il exerçait une grande emprise sur ses subalternes. Ses officiers lui obéissaient au doigt et à l'œil, et le public devait accorder crédit à ses propos. Mais pour quelle raison se serait-il laissé impliquer dans la dissimulation du crime qui, si elle se retournait contre lui, sonnerait le glas de sa carrière ? Je n'entrevois que deux raisons possibles à son attitude. Pour commencer, il me semble qu'il devina l'existence d'un complot destiné à impliquer Robert Kennedy dans un scandale qui ferait sombrer corps et biens la carrière du ministre de la Justice et celle de son frère, le Président. Apparemment, Parker était convaincu que Robert Kennedy n'avait rien à voir dans le décès de Marilyn. A la décharge des actes qu'il prit sur lui – effectivement illégaux –, on pourrait avancer qu'à ses yeux la justice exigeait de protéger Robert Kennedy et le Président d'une si infâme conspiration. Tom Reddin, qui connaissait son patron comme peu d'autres l'ont connu, lui porte encore une immense estime. Il semblerait donc que si Parker n'avait pas été convaincu de l'innocence des Kennedy, il ne se serait jamais autorisé à être partie prenante d'une supercherie à une échelle si démesurée. Pas davantage qu'il n'aurait mis sa carrière en jeu.

J'avancerai une autre raison, indépendamment de ce que je viens de dire. William Parker était un homme assoiffé d'ambition. Son but ultime était de devenir le chef suprême de la police. Il avait déjà été honoré par le principal homme de loi du pays, Robert Kennedy en personne. Tom Reddin m'a raconté en quelles circonstances : « Il se trouvait dans une pièce pleine de tous les chefs de la police auxquels s'adressait le ministre de la Justice. Kennedy a désigné Parker et déclaré "le meilleur d'entre eux est assis au premier rang", ou une phrase de ce genre. Parker aurait volontiers commis un crime pour attirer ce genre d'attention sur lui. En dépit de celle qu'il avait déjà obtenue, le représentant suprême de la loi aux Etats-Unis était en train d'affirmer qu'il était le meilleur chef de la police du pays ou de l'histoire, ou quelque chose d'aussi grandiose que cela. Cela me laisserait penser que Parker était sans doute enclin à entreprendre une action susceptible de venir en aide aux Kennedy. Parker adorait côtoyer les détenteurs du pouvoir, et pendant quelques années la rumeur circula qu'il pren-

drait peut-être la succession de J. Edgar Hoover. Il prisait
la reconnaissance nationale, si bien qu'on peut se demander
s'il cela ne l'a pas poussé ou incité à se débarrasser de ce
rapport [sur la mort de Marilyn]. » Je tiens du sergent Jack
Clemmons qu'un seul homme détenait le pouvoir et l'autorité – l'influence – de mener à bien ce genre d'étouffement :
le chef de la police Parker. « Il exerçait une telle autorité
que personne n'aurait songé à remettre ses ordres en question », m'a-t-il déclaré.

Nous savons qu'Arthur Jacobs arriva très tôt sur les lieux
du drame. Il semblerait que Peter Lawford, beau-frère du
ministre de la Justice, resta constamment dans les parages.
Si l'intuition de Natalie Jacobs ne la trompait pas, Pat Newcomb arriva aussi au début, et Milton Rudin à une heure
non divulguée qui pourrait avoir suivi de très près celle du
décès de Marilyn. A ces personnes peuvent venir s'addition-
ner les deux médecins, qui acceptèrent cette stratégie. Ces
six individus forment le noyau de la chape de silence qui se
referma sur le drame. Arthur Jacobs n'évoqua même pas les
faits avec sa future épouse, Natalie ; Lawford avait tant de
détails contradictoires et peu fiables à rapporter qu'il ne
révéla en fait rien du tout ; Milton Rudin est le seul à
m'avoir raccroché au nez le jour où j'ai essayé de l'interroger par téléphone à propos de la mort de Marilyn. Quant à
Pat Newcomb, elle se surpassa : j'avais parcouru plusieurs
milliers de kilomètres pour m'entretenir avec elle en personne, mais elle resta muette comme une tombe. Elle ne me
dit absolument rien.

Nous ignorons si l'une ou plusieurs des voitures qui se
trouvaient devant la résidence de Marilyn en même temps
que l'ambulance appartenaient à la police, même si des
témoins l'ont pensé. Si l'on y réfléchit, il semble tout à fait
sensé, en de telles circonstances, que le chef de la police
se soit rendu en personne sur les lieux. On l'imagine mal
déléguant l'affaire ou prenant le risque de s'en occuper par
téléphone. On sait que Parker reçut un appel à son domicile
avant 23 h 30, transmis par le standard de la police, si bien
qu'on peut facilement concevoir qu'il rencontra le groupe

de personnes réunies chez Marilyn afin de donner son accord à une version des faits qui correspondrait à ses objectifs. Il s'en laissa d'ailleurs amplement les moyens : une réunion avec son équipe ne fut pas programmée avant 7 heures du matin.

D'autres se retrouvèrent vite prisonniers de cet anneau du silence. Les ambulanciers, Hunter et Liebowitz, pour commencer. Le sergent Marvin Iannone, aujourd'hui chef de la police de Beverley Hills, qui accepta de me parler de Marilyn le jour où je lui passai un coup de fil transatlantique mais qui, lorsque je fus assis en face de lui, se récusa totalement. Le sergent Robert Byron aussi, qui bien qu'à la retraite persiste à ne pas vouloir me dire ce qu'il sait. Il a essayé de me faire croire qu'il ne se souvenait même pas d'avoir jamais mis les pieds là-bas. Au cours de son enquête, Anthony Summers s'en est sorti un peu mieux que moi. Byron lui a rapporté, lors d'une conversation au sujet des personnes interrogées chez Marilyn : « Ils auraient pu nous en dire bien davantage... mais nous n'avons pas procédé comme d'habitude et ne les avons pas traînés au commissariat. » On peut ajouter la gouvernante, Mme Eunice Murray, à la liste des muets auxquels le coroner Theodore Curphey ne mit pas longtemps à se joindre.

Le premier à s'être désolidarisé – le seul, à la vérité, à l'avoir fait – fut le Dr Ralph Greenson. Greenson était manifestement partie prenante de la stratégie mise au point, puisque ce fut lui qui annonça la nouvelle du suicide de Marilyn, mais il semble qu'il revint vite sur sa participation à un étouffement de l'affaire puisqu'il fit savoir, dès son entretien avec le procureur adjoint du district, John Miner, qu'il ne croyait pas qu'elle se soit suicidée ni tuée accidentellement. On notera néanmoins qu'il ne *déclara* pas croire à un assassinat, même si sa position ne laissait le champ à aucune autre éventualité. Il ne parla pas ouvertement et ne fit pas voler en éclats l'accord sur une couverture du drame auquel ils étaient parvenus chez Marilyn peu après sa mort. De toute façon, Greenson aurait-il parlé que cela n'y aurait rien changé, puisque le mémorandum Miner s'évanouit dans la nature et que la presse ne laissa aucunement filtrer que le psychiatre était revenu sur son soutien à cette version des faits.

Bien que Marilyn eût déjà tenté à plusieurs reprises de mettre fin à ses jours, plusieurs journalistes eurent du mal à croire qu'elle avait succombé à une overdose. Ses tentatives précédentes relevaient du classique « appel au secours », puisqu'elles avaient toujours eu lieu dans des circonstances et des endroits où on la « découvrirait » et la « sauverait ». Les amis de Marilyn savaient pertinemment qu'elle était passée maître dans l'art d'utiliser les médicaments, de les mélanger et de calculer quelle dose elle supporterait. Personne n'ignorait qu'au moment où elle était censée s'être donné la mort, elle était en forme sur tous les plans. Certains des journalistes les plus insistants étaient capables d'extirper habilement des informations. Florabel Muir, par exemple, spécialiste des crimes pour la Hearst Corporation, qui essaya d'identifier la femme qui avait hurlé « Assassins ! Assassins ! » aux petites heures de l'aube devant la maison de Marilyn.

Florabel Muir ne mit pas longtemps à réaliser que les coups de fil passés par Marilyn juste avant sa mort pouvaient contenir des révélations. Elle essaya d'en obtenir les relevés de la Compagnie générale du Téléphone, mais apprit alors par des employés de ladite compagnie que deux hommes en complet veston et chaussures lustrées les avaient emportés et s'étaient engouffrés dans une voiture du gouvernement, d'après son immatriculation. Des agents du FBI, sans nul doute. Florabel Muir fut alors étonnée d'apprendre que ces relevés téléphoniques s'étaient vite retrouvés dans les mains du chef de la police Parker. Il s'en vanta, agitant sous son nez les fiches des appels passés par Marilyn durant les six semaines précédant son décès. Elle écrivit dans sa chronique : « D'étranges pressions ont été exercées sur les services de police de Los Angeles. » Florabel Muir avait capté les bonnes vibrations, même si les « étranges pressions » n'étaient, semble-t-il, que celles que la police exerçait sur elle-même.

La plus célèbre journaliste « people » new-yorkaise, Dorothy Kilgallen, apprit à son journal que Robert Kennedy avait été le dernier homme à avoir parlé à Marilyn mais fut incapable, à l'époque, d'en apporter la preuve. Elle alla aussi loin qu'elle le put dans ses articles sans nommer le ministre de la Justice, et en s'y prenant avec des gants, puisqu'elle évoquait le suicide. Cependant, Kilgallen eut vite fait de changer complètement d'avis sur les faits et de décider que Marilyn avait été assassinée.

Parker ne semblait pas voir d'inconvénient à parler aux reporters des relevés des coups de fil longue distance qu'il détenait. Il confia au correspondant de United Press International que « Marilyn avait passé au moins six coups de fil au ministère de la Justice ». A George Putnam, présentateur du Journal télévisé, il déclara : « Marilyn essayait de joindre M. Kennedy. Elle téléphonait au ministère de la Justice à Washington, pas sur sa ligne directe mais en passant par le standard. Marilyn a tenté sans succès de joindre Bobby Kennedy à huit reprises dans la semaine qui a précédé sa mort. » William Parker était parfaitement conscient de ne rien divulguer, puisque tout un chacun a le droit de téléphoner au ministère de la Justice. De plus, en disant ouvertement que Marilyn avait tenté de joindre Robert Kennedy, il coupait l'herbe sous le pied de ceux qui voulaient décrypter autre chose dans les faits. Anthony Summers, vingt ans après la mort de Marilyn, allait mettre la main sur une partie des relevés de téléphone manquants, mais ces derniers ne lui en apprirent guère plus que ce qu'il savait déjà.

Le comportement du coroner Curphey indiquait un étouffement, puisqu'il n'aurait pu déclarer que Marilyn s'était suicidée à partir des résultats de Thomas Noguchi, d'autant que des échantillons et des prélèvements avaient disparu. Il avait également reçu un mémorandum de John Miner selon lequel le Dr Ralph Greenson, celui qui avait annoncé à la police que Marilyn s'était suicidée, disait nettement à présent qu'elle ne s'était *pas* suicidée. Du début à la fin ou presque, le bureau du coroner occupa le centre de la couverture de l'affaire.

Curphey fit appel à une organisation nouvellement créée qui allait s'appeler « Brigade du Suicide ». Dirigée par un psychologue, le Dr Norman L. Farberow, cette équipe comprenait le Dr Robert E. Litman, un psychiatre, et le Dr Norman Tabachnick. Ils étaient chargés d'enquêter sur les antécédents et les circonstances de la mort de Marilyn. Voici leur rapport :

Marilyn Monroe est morte au cours de la nuit du 4 août ou à l'aube du 5 août 1962. Les analyses du laboratoire de toxicologie indiquent que sa mort est due à une overdose de barbituriques qu'elle a pris elle-même. On nous a chargés, en tant que consultants, d'examiner la vie de la défunte et de donner un avis à propos des intentions de Mlle Monroe au moment où elle a ingéré les sédatifs qui ont causé son décès. Voici les points essentiels et pertinents tirés des renseignements que nous avons obtenus :

Mlle Monroe souffrait depuis longtemps de désordres mentaux. Elle était sujette à des peurs diverses et à de fréquentes dépressions. Ses variations d'humeur étaient abruptes et imprévisibles. Les insomnies figuraient au premier plan de ses problèmes de dysfonctionnement, et elle les combattait depuis des années à l'aide de sédatifs. Elle avait donc l'habitude et l'expérience de ces médicaments et était parfaitement au courant des dangers qu'ils représentaient.

L'un des objectifs récents de son traitement psychiatrique consistait à réduire cette prise de médicaments. Au cours des deux derniers mois, cet objectif avait été en partie atteint. Elle se conformait apparemment aux doses prescrites par le médecin et on n'a pas trouvé une quantité inhabituelle de médicaments dans sa chambre au moment de sa mort.

Nous avons appris au cours de notre enquête que Mlle Monroe avait formulé le désir d'abandonner, de se retirer, voire même de mourir. Par le passé il lui est arrivé à plusieurs reprises, quand elle était déçue ou abat-

tue, de commettre une tentative de suicide par barbitu-
riques. Dans ces cas-là, elle avait appelé à l'aide et avait
été sauvée.

D'après les informations rassemblées sur le déroule-
ment de la soirée du 4 août, nous pensons que le même
schéma s'est reproduit, sauvetage excepté. Nous avons
pour habitude, lors de renseignements similaires récoltés
dans d'autres affaires, de recommander d'établir un certi-
ficat de suicide probable pour ce genre de décès.

Les indices supplémentaires de suicide fournis par
preuves physiques sont : (1) le niveau élevé de barbitu-
riques et d'hydrate de chloral dans le sang qui, avec
d'autres résultats de l'autopsie, indique l'ingestion pro-
bable d'une dose importante de médicaments en un
court laps de temps ; (2) le flacon entièrement vide de
Nembutal, dont l'ordonnance avait été renouvelée la
veille de l'ingestion du médicament et (3), la porte fer-
mée à clé, contrairement à l'ordinaire.

Sur la base des informations obtenues, nous pensons
être en présence d'un suicide probable.

Il est clair que les découvertes du Dr Noguchi ne permettaient en rien de conclure que Marilyn avait succombé à
une *ingestion* de barbituriques. Elle était très certainement
morte d'un empoisonnement aux barbituriques, mais il se
contentait d'en signaler la présence dans son sang et son
foie. On l'empêcha, en jetant les échantillons et les prélèvements, de découvrir comment ils s'y étaient retrouvés.
D'après les rapports, les connaissances médicales de la victime auraient rejeté l'éventualité que les médicaments aient
pu tous être avalés en une seule prise. On peut donc en
conclure que la Brigade du Suicide suivit le mot d'ordre du
coroner Curphey pour formuler son hypothèse. Le
contraire était impossible : si la Brigade était parvenue à
une conclusion différente, Theodore Curphey l'aurait corrigée sans hésiter. Il est intéressant que la Brigade soit parvenue à la conclusion de suicide *probable*. Le Dr Curphey la
tenait-il d'elle, ou elle de lui ? Le recours à la Brigade du
Suicide dans une affaire évidente comme celle-là constitue

peut-être le côté le plus remarquable de toute cette histoire. Mais la tâche assignée à la Brigade consistait à découvrir *comment* et *pourquoi* le suicide avait eu lieu, *pas* s'il s'agissait ou non d'un suicide. Cela dit, on fit peut-être appel à elle pour d'autres raisons...

Thomas Noguchi en personne m'a fait remarquer que, dans d'autres cas, « une commission de suicide peut aider à déterminer la vérité et à mettre un terme à la controverse et à la confusion », et il a ajouté : « Malheureusement, cela n'aurait pas été possible dans le cas Monroe, pour une raison bien spécifique. On promettait aux personnes interrogées qu'elles le feraient à titre confidentiel, afin de les encourager à s'exprimer ouvertement sur des sujets intimes. Et en raison de cette promesse de confidentialité, *le Dr Curphey donna l'ordre de ne pas divulguer les comptes rendus des entretiens et les notes de la commission*, comme le sont tous les rapports confidentiels de ce genre [...] le fait que les notes des entretiens aient été gardées secrètes [...] a naturellement incité à penser à une couverture officielle de l'affaire. » Des journalistes ayant demandé à Curphey l'identité des témoins auditionnés afin de pouvoir les interroger plus avant, le coroner leur fit une réponse très ferme : « Nous ne divulguerons pas les noms des personnes qui nous ont fourni récits et comptes rendus en toute confidentialité. » Une manière extrêmement efficace de garder le secret. S'il y avait eu une enquête, les personnes concernées n'auraient pas eu le choix : elles auraient été contraintes de répondre aux questions sans être protégées par l'anonymat. Mais il n'y eut pas d'enquête sur la mort de Marilyn.

On a dit qu'Arthur Jacobs, l'agent de publicité, était le maître d'œuvre de cette couverture. Il serait apparemment arrivé au domicile de Marilyn avant qu'elle ne succombe et aurait réalisé ce qui s'était passé. Jacobs était un brillant *spin doctor*[1], comme on les appelle aujourd'hui, et à l'époque le monde entier goba sa version du suicide, hameçon et ligne compris. Nous ignorons jusqu'à quel point il s'en ouvrit à

---

1. Spécialiste en communication (*N.d.T.*).

sa femme. D'une part, elle disait qu'il ne se confiait pas à elle, mais de l'autre elle déclara qu'il lui avait affirmé avoir « monté toute cette affaire ».

Si on additionne les faits vécus par le sergent Jack Clemmons, qu'on fit passer pour le premier policier à s'être rendu sur les lieux après l'annonce du « suicide », la curieuse réaction – ou le manque de réaction – des officiers désignés pour enquêter sur le décès, la disparition des échantillons qui empêcha une autopsie complète et la réaction du bureau du coroner décidé à établir que le décès était dû à un suicide, on a matière suffisante pour affirmer qu'un étouffement de l'affaire a été mis au point. Si on y ajoute la disparition des relevés des coups de fil longue distance, le dossier épais de plusieurs centimètres d'une enquête secrète qui maigrit en un éclair, le silence douteux des proches de Marilyn au moment de sa mort, et l'indication que des sommes d'argent circulèrent parmi les personnes impliquées, il devient indubitable qu'une couverture fut mise en place.

Je pense que Peter Lawford savait parfaitement le pourquoi et le comment de ce qui était arrivé à Marilyn. Il se répandit en informations sur sa mort qui soutenaient toutes la théorie du suicide. Nous allons voir que sa version ne tenait pas. Etant donné ses liens intimes avec la famille Kennedy, on n'a aucun mal à comprendre pourquoi il tenait tellement à ce que l'on affirme que Marilyn s'était suicidée. Mais les mères connaissent bien leur fils, et sont souvent pleines de finesse. Dans leur livre[1], Peter Harry Brown et Patte Barham citent la mère de Lawford, Lady Mary Lawford : « Peter était tellement fasciné par le charisme des Kennedy que si Bobby ou John le lui avait demandé, il aurait commis n'importe quel acte – légal ou illégal. » Comme si cette déclaration n'était pas assez stupéfiante en soi, elle ajouta : « C'est ce qui s'est passé avec la mort de Marilyn. Il a joué un rôle essentiel dans la couverture. »

---

1. Peter Harry Brown et Patte B. Barham, *Marilyn – The Last Take*, New York, 1992. Traduction française, *Marilyn Monroe : Histoire d'un assassinat*, Plon, 1992.

Chapitre 11

Défense d'ouvrir

Thomas Noguchi et John Miner ont tenu tous les deux un rôle crucial dans l'élucidation des circonstances de la mort de Marilyn Monroe. Sans leur contribution nous pataugerions dans le noir, puisque le voile du secret jeté sur les événements qui se déroulèrent au domicile de la star, Fifth Helena Drive à Brentwood, en cette nuit du 4 août, n'aurait jamais dû être levé.

Le Dr Noguchi a refusé d'admettre toute contribution à la levée des secrets entourant sa mort, mais il a reconnu qu'il était un homme en quête de vérité et sa conduite intègre de l'autopsie de Marilyn nous a rendu de grands services. Bien qu'il ne fût qu'un tout jeune membre de l'équipe du coroner, il n'hésita pas à faire savoir qu'il n'avait pas pu terminer son travail parce que des échantillons et des prélèvements avaient disparu. Cette nouvelle n'allait pas jouer en sa faveur, mais il estima de son devoir de la divulguer. J'ai applaudi également l'honnêteté dont il a fait preuve dans le chapitre de son livre[1] concernant l'autopsie, même si, tout en acceptant ses découvertes, je ne suis pas toujours d'accord avec les conclusions qu'il en tire.

A la suite du décès de Marilyn, Thomas Noguchi s'est acquis la notoriété de « coroner des stars », car il a pratiqué

---

1. *Coroner, op. cit.*

plus tard l'autopsie de Janis Joplin, Sharon Tate, Natalie Wood, William Holden et John Belushi. Il fut également chargé de celle de Robert Kennedy, après son assassinat par balles à Los Angeles en 1968.

John Miner, après sa nomination de procureur général adjoint du comté de Los Angeles, en créa et dirigea, comme je l'ai déjà dit, la section médico-légale, spécialisée dans l'enquête et la poursuite de crimes présentant des problèmes médicaux complexes. Il fut chargé d'établir la liaison avec le médecin légiste-coroner en chef du comté, et à ce titre représenta le procureur durant toute l'autopsie de Marilyn Monroe. Le Dr Noguchi ne comprit pas à l'époque la raison de sa présence et n'admit que beaucoup plus tard : « Rétrospectivement, la présence de John Miner, le procureur général adjoint du district, aurait dû attirer mon attention sur le fait qu'il s'agissait d'un "cas exceptionnel". » Les deux hommes s'entendaient bien car ils se respectaient, ce qui est toujours le cas aujourd'hui.

Vingt années durant, la position officielle concernant le décès de Marilyn Monroe ne varia pas d'un iota. Puis, en 1982, l'impensable survint. Le procureur du district de l'époque, John K. Van de Kamp, sous la pression d'un groupe dont faisaient partie Robert Slatzer, l'ami de longue date de Marilyn, et Lionel Grandison, qui était l'un des adjoints du coroner en 1962, décida qu'il fallait ouvrir une nouvelle enquête « préliminaire » sur la mort de Marilyn. Au fil des années écoulées, l'intérêt pour les circonstances de son décès, au lieu de s'atténuer, n'avait cessé de s'aviver. Miner et Noguchi, de même que Slatzer et Grandison, comptèrent au nombre des personnes qui témoignèrent et, en plus des preuves apportées par les experts médicaux, on nota de nouvelles déclarations de plusieurs personnes qui savaient quelque chose ou avaient été impliquées d'une manière ou d'une autre. L'enquête – ou révision – prit trois mois et demi et aboutit à un rapport.

L'objectif de cette enquête préliminaire était de déterminer s'il existe des faits et des conditions suffisants pour l'ouverture d'une enquête criminelle à grande échelle sur une éventuelle affaire d'homicide. Il n'existe pas de prescription en matière de crime aux termes de la loi californienne.

Ses résultats ?

[...] Nous en concluons qu'il n'existe pas de faits suffisants pour justifier l'ouverture d'une enquête criminelle sur le décès de Marilyn Monroe. Bien qu'il y ait des contradictions dans les faits et que des questions irrésolues aient été soulevées par notre investigation, le cumul des preuves à notre disposition ne nous permet pas de soutenir de théorie soutenant un comportement criminel autour de sa mort... Les documents consultés comprenaient les comptes rendus du LAPD[1] (dont certains furent reconstitués) ; les rapports du coroner (rapports du toxicologue inclus) ; les rapports du FBI (quoique fortement censurés) ; des rapports inédits et d'autres publications.

Apparemment, cette enquête n'eut vent que des éléments que la police et le FBI voulaient bien divulguer.

Le compte rendu de l'enquête de 1982 ne faisait que répéter la version fournie par Eunice Murray à la police en 1962, tout en précisant encore que le Dr Engelberg arriva sur les lieux à 3 h 50 du matin le dimanche 5 août. Les enquêteurs acceptèrent ce détail, bien qu'il fût de notoriété publique que le Dr Engelberg avait reconnu auprès d'un enquêteur du procureur du district avoir été appelé entre 2 heures et 3 heures du matin. Le médecin lui-même l'avait admis au cours d'une émission télévisée.

La commission d'enquête disposait d'une nouvelle occasion d'interroger le sergent Robert Byron à propos de son enquête superficielle sur le décès de la star et de lui demander si cette enquête n'était pas plus étoffée que ne le lais-

---

1. Los Angeles Police Department (commissariat de Los Angeles).

saient entendre ses deux brefs comptes rendus qui se limitaient à paraphraser les propos de Mme Murray et des médecins. Son rapport se contente néanmoins de mentionner au passage l'investigation de Byron. Il déclare abruptement : « Le sergent Byron mena l'enquête de police sur la mort. » Aucune mention n'est faite d'un interrogatoire de Byron, si tel fut le cas. On ne s'étonnera pas, s'il fut interrogé et s'il avait aussi peu de choses à dire à l'enquêteur du procureur du district qu'à moi, qu'il n'y ait rien eu à noter. Mais dans ce cas-là, son attitude aurait mérité – à tout le moins – une note doublement soulignée. Dans le cas contraire, on passa – une fois de plus – à côté d'une occasion d'éclaircir les faits.

Le rapport d'investigation passait rapidement à des considérations sur l'autopsie et le comportement du bureau du coroner. Le Dr Boyd G. Stephens, médecin légiste-coroner en chef de la Ville et du comté de San Francisco approuva tout le déroulement de l'autopsie et entérina ses conclusions. On le laissa même avancer que les procédures de 1982, plus pointues et modernes, ne changeraient probablement rien aux découvertes faites par le Dr Noguchi en 1962. Cette position est bizarre. Indépendamment de la thèse acceptée – on peut douter que des avis soutenant celle de l'assassinat de Marilyn Monroe eussent été traités de la même façon – le Dr Noguchi assistait aux audiences et il est fort dommage qu'on ne l'ait pas interrogé sur ce point important. En fait, lorsque j'ai parlé avec lui de l'autopsie il y a quelques années, il m'a fait part, sans que je l'aie sollicité, d'une opinion tout à fait opposée aux déclarations de Stephens. Il pensait que des techniques plus récentes en auraient révélé davantage que ce qu'il avait découvert à l'aide de celles disponibles en 1962.

Le Dr Stephens ne trouva rien à redire au fait qu'il n'y avait aucune trace de médicaments ou de capsules de gélatine dans l'estomac : « Ces substances se dissolvent rapidement... » Il ne s'étonna pas davantage de l'absence de cristaux réfringents, notée par Noguchi, rejetant ce détail d'un « sans signification d'un point de vue scientifique ».

Opinion qui s'oppose complètement à celles d'autres éminents pathologistes en la matière. Le Dr Cyril Wecht, coroner du comté d'Alleghany en Pennsylvanie et ancien président de l'Académie américaine des sciences médicolégales, m'a dit : « Il est tout à fait improbable que ces niveaux [de barbituriques] découverts au cours de l'autopsie aient été atteints à la suite d'une seule ingestion, rapide, de tous les comprimés qu'il aurait fallu ingérer pour les obtenir. [Stephens ne mit pas ce point en question.] Une grande quantité de barbituriques *ralentira* la mobilité gastrique ; par conséquent, si tous les médicaments avaient été avalés en une seule prise, son estomac n'aurait pas eu le temps de se vider presque complètement avant son décès. »

Pour tenter de se débarrasser du problème posé par l'absence de coloration jaune dans l'estomac et le tube digestif qu'on aurait dû découvrir si Marilyn avait ingéré un si grand nombre de cachets de Nembutal, les enquêteurs firent appel à un représentant anonyme du fabricant des capsules, Abbott Laboratories. Ils furent sans nul doute consternés de s'entendre dire par ce représentant qu'il aurait dû effectivement y avoir une décoloration provoquée par les capsules si ces dernières avaient été ingérées oralement. Pour ne pas se retrouver totalement vaincus, les enquêteurs, semble-t-il, se jetèrent alors sur une autre déclaration du porte-parole du laboratoire, selon laquelle il n'avait pas connaissance d'une étude ou d'articles scientifiques venant corroborer ses dires. En fait, tout cela n'avait aucun sens. L'absence d'études en la matière ne signifiait rien. L'implication cherchée par les enquêteurs ne figurait tout simplement pas dans la déclaration.

Toujours bien décidés à démontrer que l'absence de coloration jaune n'avait aucune importance, ils citèrent ensuite trois médecins légistes, dont Thomas Noguchi, qui déclaraient qu'on n'avait « pratiquement jamais entendu parler » d'une coloration jaune dans le corps d'une personne dont la mort avait été causée par le Nembutal. Il se peut, spéculait le rapport, que l'on s'attende à une coloration jaune « en raison d'une confusion avec la trace de colo-

ration *rouge* associée aux overdoses de Seconal ».
Affirmation en contradiction avec celles d'autres experts en
la matière. J'ai interrogé le Dr Cyril Wecht à ce sujet et il
m'a répondu : « Il est des plus probable que les capsules de
pentobarbital [Nembutal] auraient provoqué des traînées
jaunâtres dans la partie proche du centre de l'intestin
grêle. » Un autre médecin légiste célèbre, le Dr Sidney
B. Weinberg, consulté par Robert Slatzer, l'ami de longue
date de Marilyn, ne prétendit pas non plus que c'était
presque « sans précédent ». Il déclara : « En général, les
capsules sont enrobées d'une teinture qui tache les objets
entrant en contact avec elles quand elles sont humides. On
le constate souvent dans l'estomac et lorsque des doses
importantes sont ingérées, on trouve des zones ponctuelles
de corrosion dans la paroi de l'estomac. »

Quant à savoir si une ambulance avait ou non été appelée
au domicile de Marilyn la nuit de son décès, les enquêteurs
adoptèrent une attitude fort étrange. Il semblerait que
James Hall, dont nous avons abordé les déclarations plus
haut, leur proposa ses preuves contre espèces sonnantes et
trébuchantes. Par la suite, il changea de position et déclara
qu'ils pouvaient les obtenir gratuitement, mais après avoir
dit qu'il les contacterait, il ne tint pas parole. Au lieu de
rechercher Hall, les enquêteurs se contentèrent de s'inspirer
d'un article de journal reprenant ses déclarations. Ils finirent – on ne s'en étonnera pas – par les rejeter, non sans
les avoir longuement soupesées. En ce qui concerne les propos de Ken Hunter – et il semble bien que cette fois les
enquêteurs lui aient parlé –, ils se contentèrent cependant
d'un bref compte rendu. L'enquête n'établit aucune évalua-
tion de sa version, n'exprime d'opinion ni en sa faveur ni
contre. En fait, elle est citée dans un contexte qui laisse
penser qu'on ne l'utilise que pour discréditer les déclarations de Hall, position qui, si elle est exacte, est pour le
moins étrange. On a du mal à associer ce genre de procédés
avec l'établissement de la vérité.

Le problème des relevés des coups de fil longue distance
confisqués par William Parker fut abordé. Le rapport s'y

réfère par un euphémisme : ces relevés avaient été « mis en sécurité » par la police, qui tentait par là même de dissocier Parker de toute implication personnelle. « Il n'existe aucune preuve que le chef Parker ait ou n'ait pas demandé à ses enquêteurs de se procurer ces relevés, déclare allégrement ce rapport d'enquête. L'un des objectifs évidents de l'enquête consistait néanmoins à les saisir. La chose a été faite environ 14 ou 15 jours après la mort de Mlle Monroe. » Si les enquêteurs avaient fait preuve d'une efficacité identique à celle qu'ils avaient manifestée à l'égard de la déclaration de James Hall pour retrouver et prendre en compte les déclarations publiées par les journalistes George Putnam et Florabel Muir, ils auraient appris ce qu'il était exactement advenu de ces relevés. Putnam et Muir eurent tous les deux des entretiens avec William Parker à leur sujet, et le chef de la police leur fit clairement comprendre qu'il en connaissait le contenu. Il les montra même à Florabel Muir, dont la propre enquête révéla qu'ils avaient été « mis à l'abri » quelques heures après le décès de Marilyn.

Pour essayer de désamorcer les rumeurs selon lesquelles le plus haut fonctionnaire du LAPD de l'époque, Ed Davis, avait effectué un voyage secret à Washington afin d'évoquer avec Robert Kennedy sa relation avec Marilyn Monroe, les enquêteurs passèrent un coup de fil à Davis, lequel, après avoir lui-même occupé le poste de chef de la police, était à cette époque devenu sénateur. Cet appel était destiné à lui demander son opinion sur ces rumeurs. « Il nia absolument tout contact de ce genre », disait le rapport d'enquête, avant de poursuivre : « En l'absence de toute preuve concernant l'allégation du voyage de Davis, nous concluons qu'il n'a pas eu lieu. » On pourrait donc dire qu'un seul bref coup de fil leur suffit pour régler l'ensemble du problème. « Durant notre enquête, nous n'avons trouvé aucune preuve crédible suggérant qu'un autre fonctionnaire du LAPD se serait rendu à Washington dans le cadre de la mort de Marilyn Monroe », concluait le rapport.

Robert Slatzer demanda aux enquêteurs ce qu'il était advenu d'un rapport de 723 pages du LAPD, contenant, selon ce qu'on lui avait dit, des comptes rendus d'enquête sur la mort de Marilyn. L'enquête de 1982 nia l'existence de ce rapport : « Aucune preuve crédible n'indique qu'un tel rapport ait jamais existé. » J'avais eu une conversation auparavant avec Tom Reddin, adjoint du chef Parker en 1962, qui à son tour devint plus tard chef de la police et qui est aujourd'hui à la retraite. Sans disposer de renseignements spécifiques, il vit comme réponse la plus probable à ma question un scénario selon lequel Parker se serait rendu à Washington, muni dans sa valise du volumineux dossier Marilyn, pour s'attirer les bonnes grâces de Robert Kennedy. Il me déclara que cet énorme dossier s'était subitement réduit à une misère ne contenant, à tout casser, qu'une cinquantaine de pièces. L'importance de ces remarques est d'autant plus grande qu'il ne commentait pas alors la démarche effectuée par Robert Slatzer auprès des enquêteurs en 1982. Il ne faisait que répondre à l'une de mes questions d'ordre général à propos de ce qu'il était advenu de la documentation sur Marilyn.

On notera avec intérêt que la question de la disparition du mémorandum de John Miner fut soulevée, sans doute par Miner lui-même. Les enquêteurs firent savoir qu'ils informaient le coroner et le procureur du district de l'époque que Miner avait conclu de son entretien avec le Dr Ralph Greenson que ce dernier ne soutenait plus la théorie du suicide. Le Dr Greenson n'était alors plus de ce monde et on n'attribua aucune signification à sa prise de position. D'après le rapport, il semble bien que l'on n'essaya même pas d'établir comment les deux copies du mémorandum sur Marilyn avaient disparu, on ne tira aucune implication de cette disparition et, somme toute, l'épisode entier fut tout juste survolé.

Les problèmes abordés par Lionel Grandison furent examinés par les enquêteurs du procureur. En 1962, Grandison était l'un des adjoints du coroner. On remarquera que le compte rendu souligne qu'il occupait par conséquent un poste subalterne. Grandison soulevait un trio de questions – ou problèmes – d'importance. Tout d'abord il déclarait que le coroner Curphey l'avait obligé à apposer sa signature sur le certificat de décès de Marilyn. Il disait avoir commencé par refuser, le dossier n'étant selon lui pas complet alors que son travail consistait à s'assurer que tous les documents concernant le rapport du coroner figuraient bien dans le « colis final ».

Après avoir fait état de cette déclaration de Grandison, le rapport déviait sur ses antécédents. On nous pardonnera d'en conclure qu'il s'agissait là d'un moyen de minimiser le travail d'un homme et l'ensemble de ses références. On pourrait même dire qu'il y avait tentative de l'assassiner moralement, puisque mention était faite d'un petit démêlé qu'il avait eu par le passé avec la loi, même s'il était précisé que ce dernier ne dépassait pas le cadre de la « mauvaise conduite ». Après s'être donné tout ce mal pour discréditer le plaignant, le rapport se contentait de dire : « s'il n'avait pas signé le certificat de décès, quelqu'un d'autre l'aurait fait à sa place », réponse des plus insatisfaisante au vu du problème soulevé.

La deuxième question concernait des hématomes et des rougeurs que Grandison disait avoir remarqués sur l'arrière des jambes de Marilyn. Rien ne venait soutenir sa déclaration, même si elle ne contredisait pas la première, à propos du certificat de décès.

C'est la troisième question qui fit tendre l'oreille aux enquêteurs. Elle concernait l'existence d'un journal rouge que Grandison prétendait avoir inclus dans la liste des possessions de Marilyn au moment où elles avaient été apportées au bureau du coroner. Il déclarait que ce journal, de même qu'une note griffonnée, avaient disparu. Il est tout à fait possible, comme le prétendait Grandison, qu'un tel journal – dans lequel était glissée une feuille – ait pu être ramassé par les hommes du coroner au moment où on les avait renvoyés au domicile de Marilyn pour y trouver des éléments susceptibles de fournir des détails sur sa famille. Apparemment, les enquêteurs du procureur accordaient un certain crédit à cette hypothèse. Grandison disait qu'après l'avoir ouvert et en avoir parcouru un peu le contenu il l'avait placé dans le coffre-fort. Le lendemain, le journal s'était, affirmait-il, volatilisé.

De son côté, le sergent Jack Clemmons ne vit pas plus de journal rouge que d'autre document ou lettre. En soi, cela ne présente rien de significatif : on ne dispose d'aucun récit des événements qui ont pu se dérouler chez Marilyn au cours des heures qui suivirent son décès. Nous avons attiré l'attention sur les lettres et les scripts photographiés sous la table de chevet de la chambre de Marilyn. Soit la photo fut prise avant l'arrivée de Clemmons, soit ces documents furent placés là après son départ dans le but d'être photographiés, puisqu'il ne vit rien pendant qu'il était dans la chambre. Il releva l'absence de tout document et souligna l'ordre anormal de la pièce. Il déclara qu'il avait l'impression qu'elle avait été nettoyée avant son arrivée. D'après les renseignements dont nous disposons aujourd'hui, cela fut obligatoirement le cas. Pendant le laps de temps entre le décès de Marilyn et le coup de fil à Clemmons la maison fut apparemment fouillée de fond en comble et des documents éparpillés partout.

Dans le contexte de cette nouvelle enquête, ce sont les circonvolutions employées pour discréditer les affirmations de Grandison, selon lesquelles le journal rouge était parvenu jusqu'au bureau du coroner pour disparaître ensuite, qui sont les plus intéressantes. L'enquête essayait non seulement de nier la présence de l'objet en ce lieu, mais son existence même. De ce fait, le rapport ne pouvait manquer d'attirer l'attention sur le fait que Robert Slatzer avait confirmé avoir vu ce journal rouge, censé contenir « des noms de membres du gouvernement, et peut-être des détails concernant des opérations névralgiques du gouvernement », car il voulait attirer l'attention sur le fait que Grandison reconnaissait avoir lu le livre de Slatzer, *The Life and Curious Death of Marilyn Monroe*, dans lequel son existence est mentionnée. Le rapport disait ensuite que l'existence de ce journal rouge n'était corroborée que par les déclarations de Slatzer. Cela est inexact. J'ai interrogé une amie proche de Marilyn, l'actrice Jeanne Carmen, qui avait vu Marilyn chez elle en compagnie de Robert Kennedy. Elle m'a dit que Robert Kennedy avait ouvert ce journal et qu'après avoir pris connaissance de son contenu, il l'avait jeté à travers la pièce en criant : « Débarrasse-toi de ça ! » Pour quelle raison les enquêteurs n'ont-ils pas interrogé Jeanne à ce sujet ?

Impatient d'enterrer toute référence à l'existence même de ce journal rouge, le rapport soulignait qu'aucune des personnes les plus proches de Marilyn dans sa vie quotidienne, Pat Newcomb, Eunice Murray, les Drs Greenson et Engelberg ou sa « masseuse » (plutôt son masseur, Ralph Roberts) ne l'avait vu. Il n'en reste pas moins que les journaux sont, de par leur nature même, des objets intimes et en général secrets, si bien qu'on peut concevoir que l'entourage de Marilyn ait pu ignorer son existence. Cependant, si les enquêteurs avaient reconnu qu'il existait bel et bien, ils auraient ouvert la porte à des théories venant étayer des raisons d'assassiner Marilyn. Or, même en 1982, le coroner ne pouvait le permettre.

Le rapport se concluait par : « Nous avons effectué notre pré-investigation avec un esprit ouvert, nous avons examiné les documents et les déclarations des témoins sans la moindre idée préconçue, parti pris ou préjugé. Néanmoins, au fur à mesure que les diverses allégations étaient soumises à un examen détaillé et que le scénario de la mort de Marilyn Monroe était mis en place, nous sommes parvenus à la conclusion que l'hypothèse de l'homicide ne pouvait être envisagée qu'avec le plus grand scepticisme. » Je tiens à m'opposer formellement au rapport sur cette série de déclarations. A la lumière des résultats de l'enquête évoqués ci-dessus, elles sont tout bonnement inouïes. J'en conclus que cette enquête préliminaire servit à consolider les résultats profondément erronés de celle de 1962. Face à la preuve qu'un acte criminel avait pu aboutir au décès de Marilyn, les enquêteurs se décarcassèrent afin de trouver des raisons de la rejeter. Lorsqu'ils trouvèrent des indications embarrassantes montrant que l'affaire avait été étouffée à l'époque, ils cherchèrent à les dissimuler. Et face à tout ce

George Cukor essaie de diriger Marilyn sur le plateau
de *Something's Got to Give.* © Collection Robert F. Slatzer

Cukor et Marilyn partagèrent quand même
quelques moments de détente. © Collection Robert F. Slatzer

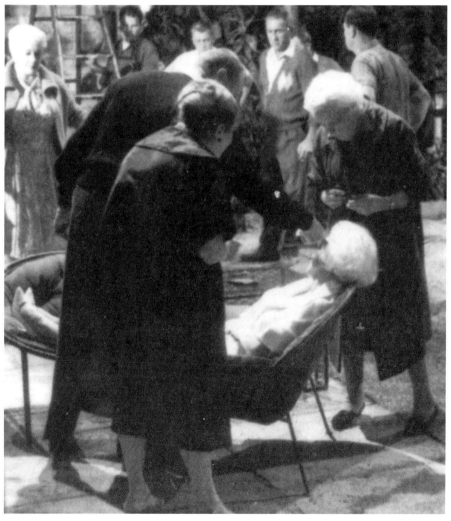

Marilyn se remet, aidée d'Agnes Flanagan et de Paula Strasberg.
Elle s'était évanouie de fatigue. © Collection Robert F. Slatzer

« Happy Birthday, Mister President. » Marilyn sur la scène du Madison Square Garden.
© Photo reproduite avec l'autorisation de la Bibliothèque John F. Kennedy

Robert Slatzer, au cours d'une rare interview
qu'il obtint du Dr Hyman Engelberg. © Collection Robert F. Slatzer

Vue du portail, la maison de Marilyn, Fifth Helena Drive.
© Collection Matthew Smith

Mise en scène pour la photo? Lorsque l'on fit visiter au sergent Jack Clemmons la chambre de Marilyn, il n'y vit pas le moindre verre. Il trouva également curieuse l'absence de toute lettre ou document. Cependant, lorsque des photographies officielles furent prises plus tard, le sol était jonché de lettres et de scénarios, et on peut imaginer que le récipient visible sur la droite ait pu servir à boire.
© Collection Robert F. Slatzer

La fenêtre de la chambre de Marilyn. On prétendit que quelqu'un avait brisé la vitre pour pouvoir y pénétrer, mais des preuves ultérieures révélèrent que cela était improbable. De plus, des morceaux de verre trouvés par terre à l'extérieur de la fenêtre démentaient cette théorie. © Collection Robert F. Slatzer

Photo de la maison de Marilyn prise pendant l'enquête sur sa mort.
Lorsque chacun eut pris les objets qu'il désirait, on posa enfin les scellés.
La notification est épinglée sur la porte d'entrée. © Collection AP Wide World

Photo de la pelouse située à l'arrière de la maison de Marilyn,
prise après sa mort. Le jouet en peluche que l'on aperçoit
à l'arrière-plan serait-il le tigre qu'elle reçut le jour de sa mort
(voir chapitre 17) ? © Collection Corbis-Bettmann/UPI

Arthur Jacobs et son épouse, Natalie. Natalie raconta comment Arthur
avait été appelé au domicile de Marilyn avant le décès de celle-ci.
Publicitaire ultra-doué, il fit croire au monde entier que Marilyn s'était suicidée.

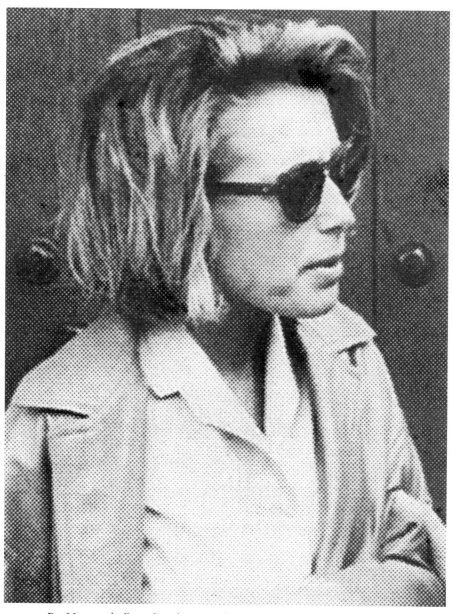

Pat Newcomb, l'attachée de presse de Marilyn. © Collection Robert F. Slatzer

Le Dr Thomas Noguchi procéda à l'autopsie de Marilyn, mais la disparition des prélèvements l'empêcha de conclure sa tâche. Il ne pouvait s'agir d'un accident.
© Photo Judith Gordon

Le coroner Theodore Curphey. Il conclut à un probable suicide.

John Miner, photographié en 1962 en compagnie de la chanteuse Dinah Shore.
© Photo publiée avec l'autorisation de John W. Miner

Tom Reddin, adjoint du chef de la police William Parker, devint par la suite lui-même chef de la police de Los Angeles (LAPD). © Photo publiée avec l'autorisation de Tom Reddin

Eunice Murray. Que savait-elle exactement ? © Collection Robert F. Slatzer

Paula Strasberg, surnommée la « Baronne noire » par les techniciens de tournage, parce qu'elle était toujours vêtue de noir. Marilyn la vira. © Collection Robert F. Slatzer

Bernard Spindel, champion des mises sur écoutes. Il surveillait la maison
de Marilyn pour Jimmy Hoffa. Ici, il exécute une démonstration à l'intention
du sénateur Malcolm S. Forbes. © Photo AP Wide World

Le président John F. Kennedy. Sa liaison avec Marilyn avait fait l'objet de fuites.
© Photo publiée avec l'autorisation de la Bibliothèque John F. Kennedy

La demeure des Lawford, sur la plage de Santa Monica. © Collection Robert F. Slatzer

Peter Lawford, photographié ici
en compagnie de June Allyson. © MGM

Jeanne Carmen. © Photo publiée avec l'autorisation de Gerald N. Davis MD

qui échappait aux mailles de leur filet, ils se contentèrent d'ignorer ce qu'ils ne pouvaient pas expliquer.

John Miner pense qu'il faudrait exhumer le corps de Marilyn pour procéder à une nouvelle autopsie. Les yeux de Thomas Noguchi se sont allumés quand je lui ai annoncé cette nouvelle et il m'a dit qu'il aimerait beaucoup participer à cette nouvelle autopsie. Il m'a déclaré que, selon lui, de nouvelles techniques pourraient probablement révéler comment les médicaments avaient été introduits dans son organisme, si bien qu'on finirait par découvrir le fin mot sur les conditions de sa mort. John Miner préconise d'aller beaucoup plus loin, car il espère que cela débouchera sur une nouvelle enquête, menée sans entraves, sur le décès de Marilyn.

Jusqu'à aujourd'hui, aucune investigation officielle n'a été effectuée sur sa mort. On peut rappeler que la tentative la plus récente de rouvrir le dossier a eu lieu trois ans après la prétendue enquête décrite ci-dessus. Et nous sommes ici en présence d'une tout autre – et fascinante – histoire.

Chapitre 12

Hors de question

A la suite de la publication en 1985 du livre d'Anthony Summers, *Les Vies secrètes de Marilyn Monroe,* l'infatigable Robert Slatzer intervint encore pour tenter de mettre sur pied, cette fois, une véritable enquête sur la mort de son amie Marilyn. Il s'adressa à Mike Antonovich, du Conseil des contrôleurs de Los Angeles. A sa vive satisfaction, le Conseil recommanda par un vote unanime l'ouverture d'une enquête officielle par le Grand Jury sur les circonstances de sa mort et les preuves de plus en plus nombreuses d'un étouffement de l'affaire. On doit cependant préciser que cette décision reflétait davantage une attitude politique qu'un véritable souci de réparer des injustices passées.

Après avoir examiné les éléments, la commission de droit criminel du Grand Jury déclara que le verdict de « suicide probable » du coroner Curphey laissait subsister des doutes et reconnut les signes d'un étouffement. Sam Cordova, personnage controversé et président du Grand Jury, annonça que la commission avait accepté de rouvrir l'enquête sur la mort de Marilyn. Cordova n'était pas du genre à rester les bras ballants en attendant que des éléments matériels lui tombent du ciel. Il aimait être au courant de tous les événements, voire, si possible, les devancer. Le président du Grand Jury aimait tenir lui-même la barre de son navire, attitude qui ne convenait pas au procureur.

Sam Cordova commença son enquête en prenant toutes les mesures nécessaires. Il mit le nez dans les zones sombres de l'affaire, fit savoir que ce qu'il découvrait ne lui plaisait pas et qu'il comptait mettre en doute le verdict de « suicide probable ». Il y avait là matière à lancer une campagne qui ferait la une de la presse nationale. D'un autre côté, le procureur Ira Reiner tenait à son autorité et n'était pas homme à laisser un président de Grand Jury parvenu mener pareil battage. Bien qu'il ne fût pas autorisé à le faire, il prit des mesures pour prendre le contrôle de la situation. Cordova avait convoqué une conférence de presse où l'on devait divulguer le contenu des délibérations du Grand Jury. Reiner choisit ce moment-là pour frapper. Il s'immisça de façon scandaleuse et annonça que Cordova avait fait une déclaration « irresponsable » et « erronée ». Le jour même qui avait été fixé pour sa conférence de presse, Cordova, fait sans précédent, fut démis de ses fonctions par un juge de la Cour suprême et remplacé.

Comme on pouvait s'y attendre, le nouveau président n'était pas favorable à une enquête sur la mort de Marilyn, et elle n'eut tout bonnement pas lieu. Dans son livre *The Marilyn Files*[1], Robert Slatzer fait une mise au point : en 1985, ce n'était pas la première fois que le Conseil des contrôleurs de Los Angeles recommandait de rouvrir le cas Marilyn. Il l'avait déjà fait en 1982 quand, subitement, le procureur du district John Van de Kamp avait organisé en hâte une conférence de presse pour annoncer qu'il avait lui-même ouvert une enquête la semaine précédente. Ladite enquête n'avait bizarrement pas été annoncée publiquement. On a du mal à ne pas se dire que le procureur du district, un démocrate, prenait le train en marche afin de mettre des bâtons dans les roues du Conseil des contrôleurs, qui était républicain. Il est tout aussi probable que l'histoire se répéta en 1985, lorsque le procureur Reiner

---

1. Robert F. Slatzer, *The Marilyn Files*, New York, réimp. 1992. Traduction française, *Enquête sur une mort suspecte : Marilyn Monroe*, Julliard, 1974.

constata dans quelle direction soufflait le vent du Conseil des contrôleurs, même s'il intervint cette fois davantage par souci de se mettre en avant et de préserver son statut.

Le compte rendu que nous donnons dans le chapitre précédent de l'enquête Van de Kamp de 1982 révèle une révision « tendancieuse », destinée à conserver les choses en l'état. L'échec éclatant de toutes les enquêtes et prétendues investigations sur le décès de Marilyn réside dans le fait que les personnes au courant de la vérité ne furent pas sommées de la révéler sous serment. Il semble clair qu'on a toujours préféré qu'elles ne s'expriment pas. L'enquête menée par le Grand Jury en 1985 aurait eu le pouvoir de forcer à parler ceux qui avaient refusé de le faire, au risque d'amendes ou de peines de prison. En outre, leur refus de coopérer aurait débouché sur le genre de publicité que ne désirait aucun de ceux qui risquaient d'être assignés à comparaître.

En 1985, l'intervention du Grand Jury se termina cependant en queue de poisson. Tout laissait entrevoir que le Grand Jury s'était laissé étouffer par une machine politique aux rouages d'autant plus compliqués que s'y ajoutaient des rivalités personnelles. En prenant la tête des événements, Reiner commença par promettre qu'une enquête allait être menée sur le décès de Marilyn, pour se rétracter rapidement et déclarer qu'elle n'était pas nécessaire. Il annonça : « Aucune preuve [...] ne nous a été apportée susceptible de nous amener raisonnablement à croire ni même à soupçonner vaguement que Mlle Monroe ait pu avoir été victime d'un assassinat. La mort de la star ne présente qu'un intérêt historique. » Par cette dernière déclaration, le procureur Reiner laissait entrevoir qu'il ne saisissait pas une seconde que l'établissement de la vérité fût important et désirable. En outre, il semblerait aussi qu'à ses yeux l'histoire en général n'ait pas assez de prix pour qu'on lui accorde le bénéfice de la vérité.

Apparemment, des priorités avaient été fixées et atteintes. Les autorités en place qui étaient parvenues à garder sous leur emprise l'enquête menée par John Van de Kamp n'allaient pas laisser ce contrôle leur échapper en donnant carte blanche au Grand Jury du Conseil des contrôleurs. Tant qu'elles seraient là, on ne fouillerait plus dans les énigmes entourant la mort de la star. Les éclaircir était hors de question.

Chapitre 13

Le témoignage de Mme Murray

Mme Murray mentait. Dans le cas contraire, elle avait si mal perçu les événements qui s'étaient déroulés autour d'elle qu'elle n'y avait strictement rien compris. Or elle n'avait rien d'une personne au caractère faible ou d'une incapable. La prétendue gouvernante de Marilyn modifia son témoignage à de si nombreuses reprises qu'il devint impossible, pour ceux qui essayaient de reconstruire le véritable déroulement des circonstances de la mort de Marilyn, de s'y fier en aucune façon. Pourtant, elle était l'un des personnages clés du drame et, de ce fait, incontournable.

Eunice Joerndt naquit en 1902 et épousa John Murray en 1924. Plus de vingt ans après, ce dernier construisit une demeure de style hacienda à Santa Monica où ils ne vécurent ensemble que trois ans avant de divorcer. Ils vendirent alors la maison au Dr Greenson et Mme Murray s'installa dans un appartement.

Interrogée par la police, elle déclara d'abord qu'elle avait trouvé le corps de Marilyn vers minuit, mais cette heure posa très vite problème, puisque la police n'avait été avertie qu'environ quatre heures et demie plus tard. Réinterrogée, Mme Murray révisa sa chronologie et déclara qu'elle avait découvert le corps vers 3 h 30 du matin, et, pour tout faire correspondre, elle adapta l'ensemble de son récit à cette nouvelle heure. Sa version reposait sur le fait qu'en se rendant à la salle de bains, elle avait remarqué la lumière qui filtrait encore sous la porte de la chambre de Marilyn. Comme la porte était fermée à clé et que Marilyn ne répondait pas aux coups qu'elle y frappait, elle était sortie, avait poussé les rideaux d'une petite fenêtre à l'aide d'un tisonnier et vu Marilyn allongée sur le lit. Elle disait avoir alors téléphoné au Dr Greenson, qui était venu et était entré dans la chambre en brisant une vitre. Le Dr Greenson lui avait annoncé que Marilyn était morte. Dans une autre version, ce n'était pas elle mais le Dr Greenson qui regardait par la fenêtre, même s'il semble curieux en soi que quiconque ait pu voir à travers les rideaux. Les rideaux définitifs n'étaient en effet pas encore installés dans la chambre et les tentures provisoires difficiles, voire impossibles, à écarter de l'extérieur, y compris avec un tisonnier.

Dans une version, c'était Mme Murray qui téléphonait au Dr Engelberg ; dans l'autre, c'était le Dr Greenson. Le Dr Engelberg était censé être arrivé sur les lieux à temps pour déclarer le décès à 3 h 50 du matin. Lorsque j'ai interrogé Hildi, la veuve du Dr Greenson, elle se souvenait que Ralph avait reçu un coup de fil de chez Marilyn et avait quitté leur domicile juste après minuit. Il n'aurait pu le faire plus tôt, puisqu'en ce samedi soir ils étaient allés dîner en ville. Cet horaire rendait néanmoins absurde la version révisée, concoctée par Mme Murray, Greenson et Engelberg. Version qui s'écroula complètement lorsque le Dr Engelberg reconnut, beaucoup plus tard, être arrivé sur les lieux peu après 2 h 30 du matin et que l'alarme avait été donnée entre 23 heures et minuit. Si Engelberg savait qu'on s'était affolé bien avant minuit, on peut imaginer qu'on avait essayé sans succès de le joindre, étant donné qu'il était, lui aussi, sorti ce soir-là. En rentrant chez lui, il avait trouvé un message et s'était rendu sur les lieux.

Aux questions du sergent Clemmons, Mme Murray répondit que Marilyn était allée se coucher à 8 heures du soir, mais se contredit par la suite en évoquant un coup de fil que la star avait reçu de Joe DiMaggio Jr, son ex-beau-fils, qu'elle aimait beaucoup et qui restait en contact avec elle. Le problème fut soulevé par le fait que Mme Murray déclara avoir apporté le téléphone à Marilyn, *dans son lit, à 19 h 30*. Le sergent Clemmons se contenta de noter ses deux déclarations sans essayer de les tirer au clair. Le plus remarquable, dans cette histoire, est cependant que ses supérieurs ne relevèrent pas cette contradiction. Dans son livre *Marilyn, The Last Months*, Mme Murray changea une nouvelle fois de version. Elle déclarait à présent avoir *appelé* Marilyn pour qu'elle puisse prendre le coup de fil dans la troisième chambre, inoccupée. Comme on l'a vu, Mme Murray disait qu'elle s'était alarmée en voyant une lumière filtrer sous la porte de la chambre de Marilyn. Si le sergent Byron avait regardé autour de lui, il aurait remarqué qu'en raison de l'épaisse moquette de laine Mme Murray ne pouvait pas avoir aperçu le moindre rai de lumière. De plus, la gouvernante n'avait pas besoin de passer devant la porte de Marilyn pour se rendre à la salle de bains. Dans son livre, qu'elle rédigea seize ans après le décès de la star, Mme Murray se contredit aussi sur ce point. « Les personnes qui m'interrogeaient bondirent sur la conclusion que j'avais aperçu de la lumière sous la porte. Vu mon état de choc, je n'aurais pas accordé d'importance à ce détail... Je savais que l'épaisseur de la nouvelle moquette de laine blanche remplissait entièrement l'interstice du bas de la porte. Je m'en suis souvenue par la suite, non sans avoir d'abord effectivement dit que j'avais vu de la lumière sous la porte. » On notera également avec intérêt que les supérieurs de Byron ne trouvèrent rien à redire au caractère bâclé et inadéquat de son enquête. Les changements introduits par Mme Murray d'une version des événements à une autre révélèrent que son témoignage n'était qu'un tissu de mensonges.

Eunice Murray avait soixante ans quand elle commença à travailler pour Marilyn Monroe, avant la Noël 1961. A la même époque environ, le Dr Greenson avait suggéré à la star d'acheter une maison. Mme Murray l'aida à la dénicher et, lorsque Marilyn finit par en choisir une, à s'en procurer le mobilier. Cette maison rappelait une hacienda et ressemblait à celle du Dr Greenson, qui plaisait beaucoup à Marilyn. Cette dernière engagea le gendre de Mme Murray, Norman Jefferies, comme homme à tout faire pour les menus travaux dans sa nouvelle maison.

Mme Murray, dame d'âge mûr avec une expérience d'infirmière en psychiatrie, était censée être la gouvernante de Marilyn. Toutefois, engagée à une époque où Marilyn avait du mal à garder une infirmière à son service à cause du traitement qu'elle leur réservait, elle allait sans nul doute remplir bien d'autres fonctions. C'était le Dr Ralph Greenson qui l'avait recommandée à Marilyn comme « compagne et décoratrice ». Tout indique qu'elle était en fait chargée de la surveiller et qu'elle considérait Greenson comme son véritable patron. Elle lui rendait des comptes et le tenait informé des faits et gestes de Marilyn. A un reporter du *Los Angeles Herald Examiner*, Mme Murray déclara : « Le Dr Greenson m'avait donné certaines instructions au sujet de Marilyn, mais je ne peux pas dire lesquelles. » Conformément à son habitude, elle nia par la suite cette déclaration. Elle déclara aussi que, somme toute, elle n'avait eu que très peu de contacts avec le Dr Greenson.

Marilyn ignorait tout cela. Il semble néanmoins qu'elle acceptait de ne pas reprocher à Mme Murray ses carences dans les tâches domestiques. On en verra pour exemple une interview que la star accorda chez elle à Richard Merriman, un journaliste de *Life Magazine*. Le soir venant, Marilyn lui proposa de se mettre quelque chose sous la dent et lui demanda si un bon steak lui ferait plaisir. Mais en ouvrant le réfrigérateur, elle constata qu'il ne contenait ni steak ni aliment d'aucune sorte qu'elle puisse offrir à son visiteur. Si Mme Murray avait véritablement été engagée comme gouvernante, on peut dire qu'elle n'était franchement pas à la hauteur de sa tâche. Marilyn ne parut cependant pas s'en formaliser. Elle ne fit apparemment pas cas de cette bizarrerie et son visiteur, gêné, ne put qu'adapter sa réaction à la sienne.

Mme Murray évoqua une conversation qu'elle aurait eue avec la star le jour même de sa mort, au cours de laquelle Marilyn lui aurait demandé s'il y avait de l'oxygène dans la maison, question qui apportait de l'eau au moulin de la théorie selon laquelle Marilyn avait encore projeté de « se suicider », avec succès cette fois. Que Marilyn ait posé une telle question est franchement bizarre : comment peut-on demander s'il y a de l'oxygène chez soi d'un ton aussi naturel qu'on demanderait s'il y a des fruits dans la cuisine ? Les gens n'ont pas pour habitude de garder de l'oxygène dans une maison, et s'il avait fallu s'en procurer pour une raison quelconque, Marilyn aurait dû être au courant. Mme Murray déclara par la suite que c'était après la mort de la star qu'elle avait compris la relation entre sa question à propos de l'oxygène et sa tentative de suicide.

Ce ne fut pas la seule allusion de Mme Murray à un « suicide accidentel ». Elle raconta à Abe Landau, un voisin, que Marilyn avait avalé des capsules, s'était endormie et réveillée, et, ayant oublié qu'elle en avait déjà pris, en avait repris et était décédée d'une surdose accidentelle. Dans son livre, elle ajouta quelques broderies à ce récit. Elle écrit que Marilyn a pris une capsule, s'est endormie, a été réveillée par la sonnerie du téléphone, a pris une autre capsule pour se rendormir, et, n'y parvenant pas, en a pris une autre, et ainsi de suite jusqu'à ce que mort s'ensuive. Est-il possible qu'elle entende par là que Marilyn a avalé « accidentellement » plus de quarante capsules ? Ce détail nous éclaire sur Mme Murray et sur ses mobiles au lieu de nous renseigner sur les véritables événements. Elle avait un but en tête et une chose est certaine : cette dame en savait bien davantage qu'elle ne l'a jamais révélé.

A l'époque de la parution de son livre, Mme Murray ne conservait plus grand-chose de la première version qu'elle avait donnée à la police. Elle prétendait à présent que c'était une espèce de « sixième sens » qui l'avait prévenue, l'avait « contrainte » à ouvrir la porte du couloir où elle avait alors aperçu le fil du téléphone serpentant sous la porte de Marilyn. Quels que soient les propos de Mme Murray, ils semblaient dictés par des raisons précises, et elle ne baissa la garde qu'à deux reprises. La première, en 1982, lors d'un entretien avec Justin Clayton, un enquêteur. Elle lui confia avoir trouvé la porte de Marilyn « *entrouverte* », puis, réalisant ce qu'elle venait de dire, essaya d'effacer ce propos en revenant à la version de la « porte fermée à clé » qui avait été mise au point. Mais sa remarque n'était pas tombée dans l'oreille d'un sourd. Clayton avait tout noté. Dans cette interview, elle revint également à une heure moins tardive de la découverte du corps ; elle déclara l'avoir trouvé « *aux environs de minuit* ».

On doit examiner de très près la déclaration de Mme Murray selon laquelle elle trouva la porte entrouverte. Si la porte était *habituellement* fermée à clé la nuit parce que Marilyn craignait les rôdeurs, comment se fait-il qu'elle ait été à présent ouverte ? Etait-elle fermée à clé plus tôt ? De nombreuses questions restèrent sans réponse, parce que Mme Murray ne fournit à personne le renseignement capital selon lequel la porte était ouverte quand elle s'en approcha. En fait Ralph Roberts, à la fois masseur et ami proche de Marilyn, déclara que la porte n'était jamais fermée à clé. Il était bien placé pour le savoir, car il lui arrivait souvent de venir masser Marilyn tard dans la soirée, lorsqu'elle se préparait à dormir. Cherie Redmond, secrétaire de Marilyn à l'époque de sa mort, déclara à Hedda Rosten qui effectuait un travail de secrétariat pour la star à New York qu'elle n'avait jamais vu une serrure en état de marche dans la maison.

De plus, d'importantes « répercussions » résultaient de cette nouvelle version de la « porte ouverte ». Elle ôtait tout sens au récit de la vitre cassée, par exemple, et à celui du Dr Greenson grimpant par la fenêtre pour trouver le corps de Marilyn. Qui brisa vraiment la vitre ? Et pourquoi ? Ces questions étaient importantes, liées à des faits qui n'avaient pas été contestés jusque-là.

Mme Murray s'exprima une seconde fois, spontanément, à la suite d'une interview enregistrée pour la BBC en 1985. Elle reconnut alors qu'une ambulance – et un médecin – étaient bien venus à la maison. D'humeur bavarde, elle affirma une bonne fois pour toutes que Robert Kennedy était passé chez Marilyn le jour de la mort de la star. Dans son livre, Mme Murray nie vigoureusement toute « aventure amoureuse » entre eux. Nous reviendrons plus tard sur cette déclaration importante. Puis elle reconnut une chose qui allait transformer ses premières déclarations de 1962 à la police en sables mouvants : « J'ai dit ce que je trouvais... bon de dire. » Mme Murray regretta par la suite de s'être ainsi laissée aller et rejoignit le camp des bouches cousues.

Marilyn ne s'entendait pas avec Eunice Murray. Elle la supportait parce que Ralph Greenson le souhaitait. Cela ne signifiait pas que les deux femmes n'avaient pas d'altercations. Alors que le Dr Greenson était en vacances à l'étranger pendant le tournage de *Something's Got to Give*, Marilyn alla même jusqu'à la renvoyer. Une autre fois, ce fut Mme Murray qui fit ses bagages et se tint prête à partir. Mais bon an mal an la « gouvernante » resta à son poste et ne fit aucune mention de ces prises de bec dans son livre publié en 1975. Eunice apparaît comme l'un des éléments importants de la stratégie mise en place par le Dr Greenson pour soigner la star qui était devenue sa patiente principale, son souci principal. Certains diraient même qu'elle était son obsession. Pendant ses vacances de cinq semaines, il contacta Marilyn pour lui demander de doubler le salaire de Mme Murray de 100 à 200 dollars par semaine. Nous ignorons pourquoi, mais on peut sans mal supputer que c'était un moyen de faire revenir Eunice après son licenciement.

Au cours de la semaine précédant sa mort, Marilyn avait effectué des changements d'une portée considérable dans le cadre de son nouvel accord avec le studio, et elle comptait bien ne pas s'arrêter là. Son professeur d'art dramatique, Paula Strasberg, l'épouse de Lee Strasberg, que les employés de la Fox surnommaient « la Baronne noire » parce qu'elle était toujours vêtue de noir, exaspérait le studio, car elle venait tous les jours sur le plateau où elle se mêlait de ce qui ne la regardait pas. Marilyn la licencia et lui remit un billet d'avion en aller simple pour New York. On pense qu'elle avait l'intention, lors du rendez-vous fixé chez son avocat le lundi après sa mort, de modifier son testament et d'en exclure les Strasberg. La chose n'ayant pas été faite, Lee en fut le principal bénéficiaire.

Un autre des changements exigés par le studio concernait Ralph Greenson, lequel, avec l'aide de Milton Rudin, le nouvel avocat de Marilyn – beau-frère de Greenson, on le notera au passage –, avait rempli le rôle de négociateur avec la Fox. Marilyn avait accepté de mettre un terme à ses interventions. Après avoir accédé aux demandes de la Fox, Marilyn balayait large et s'apprêtait à procéder à des mises au point supplémentaires dans ses affaires privées.

Mme Murray serait la prochaine à partir. Et cette fois, Marilyn ne plaisantait pas. Elle avait réalisé que sa prétendue gouvernante n'était en fait qu'une espionne et cela la gênait. Selon son masseur Ralph Roberts, auquel elle se confiait, « Marilyn comprit juste avant sa mort et se sentit extrêmement trahie ». Comme le Dr Greenson était entièrement partie prenante dans l'engagement de Mme Murray, son problème consistait à renvoyer cette dernière sans contrarier son psychiatre, que le studio flanquait à présent à la porte. Dans un chapitre ultérieur nous entendrons de la propre bouche de Marilyn – par le biais de ses enregistrements – comment elle avait l'intention de s'y prendre.

Les amis de Marilyn n'étaient pas surpris par ses décisions d'effectuer des changements. Juste étonnés qu'elle n'y eût pas procédé plus tôt. Elle subissait des pressions de la part de ceux qui étaient au contraire censés la soulager. Elle allait jusqu'à voir Ralph Greenson deux fois par jour, relation non seulement onéreuse, mais étouffante. Comme nous l'avons dit, le spécialiste ne se contentait pas à l'époque de la traiter sur le plan psychiatrique, il s'impliquait dans l'organisation de sa vie professionnelle, allant parfois jusqu'à donner la garantie qu'il la ferait venir sur le plateau, en état de tourner. Elle était bien décidée à reprendre les choses de zéro, mais elle s'appuyait sur Greenson et il fallait qu'elle revoie de fond en comble comment elle allait modifier son rôle. Peter Levathes, un cadre du studio, déclara : « Marilyn était incapable de traverser une pièce sans avis et conseils et sans être entourée de personnes intéressées. »

Chapitre 14

Les écoutes

Jimmy Hoffa voulait abattre Robert Kennedy. Le ministre de la Justice avait déclaré la guerre au truand de la mafia qui avait pris le contrôle du syndicat des camionneurs, et le patron du syndicat avait bien l'intention de frapper le premier. Hoffa voyait en Robert Kennedy « un homme sans principes ». Kennedy affirmait que Hoffa et son empire des camionneurs formaient une « conspiration du mal ». Hoffa, qui essayait de tenir à l'œil les activités des frères Kennedy quand ces derniers se rendaient dans l'Ouest, demanda à Fred Otash, un détective privé de Hollywood, de placer la maison de Peter Lawford sur écoutes. Lawford avait épousé Patricia Kennedy, la sœur de John et Robert, lesquels venaient souvent en visite dans la splendide demeure de l'acteur qui donnait sur la plage de Santa Monica. Il n'est donc pas surprenant que cette maison, qui avait été construite pour le grand patron de la MGM, Louis B. Mayer, fût surnommée la « Maison-Blanche de la côte Ouest ».

Les écoutes placées dans la maison de Lawford servaient avant tout à surveiller les relations de Marilyn et de John et fournissaient à Hoffa et Giancana le genre de renseignements gênants qu'ils recherchaient. John Kennedy avait un comportement décontracté, il ne se montrait pas sur ses gardes, comme s'il avait la naïveté d'ignorer qu'on le surveillait. Peu de temps après, les techniciens des écoutes qui faisaient des heures supplémentaires eurent droit à une énorme prime à laquelle ils ne s'attendaient pas : tandis qu'une relation amoureuse semblait tourner court, une autre se développait. Cette fois, c'était Robert Kennedy qui entamait une liaison avec Marilyn. Armé des secrets que lui fournissaient les écoutes, Hoffa était en position de savoir à quel moment il pouvait exercer un chantage.

Il eut de nouveau recours à Fred Otash, cette fois pour placer des mouchards dans l'appartement de Marilyn. Lorsqu'elle emménagea dans sa nouvelle maison, il fit de même. Des micros furent posés dans les pièces, salle de bains comprise, et sur les téléphones. Cette fois, le « produit » des écoutes devait être enregistré sur des bandes, et c'est là qu'entra en scène Bernard Spindel, expert en surveillance. Bernard Spindel s'était fait la main pendant la guerre, où il servait dans les Transmissions de l'armée américaine. Utilisant les techniques les plus récentes en matière de surveillance électronique, il avait été affecté aux agences de renseignements et avait magnifiquement peaufiné son art d'écouter l'ennemi. A la fin de la guerre, il utilisa les techniques qu'il avait mises au point pour son propre compte de privé enquêtant sur des affaires de divorce et d'escroqueries. Il ouvrit une agence de détective sous le nom de jeune fille de sa femme – la B.R. Fox Company – qui œuvrait dans le respect de la loi, mais ses activités de mise sur écoutes et enlèvement d'écoutes lui faisaient friser de très près l'illégalité.

Pour un homme pratiquant une profession qui l'amenait à passer une grande partie de son temps à travailler du mauvais côté de la loi, donner des conférences à la commission anticriminalité de la Ville de New York ne manquait sans doute pas de piment. Mais Spindel s'expliqua sur la partie de son travail qui le plaçait dans l'illégalité dans un livre intitulé *The Ominous Ear* qu'il écrivit en 1968 : « Lorsqu'un citoyen met un téléphone sur écoutes, on appelle ça écoutes téléphoniques. Quand c'est le FBI, il s'agit de surveillance et quand c'est la compagnie du téléphone, elle considère qu'il s'agit simplement d'une observation. » Spindel estime quant à lui qu'il s'agit de la même chose dans les trois cas. Dans son livre, il raconte comment ceux qui désirent assassiner moralement quelqu'un, s'immiscer dans sa vie privée et pratiquer la coercition légale, font appel à l'électronique moderne, et il va jusqu'à inclure dans sa liste les individus décidés à acquérir le pouvoir politique ou les simples maîtres chanteurs. Il n'est pas étonnant qu'il évite par ailleurs d'évoquer dans son ouvrage les implications morales et juridiques de ses activités.

Jimmy Hoffa ne mit pas longtemps à repérer le potentiel représenté par le savoir-faire de cet as des écoutes. Il fit appel à ses services et ne le laissa pas chômer. Hoffa avait des liens avec Sam Giancana et le célèbre syndicat du crime de Chicago, et les deux mafiosi partageaient les renseignements obtenus par Bernard Spindel. Il confia à Spindel le soin de trouver et débrancher les écoutes placées par des tiers dans ses propres bureaux, tout en en faisant placer de nouvelles pour des raisons uniquement connues de lui-même. L'exemple le plus audacieux de leurs activités dans ce domaine fut peut-être la mise sous surveillance des lignes téléphoniques de Robert Kennedy au ministère de la Justice. Kennedy, parfaitement au courant des activités de Spindel, lui fit des ouvertures pour essayer de le faire changer de camp. En dépit d'une rencontre en tête à tête au cours de laquelle il essaya de persuader le maître ès écoutes de se ranger à ses côtés, Spindel refusa et afficha dès lors son hostilité à l'égard du ministre de la Justice.

Lorsque Robert Kennedy entama sa liaison avec Marilyn, les écoutes étaient plus actives que jamais et une quantité volumineuse de bandes fut enregistrée. Dans un extrait, souvent cité, de ces kilomètres d'enregistrements, une voix censée avoir été enregistrée le soir du décès de Marilyn demande : « Qu'allons-nous faire à présent de son corps ? », question qui se transforma plus tard en : « Qu'allons nous faire de son cadavre ? » Cette question avait, reconnaissons-le, quelque chose d'accablant quand on la reliait à l'affirmation selon laquelle Robert Kennedy se trouvait dans la maison de Marilyn à ce moment-là. Encore plus accablant était l'autre extrait, censé être un coup de téléphone passé de San Francisco (à l'époque, les opérateurs des coups de fil longue distance en annonçaient la provenance) la nuit où mourut Marilyn et dans lequel une voix, attribuée à Kennedy, posait la question : « Est-ce qu'elle est morte ? », qui fut plus tard corrigée en : « Est-ce qu'elle est *déjà* morte ? »

Il faut tout de suite ajouter que dans les deux cas l'authenticité de l'enregistrement est automatiquement mise en doute par les variations – additions – citées, qui ne servaient peut-être qu'à souligner la signification des paroles prononcées. D'un autre côté, il est clair que ces prétendus enregistrements étaient détenus par des personnes enclines à faire le mal en manipulant leur contenu.

Dans le cas du premier de ces petits extraits, où on a l'impression qu'on nous demande d'accepter d'être en train d'écouter les voix de ceux qui ont perpétré le meurtre de Marilyn, il est en tout cas crédible que quelqu'un ait pu faire cette remarque à la vue de son corps inerte, avant qu'on ne s'aperçoive qu'elle était plongée dans un coma dont elle ne revint pas. Cependant le mot « cadavre » en détruit la crédibilité. Il est des plus probable qu'elle mourut dans l'ambulance qui l'emmenait à l'hôpital et des plus improbable que ses meurtriers se soient encore trouvés sur place pour faire une telle remarque quand on ramena son corps à son domicile. Ce petit « extrait » ne correspond pas bien à d'autres faits qui vinrent plus tard au grand jour.

Dans le cas du « Est-ce qu'elle est (déjà) morte ? » il est implicitement entendu qu'il s'agit d'un appel passé par le ministre de la Justice, Robert Kennedy, qui avait « fui » à San Francisco pendant que les assassins de Marilyn qu'il avait laissés sur place finissaient le boulot. Le but de cet appel était d'établir un relevé téléphonique « longue distance » qui viendrait corroborer le fait que Kennedy se trouvait loin de Los Angeles au moment où Marilyn mourut pour de bon. Si l'on suppose, ne serait-ce qu'un instant, que cette voix est bien celle de Robert Kennedy, il est intéressant de constater à quel point l'ajout de « déjà » change la signification de la question. « Est-ce qu'elle est morte ? » pourrait ne traduire que l'inquiétude de quelqu'un qui vient d'être informé qu'on l'a trouvée dans le coma, alors que l'ajout de *déjà* rend la question carrément sinistre. Celui qui la pose donne l'impression d'avoir hâte qu'elle soit passée de vie à trépas.

Les enregistrements effectués ici par Bernard Spindel deviennent fort suspects au regard des additions apportées aux citations de départ. Dans le cas du « Est-ce qu'elle est (déjà) morte ? », à moins d'être en mesure d'identifier à coup sûr la voix comme étant celle de Robert Kennedy, Spindel ne prouve rien, et la possibilité d'apporter ce genre de preuve à partir d'un micro transmetteur est un conte à dormir debout. On pourrait ajouter que si Kennedy était impliqué d'une façon quelconque dans l'assassinat de Marilyn (ce que je ne crois pas) et avait « fui » à San Francisco, il aurait été fou de téléphoner chez sa victime. Il aurait pu appeler n'importe qui n'importe où dans le but de créer un relevé « longue distance » qui prouverait où il se trouvait. Dans le cas de « Qu'allons-nous faire du cadavre ? », rien ne suggère que la voix est celle de Robert Kennedy. Au mieux, cette question nous apprend que quelqu'un était tellement impatient de nous faire croire qu'un témoin était en train de regarder Marilyn morte que le terme « cadavre » fut ajouté dans le simple but de confirmer sa mort.

Ces deux extraits, très largement divulgués, du contenu des bandes de Spindel, surtout avec les additions qui leur étaient apportées, permettent bien d'illustrer les faiblesses inhérentes à l'utilisation d'enregistrements comme preuves. Pour commencer, rien dans les bandes elles-mêmes ne permet de savoir quand et où elles ont été enregistrées, détail constituant en lui-même un défaut fatal. Placés entre les mains d'un maître comme Bernard Spindel, des fragments qu'il en extrayait pouvaient prendre n'importe quelle signification. Le montage, qui entre les mains d'un amateur peut en détruire complètement l'authenticité, ne posait pas le moindre problème à un expert comme lui. On pouvait ajouter des bruits de fond sur commande et l'ordre des enregistrements pouvait être modifié afin de correspondre aux objectifs de celui qui les avait effectués.

Même à notre époque où l'électronique est extrêmement sophistiquée, on connaît bien la mauvaise définition des transmissions par micros et écoutes. Dans les deux cas il peut y avoir de pénibles « brouillis ». Dans celui d'une transmission à partir d'un micro, le signal sera plus ou moins fort selon que la voix est plus ou moins proche du micro. Ces problèmes étaient encore plus gênants en 1962. Par conséquent si, une fois que tout est fait et dit, il s'avère encore nécessaire d'expliquer à l'auditeur ce qu'il écoute, tout enregistrement sonore présente une valeur nettement limitée : les heurts et éventuelles bagarres ne sont rien de plus que des heurts et bagarres, de la même manière que les avis sur ce qu'ils représentent ne sont rien d'autre que des avis. On attribuera la proverbiale cerise sur le gâteau à l'affirmation selon laquelle Spindel enregistra le bruit d'un corps déposé sur un lit. Cela défie l'entendement. Il va sans dire que cette séquence fait partie de celles nécessitant que quelqu'un vienne nous expliquer de quoi il retourne. Je parle de l'extrait contenant ce qui était décrit comme « des bruits de chocs, de heurts, puis des bruits étouffés, apaisants. On avait l'impression qu'on la plaçait sur un lit ». En fait, ce qu'on nous raconte ici ne se résume qu'à la description de quelques bruits indéterminés. Au moins, la personne décrivant la scène n'est pas encline à donner une interprétation trop précise de ce qu'elle prétend avoir entendu. On ne peut en dire autant de celle qui fournit l'exemple bien carré – à dire vrai, culotté – cité par Milo Speriglio dans son livre *Marilyn Monroe : Murder Cover-Up* : « On donnait des claques à Marilyn. On entendit réellement les claques qu'elle recevait, on entendit son corps tomber par terre. On l'entendit heurter le sol, ainsi que tous les autres bruits qui se produisirent dans sa maison cette nuit-là... » Cette citation sent également son classique, et nous ne devons pas oublier que les prétendus contenus des bandes que Spindel avait fait entendre à plusieurs personnes de son choix variaient selon l'identité de ces dernières, ni la raison pour laquelle il les leur faisait écouter, ni que nos interprétations peuvent être influencées par nos préjugés, nos opinions et notre état d'esprit.

Rares sont ceux prétendant avoir eu accès à des extraits des bandes de Spindel, et personne ne déclare les avoir écoutées dans leur totalité. Cela est sans doute vrai, car un enregistrement continu ne donne, dans l'ensemble, rien. Les plages blanches où il ne se passe rien, qui s'élèvent à des heures et des heures, constituent manifestement la plus grande partie du résultat. Les bruits enregistrés sont ensuite copiés sur une bande moins longue, ce qui fait qu'un montage est bien entendu effectué. En tout et pour tout, une poignée d'individus déclarèrent avoir écouté des extraits de ces bandes, probablement tout juste assez nombreux pour établir leur existence. On pourrait aisément être amené à croire, à tort, que beaucoup de personnes en avaient entendu des extraits, en raison de diverses citations publiées dans plusieurs livres qui abordent cet aspect du décès de Marilyn. Il n'en est rien. Des comparaisons établiront qu'il ne s'agit en fait que des mêmes rares exemples repris à l'infini.

En dépit de tout ce qui précède, je crois néanmoins que Spindel a bien enregistré des bruits dans les maisons de Pat et Peter Lawford et de Marilyn. Je crois aussi qu'il a bien entendu les voix de Robert Kennedy et de Marilyn Monroe mais je pense que la valeur qu'il accorde à ces enregistrements est bien inférieure à ce qu'on a prétendu. Je reconnais qu'il a établi l'existence d'une relation entre Marilyn et le ministre de la Justice, mais je pense que malgré tous ses efforts il n'est pas parvenu à prouver que Robert Kennedy avait quelque chose à voir dans son décès. Les exemples analysés ci-dessus, brodés pour faire plus d'effet, se contentent de nous montrer Spindel se tirant lui-même dans le pied. Ils ne prouvaient rien et tendaient à discréditer ses autres « résultats ».

Au cours de ce samedi fatal, Robert Kennedy rendit deux fois visite à Marilyn. Apparemment, il n'avait été invité dans aucun des deux cas, et il n'était pas non plus le bienvenu. Sur l'enregistrement effectué par Spindel de la première de ces rencontres, dans l'après-midi, on était censé tout d'abord les entendre faire l'amour, puis se quereller violemment. En voici la traduction qu'en donne un « interprète », et nous ne devons pas oublier qu'il s'agit d'une version de seconde main : « Leurs voix montaient de plus en plus. Ils se disputaient à propos d'une promesse faite par Robert Kennedy. Marilyn exigeait de savoir pourquoi Kennedy n'allait pas l'épouser. Au fil de l'altercation, leurs voix devenaient plus aiguës. Je ne suis pas sûr, si je n'avais pas déjà reconnu celle de RFK, que je l'aurais alors identifiée. Il hurlait d'une voix perçante comme une vieille harpie... »

Robert Kennedy cherchait un objet sur lequel il ne parvenait pas à mettre la main. « Où est-il ? Où est le... ? » Dans le contexte de la liaison de son frère avec Marilyn, nous ne sommes sans doute pas loin de la réalité si nous imaginons qu'il voulait récupérer un dossier contenant des lettres, photographies et autres documents que Marilyn avait promis de remettre à John Kennedy. Il ne les obtint pas. Le claquement abrupt d'une porte marque la fin de ce bout d'enregistrement. On a l'impression que Marilyn a jeté tout le monde dehors. La bande reprend au moment où nous sommes censés croire que Robert Kennedy revient chez Marilyn, plus tard dans la soirée. Cette fois, Peter Lawford est également présent. Ils sont toujours en quête de l'objet que réclame Kennedy, et il a l'air de le vouloir à tout prix. « Nous devons savoir. C'est important pour la famille. Tu pourras prendre toutes les dispositions que tu veux, mais nous devons le trouver. » Il s'agit à présent d'une conversation directe, si bien qu'il s'avère de plus en plus clair qu'il cherche un dossier contenant des documents. Marilyn avait promis à John Kennedy, dans le cadre d'un accord à propos de l'établissement d'un trust en fidéicommis au nom de sa mère, de les lui remettre. Le Président voulait tout particulièrement récupérer une photo sur laquelle il figurait en compagnie du gangster Sam Giancana. On entend ensuite sur la bande les bruits d'une altercation puis Marilyn qui leur intime l'ordre de sortir de chez elle. De notoriété publique, Robert Kennedy aboyait des ordres aux membres de son entourage. Il avait peut-être rencontré son égale en la matière. On peut aussi imaginer que John Kennedy aurait récupéré ces documents sans aucune difficulté si son frère s'était contenté de les demander avec davantage de douceur. Cela aurait davantage correspondu au caractère de Marilyn.

Pendant quatre mois au moins, tout ce qui fut fait ou dit par Marilyn à son domicile fut probablement écouté par Hoffa et Giancana qui souhaitaient tous les deux ardemment obtenir des informations susceptibles d'être utilisées pour faire chanter Robert Kennedy. Cela était déjà assez incroyable mais il y avait plus incroyable encore : ils n'étaient pas les seuls à écouter ce qui se passait là-bas. J. Edgar Hoover, directeur du FBI, avait également fait placer des micros dans la maison par ses agents, sous prétexte que la liaison entre le ministre de la Justice et la star pouvait mettre en danger la sécurité nationale.

Le FBI avait ouvert le dossier 105 sur Marilyn au vu des relations qu'elle cultivait avec des amis gauchistes. Hoover avait reçu l'autorisation de surveiller la star eu égard à des « questions de contre-espionnage étranger », à la lumière desquelles il pouvait prétendre que sa liaison avec le ministre de la Justice suscitait de vives inquiétudes. Mais cet espionnage, destiné à rassembler davantage de « saletés » utilisables contre Robert Kennedy et son frère, le Président, dont il connaissait aussi parfaitement la liaison avec Marilyn, arrangeait sans doute le très rusé patron du FBI. Les deux frères figuraient déjà dans ses tristement célèbres dossiers et il renforcerait de la sorte son emprise sur eux. En ce domaine, Hoover ne valait pas mieux que les deux truands pour lesquels Bernard Spindel travaillait. Le tableau n'est cependant pas encore complet : la CIA avait également fait poser des micros dans la maison, sous un prétexte à peu près semblable à celui de Hoover, à savoir que les activités du ministre de la Justice faisaient courir un risque à la sécurité nationale.

Cette implication de la CIA – dont le mandat ne comprenait pas la protection de la sécurité nationale à l'intérieur du territoire américain – peut nous sembler bizarre, mais en 1962 les choses se passaient ainsi. La CIA menait une vie indépendante et suivait ses propres intérêts. Quand cela l'arrangeait, elle ne tenait pas compte de ses supérieurs – en particulier du Président – et adoptait par moments une politique allant totalement à l'encontre de celle du gouvernement. Ses ingérences dans le domaine intérieur n'avaient rien de nouveau. Le Président était au courant de ces agissements et avait l'intention de faire place nette au moment où il fut assassiné. Furieux contre l'agence incontrôlable, il avait déclaré en 1961 au sénateur Mike Mansfield qu'il allait déchirer la CIA « en mille morceaux et les éparpiller à tous les vents ». On notera donc que, comme Hoover, certains membres de la CIA avaient leur propre ordre du jour en ce qui concernait les Kennedy.

J. Edgar Hoover savait que les dossiers secrets qu'il avait constitués étaient le seul élément empêchant le Président, qui ne l'aimait pas, de le licencier. Les Kennedy n'étaient pas les seuls dont il connaissait et enregistrait les secrets. Il possédait de nombreux dossiers sur des sénateurs et députés, démocrates et républicains, sur des puissants en tout genre, à l'intérieur et à l'extérieur du gouvernement. Mais ceux sur le Président et son frère constituaient l'atout majeur du combat qu'il menait pour conserver son poste. On a prétendu que c'était lui qui avait forcé Kennedy à choisir son ami Lyndon Johnson, que JFK n'aimait pas, comme colistier lors de la campagne présidentielle, choix qui en étonna plus d'un.

Hoover, homosexuel pratiquant ne connaissant pas d'autre loi que la sienne à une époque homophobe, n'était par ailleurs pas invulnérable lui-même, d'autant que John Kennedy détenait de son côté un dossier sur le directeur, pour être en mesure de se défendre. On raconte qu'un jour le Président, ayant décidé que les choses étaient allées trop loin, organisa un déjeuner à trois à la Maison-Blanche avec Hoover et Robert Kennedy, pour pouvoir « inviter » directement le directeur de l'Agence à démissionner. Le début du repas se passa de manière affable, puis le Président sortit une enveloppe de sa poche et la plaça à côté de l'assiette de Hoover. Sans interrompre son repas, ce dernier, en guise de réponse, sortit à son tour de sa poche une enveloppe plus large que l'autre, qu'il plaça à côté du Président. John Kennedy ouvrit l'enveloppe et prit connaissance de son contenu en même temps que son cadet. Le ministre de la Justice se précipita aux toilettes pour vomir, tandis que le Président en eut l'appétit coupé. Hoover ne pipa mot et termina son repas par un dessert. Sa démission ne revint jamais sur le tapis.

L'intérêt porté par certaines factions de la CIA à Kennedy n'avait rien à voir avec celui de Hoover. Il émanait de la haine féroce vouée aux deux frères par des vétérans de l'Agence à la suite de la débâcle de la Baie des Cochons l'année précédente. Nous analyserons cet aspect des choses dans un chapitre à venir.

Telles étaient donc les influences exercées en toile de fond de la liaison de Robert Kennedy avec Marilyn. Le ministre de la Justice était marié et père de famille. Il avait même été élu « Père de l'Année ». Il n'avait pas une réputation de coureur de jupons. Apparemment, Marilyn était pour lui une exception. Mais il semble que ceux qui écoutaient ce qui se passait chez elle parvinrent à leur but, et que cela aboutit à sa mort.

Bernard Spindel déclarait détenir la preuve de la relation entre Robert Kennedy et Marilyn sur ses bandes et, indépendamment du fait que certains individus prétendaient en avoir écouté des extraits, nous avons par ailleurs de quoi corroborer ses dires. J'ai parlé à un journaliste de Washington, Ralph de Toledano, qui m'a dit avoir reçu une commission d'un riche homme d'affaires du milieu de l'industrie automobile pour obtenir des écoutes effectuées chez Marilyn, sans doute les enregistrements Spindel. Cela se passait au début de l'année 1968 et cet homme d'affaires représentait un groupe anti-Kennedy « bi-partisan », prêt à débourser la somme nécessaire pour obtenir un pouvoir sur les

Kennedy. De Toledano m'a dit qu'il avait découvert les bandes et qu'il était en train de négocier leur prix quand éclata la nouvelle de l'assassinat de Robert Kennedy. L'achat ne fut donc jamais conclu.

La preuve la plus irréfutable de l'existence des bandes émane cependant d'officiers de police. En décembre 1966, une descente de police fut effectuée à l'aube dans la maison de Bernard Spindel dans le nord de l'Etat de New York. Il était accusé d'avoir « criminellement, à tort, illégalement et en toute connaissance caché, retenu et aidé à cacher et retenir certains biens appartenant à la compagnie de téléphone new-yorkaise ». Mais qu'est-ce que cette accusation avait à voir avec la question : « Où sont les enregistrements Marilyn Monroe-Kennedy » abruptement posée par un agent présent sur les lieux ? Dans le tohu-bohu qui s'ensuivit, il fallut emmener d'urgence la femme de Spindel, Barbara, à l'hôpital, car elle venait d'être victime d'une crise cardiaque. Spindel fut arrêté et les policiers fouillèrent sa maison de fond en comble pour y trouver des bobines enregistrées qu'ils confisquèrent, ainsi que son matériel d'enregistrement. La police ignorait que Spindel avait également posé des micros à son propre domicile, qui enregistrèrent toute leur descente, qui dura neuf heures. Dessus, il entendit quelqu'un demander naïvement : « Quel est le rapport entre les enregistrements Marilyn Monroe et Bobby Kennedy ? » Ceux qui avaient envoyé cet individu là-bas connaissaient la réponse à sa question.

Une interminable bataille juridique s'ensuivit. Spindel, après avoir fourni des reçus du matériel confisqué, fit un procès pour récupérer les bandes, en déclarant qu'elles contenaient des preuves sur les circonstances entourant la mort de Marilyn. Il n'obtint jamais satisfaction. Les autorités admirent, des années plus tard, que les bandes avaient été « perdues ou détruites ». Il semble que Spindel n'ait fait ce procès que pour essayer de convaincre la loi qu'il n'avait pas effectué de copies des bandes. Il serait cependant étonnant que cela n'ait pas été le cas. Tous les ingénieurs du son ont pour politique d'effectuer des copies, afin d'écarter le risque d'un effacement accidentel d'un document de valeur, et le professionnalisme de Spindel ne peut être mis en doute un instant. Son adjoint, Earl Jaycox, interrogé par Anthony Summers, reconnut qu'on lui avait remis plusieurs copies des bandes, et on pense que la femme de Spindel en détenait également une. Il ne fait presque aucun doute que Robert Kennedy était l'instigateur de cette descente de police. Il s'embarquait alors sur le chemin de la Maison-Blanche et prenait donc la précaution d'empêcher que ces bandes fussent utilisées contre lui. « C'était une expédition de pêche, déclara Spindel. Ils voulaient savoir précisément ce que nous détenions... »

Nous avons déjà souligné que, même si quelques personnes avaient eu accès à des extraits des bandes, aucune d'entre elles ne semble les avoir jamais écoutées entièrement. Il peut s'agir là d'un procédé intelligent, car il induit des spéculations sur le contenu des séquences des bandes que personne n'a jamais eu le droit d'entendre. De la « dynamite », à en croire la rumeur, mais que disaient-elles exactement, et pour quelle raison devenait-il capital que les Kennedy les récupèrent ? On peut également ajouter la question inverse : si elles étaient tellement brûlantes, pour quelle raison Hoffa et Giancana ne les utilisèrent-ils pas ? La réponse est peut-être plus simple que tout le monde ne l'a imaginé.

Comme nous le savons, Marilyn s'enregistrait également elle-même, et nous donnons ici des transcriptions de ses enregistrements. Mais il ne s'agit pas des seuls enregistrements qu'elle ait faits. On trouve une anecdote très éclairante à propos de certains de ces enregistrements dans *Marilyn Monroe : Histoire d'un assassinat*, le livre de Peter Harry Brown et Patte B. Barham. Mickey Song, un coiffeur, était en train de couper les cheveux de Robert Kennedy quand ce dernier lui dit : « Je veux vous remercier de toujours penser à la famille. » N'ayant aucune idée de ce dont lui parlait le ministre de la Justice, Song lui demanda des éclaircissements. « Vous vous souvenez de la nuit où Marilyn vous a appelé chez elle et vous a pompé pour obtenir des renseignements sur la famille ? » La lumière vint alors à l'esprit de Song. Il s'était effectivement rendu chez Marilyn en pensant qu'elle désirait se faire coiffer, mais ce n'était pas le cas. Elle l'avait abreuvé de champagne en lui posant toute une série de questions que Song avait trouvées embarrassantes. « Vous l'ignoriez, aurait dit Kennedy, mais Marilyn vous a enregistré et a pris des notes de l'enregistrement. Mais ne vous inquiétez pas. Je veux juste vous dire que toute la famille vous remercie. »

Song, stupéfait, comprit que le ministre de la Justice avait non seulement écouté cet enregistrement mais qu'il le détenait. Comme cela se passait quelques jours après la mort de Marilyn, comment avait-il fait pour se le procurer, et si rapidement ? Il apparaît évident que Peter Lawford, aviné comme on a dit qu'il l'était lorsqu'on l'appela chez Marilyn la nuit où elle mourut, tenait encore assez debout pour profiter de l'occasion de mettre la main sur les bandes et les carnets de la star, et sur d'autres objets susceptibles, à ses yeux, d'indiquer un lien entre elle et les Kennedy. Robert Kennedy détenait aussi probablement le carnet dans lequel elle avait transcrit l'enregistrement qu'elle avait effectué des propos de Song.

Fred Otash, qui avait posé des micros chez Marilyn à la demande de Jimmy Hoffa, fut très embarrassé quand la star lui demanda à son tour de mettre ses propres téléphones sur écoutes. On peut en déduire qu'elle avait l'intention de noter le contenu des enregistrements. Vu sa relation imprévisible avec Robert Kennedy, elle cherchait peut-être à se protéger d'une certaine façon. Ou alors sa démarche était beaucoup plus terre à terre. Peut-être désirait-elle garder une trace des propos que Mme Murray rapportait au Dr Greenson. Il est également probable que ces bandes furent subtilisées par Peter Lawford et remises à Robert Kennedy.

Le post-scriptum de cette histoire de micros, d'écoutes et de matériel d'enregistrement se produisit quelques années après le décès de Marilyn. Le nouveau propriétaire de la maison de Fifth Helena Drive dut faire réparer une fuite à son toit. Le couvreur chargé des travaux dut accéder à l'espace situé au-dessus du plafond pour effectuer son travail. Il trouva là tout un assortiment de fils et d'engins électroniques que son expérience militaire lui fit immédiatement reconnaître comme du matériel de surveillance. Si Marilyn n'eut pas de problèmes de fuites à son toit pendant qu'elle habitait là, on peut dire que son grenier était infesté de rats.

Chapitre 15

Badinages

La rencontre de Marilyn et de John Kennedy remonterait à 1951. Son agent de l'époque, Charles Feldman, le lui présenta probablement au cours d'une réception qu'il donna à Los Angeles. Leur aventure amoureuse ne commença sans doute pas sur-le-champ, même si les yeux de Marilyn scintillèrent dès ce premier contact. En 1952, Marilyn épousa Joe DiMaggio, le légendaire joueur de base-ball, dont elle était encore la femme lorsque JFK entra dans sa vie, peu de temps après. Le jeune homme politique au physique d'Apollon n'était pas encore très connu sur la côte Pacifique à l'époque, et au début ils n'eurent pas à se donner beaucoup de mal pour cacher leurs rencontres. Le temps passant, ils durent cependant faire preuve de davantage de discrétion, surtout quand ils se voyaient à New York. La question de savoir lequel des frères Kennedy elle rencontra le premier a fait l'objet de débats, mais il est certain qu'elle ne commença une liaison avec Robert que bien après l'interruption de celle qu'elle eut avec John. C'est de John qu'elle déclara : « Je regrette qu'il ait épousé Jackie. J'aurais aimé être sa femme. »

Si le bruit de leur liaison ne fit jamais les titres des journaux, cela ne signifie pas qu'elle échappa à l'attention des journalistes astucieux. Dans les années cinquante et soixante, les reporters avaient du mal à faire passer ce genre

d'informations dans leurs articles. Tout d'abord, les rédacteurs en chef laissaient en général les hommes politiques
mener leur vie privée en privé. Mais ce silence provenait
peut-être aussi d'une autre raison. Les rédacteurs ne voulaient pas avoir à répondre à des éditeurs furieux, ni risquer
de perdre leur poste. Les éditeurs n'avaient aucune envie
que le fisc leur tombe subitement dessus et procède à un
contrôle. Ils ne voulaient pas davantage éveiller un intérêt
auquel ils ne tenaient pas chez les autres services du gouvernement. En l'absence de preuves en béton armé, toujours
difficiles à obtenir, les scandales dans lesquels étaient
impliqués des hommes politiques haut placés pouvaient
soulever des questions épineuses, mais c'était les fauteurs
de troubles – même mus par les meilleures intentions du
monde – qui se faisaient piquer.

Marilyn et JFK, dit-on, commencèrent par prendre des
chambres dans des hôtels de second ordre de Los Angeles,
mais il leur arrivait parfois de se retrouver dans la maison
de Peter Lawford à Santa Monica. Des soirées débridées s'y
seraient tenues, sous haute sécurité pour se protéger des
yeux des curieux. Le temps passant, John descendit au
Beverley Hills Hotel où des hommes des services secrets
conduisaient Marilyn en douce. A New York, leur lieu de
rendez-vous était l'hôtel Carlyle, dans lequel les Kennedy
disposaient d'une suite donnant sur Manhattan. Au cours
de l'été 1961, on fit discrètement entrer Marilyn au Carlyle
alors que John Kennedy s'y trouvait. L'hôtel possédait une
issue dérobée qui permettait de regagner la rue par des
locaux voisins. Le couple emprunta en une occasion l'avion
privé présidentiel, le *Caroline*, et il y eut d'autres rencontres,
lors desquelles Marilyn arrivait déguisée en secrétaire à
l'aide d'une perruque, calepin à la main. Les journalistes
disposaient de nombreuses preuves de la relation entre John
Kennedy et Marilyn et les propos de la star, dans ses bandes
secrètes, ne laissent aucun doute à ce sujet. Bien que les
bandes confirment leur liaison, elles ne révèlent ni sa durée,
ni la fréquence de leurs rencontres. Il semble qu'un peu
plus tard en 1961, alors qu'il s'installait dans sa présidence,

John Kennedy subit des pressions de son entourage – voire de sa famille – qui l'incitèrent à mettre un terme à sa relation avec Marilyn.

Le Président et son frère avaient projeté de demeurer chez Frank Sinatra lors de leur séjour suivant à Los Angeles. La visite du Président, dont Sinatra était persuadé de mériter l'honneur après le soutien sans faille qu'il lui avait apporté, avait été organisée par le dévoué Peter Lawford. Mais subitement, une espèce de pavé fut jeté dans l'eau calme de la piscine du chanteur, sous la forme d'un changement de plan de dernière minute. Le séjour des frères Kennedy chez Sinatra fut annulé. A la place, ils descendirent chez Bing Crosby, voisin du chanteur à Palm Springs. « Comment quiconque pourrait-il en tenir rigueur au Président ? demanda Peter Lawford. En gros, c'était comme s'il était allé se coucher dans le lit que Giancana avait occupé trois semaines auparavant. » On ignore si le Président attachait vraiment de l'importance à ce détail, mais il semble qu'il ait piqué son frère au vif. Robert menaça en effet de démissionner si John ne changeait pas son intention de descendre chez Sinatra. N'oublions pas que Giancana figurait tout en haut de la « liste noire » du ministre de la Justice et que la campagne anticriminalité qu'il avait organisée parvenait alors, avec un succès sans précédent, à mettre les mafiosi derrière les barreaux.

Sinatra, terriblement vexé, coupa les ponts avec Peter Lawford. Non seulement il avait du mal à accepter qu'on ne lui fasse pas honneur, mais il ne pouvait concevoir qu'on acceptât l'hospitalité de son plus grand rival, Bing Crosby. Et Marilyn savait parfaitement que John ne pouvait plus être vu en compagnie de Sinatra et de ses copains de la mafia.

La rencontre la plus publique que Marilyn eut jamais avec le Président fut cette éblouissante réunion de stars au cours de laquelle elle chanta « *Happy Birthday, Mr President...* » de sa voix la plus sexy et la plus voilée, lors de la fête donnée pour le quarante-cinquième anniversaire de John Kennedy au Madison Square Garden. Elle portait une robe suggestive – une création de Jean-Louis –, spectaculaire à tout le moins. L'avait-on cousue sur elle, ou avait-elle été moulée dedans ? On était le 19 mai 1962, il lui restait moins de trois mois à vivre. Dans la soirée, Marilyn fit une grave crise de nerfs. Robert Mitchum me l'a raconté, lors d'une conversation que j'ai eue avec lui peu de temps avant sa mort. Il m'a dit qu'elle était venue le voir dans sa chambre d'hôtel pour lui annoncer qu'elle se décommandait. Mitchum l'avait persuadée de se reprendre et avait fini par l'escorter dans le hall, où le groupe d'agents des services secrets qui l'attendait l'avait vite aspirée. Elle s'était donc rendue au gala, mais on rapporta qu'au moment de monter sur scène elle était soûle.

JFK s'était disputé avec sa femme au sujet de la présence de Marilyn à la célébration de son anniversaire. Du coup, Jackie avait refusé d'y assister. Par la suite, le divorce vint sur le tapis. A en croire la rumeur, leur mariage ne tint que grâce à l'intervention de Joe, le père de John, et au million de dollars versé à Jackie pour faire passer la pilule.

Début 1962, John Kennedy envoya son frère à Los Angeles pour expliquer clairement à Marilyn que, dans ces circonstances, il ne pouvait plus la voir ; pour, en fait, apaiser la tension qu'il subissait. De toute évidence, Robert tomba sous le charme de Marilyn lorsqu'ils firent connaissance au domicile de Lawford. La suite prit toutes les apparences d'une liaison torride. Robert ne faisait pas preuve de la discrétion nécessaire pour la rencontrer et des tiers les virent ensemble en plusieurs occasions. L'une des voisines de Marilyn à une certaine époque, la starlette Jeanne Carmen, m'a raconté qu'un jour où elle se trouvait dans l'appartement de la star – qui n'avait pas encore emménagé dans sa maison –, elle alla ouvrir la porte et se retrouva face à face avec Robert Kennedy. Marilyn n'avait pas répondu elle-même à la sonnette parce qu'elle prenait un bain. Il fallut un certain temps pour qu'Ethel, la femme de Robert, ait vent de cette liaison. Mais lorsqu'elle l'apprit, elle en resta, on la comprend, livide.

Robert continua néanmoins à voir Marilyn. Cette dernière, apparemment, ne songeait pas une seconde à Ethel ni à tous les enfants pris entre les feux croisés de cette aventure. Mais comme Robert Kennedy n'avait pas l'air de s'en soucier davantage, nous pouvons nous demander s'il n'y avait pas un autre objectif, secret, dans le rôle qu'il joua auprès de Marilyn. Leur liaison se poursuivit. Elle durait depuis environ six mois quand elle s'interrompit brutalement. Marilyn n'arrivait plus à joindre le ministre de la Justice. Il coupa net avec elle. Selon la version la plus répandue, Marilyn se morfondit, fit une dépression et quelques jours plus tard se suicida. Rien ne pourrait être plus éloigné de la vérité.

Comme nous l'avons dit, de nombreux témoignages de seconde main indiquent que Marilyn tomba enceinte au cours de sa liaison avec Robert Kennedy. Milo Speriglio en était persuadé. Speriglio, que j'ai rencontré au cours de mes propres recherches, était un détective privé de Van Nuyts, qui écrivit *Crypt 33, The Saga of Marilyn Monroe : the Final Word* avec Adela Gregory en 1993. Il avait une opinion très précise des faits. Selon lui, Marilyn parla de sa grossesse à Robert Kennedy, croyant que cet argument parviendrait à le convaincre de divorcer d'Ethel pour l'épouser. D'après Speriglio, cette nouvelle déclencha une tempête dans le camp Kennedy, car si Marilyn accouchait, tout le monde penserait que John était le père du bébé, en raison de la publicité dont avait fait l'objet la présence de Marilyn à l'anniversaire du Président au Madison Square Garden. Au mieux, on s'interrogerait pour savoir auquel des deux frères attribuer la paternité et, dans un cas comme dans l'autre, ce scandale honteux mettrait un terme immédiat à la carrière politique des Kennedy.

Le Président se verrait contraint de démissionner, le ministre de la Justice s'en irait et la famille Kennedy se retrouverait, effectivement, bannie de toute charge officielle. Speriglio prétend qu'ils chargèrent Robert d'inciter Marilyn à se faire avorter, mais que sa tâche se révéla difficile. Marilyn se voyait sans nul doute en position de force : elle pouvait insister pour que Robert divorce d'Ethel. Dans son esprit, c'était elle qui menait la barque. Elle se trompait, et le ministre de la Justice finit par lui poser un ultimatum en renversant les rôles : si elle n'avortait pas, elle n'aurait plus aucune relation avec lui. Telle est la théorie avancée par Speriglio. On entendit Marilyn déclarer qu'elle pensait que Robert divorcerait pour l'épouser le moment venu.

Marilyn, d'après Speriglio, se fit avorter. Selon lui, l'intervention eut lieu dans la région, au Cedars of Lebanon Hospital, alors que pour le privé Fred Otash, qui disait avoir compris que Marilyn était enceinte à l'écoute des enregistrements Spindel, elle se rendit au Mexique pour subir un avortement. Il était sans doute davantage dans le vrai. A l'époque l'IVG était illégale aux Etats-Unis. Je me hâte d'ajouter que Speriglio et Otash sont loin d'être les seuls à avoir fait état de cette grossesse. Les studios de la Fox bourdonnaient de rumeurs à ce sujet.

On se permettra quand même de dire que tout cela n'est peut-être qu'un tissu de mensonges, même si le fait que Robert Kennedy laissa tomber Marilyn sans le moindre scrupule à ce moment précis peut rendre crédible cette histoire d'avortement ou de fausse couche. Il n'est pas surprenant que parmi les personnes acquises à l'authenticité de cette version, nombreuses sont celles qui y voient également une raison impérieuse pour les Kennedy de faire taire Marilyn une bonne fois pour toutes, en la supprimant. Mais elles feraient une nouvelle fois fausse route, car il s'agirait encore d'un scénario beaucoup trop linéaire, qui ne tiendrait pas compte des autres influences, prêtes à tout, qui s'exerçaient dans l'ombre de toute cette série d'événements.

Chapitre 16

De trop nombreuses questions

Toute enquête sur le décès de Marilyn Monroe ne peut aboutir qu'à une multitude de questions. L'objectif de l'enquêteur est d'obtenir des réponses, mais il se retrouve vite extrêmement frustré car, dès qu'il en obtient une, elle suscite une autre question.

Un exemple illustre bien ce processus : l'étude du rôle joué par Robert Kennedy dans l'histoire de Marilyn. Sa relation avec elle, enfin confirmée par les bandes de la star, a fait l'objet d'une première hypothèse de la part de Frank A. Capell, dans un ouvrage intitulé *The Strange Death of Marilyn Monroe*, publié très peu de temps après le décès de Marilyn, ainsi que d'une référence à peine voilée à « l'homme de l'Est », cité par Fred Guiles dans une série d'articles parus dans un magazine féminin, qui furent rassemblés en 1969 sous le titre : *Norma Jean : The Life and Death of Marilyn Monroe*. Le temps passant, on admit de plus en plus que Robert Kennedy avait eu une liaison avec Marilyn, qui débuta quelques mois avant sa mort. Vint également au grand jour l'aventure de John Kennedy avec la star. A la question de savoir pourquoi et comment Robert Kennedy était entré en scène, on assuma que John – devenu à l'époque président des Etats-Unis – avait envoyé son frère en émissaire pour mettre un terme à sa liaison avec Marilyn, devenue insupportable.

Cette hypothèse n'avait rien d'invraisemblable. Néanmoins, de nouvelles questions étaient soulevées par le fait que, dès leur rencontre, Robert Kennedy s'était laissé entraîner dans une liaison sulfureuse avec Marilyn. Le plus souvent, on en a conclu qu'il s'était simplement follement épris d'elle et on a accepté cette version. C'est une réponse simpliste et je reconnais que les réponses simplistes sont souvent les plus justes. Dans le cas présent, toutefois, si on analyse de près les éléments connus de leur relation, on se demande si Robert n'avait pas un autre mobile, secret, pour entamer cette aventure passionnée avec la star. Il était heureux en ménage et venait d'être récompensé du titre de « Père de l'Année ». Certains auteurs lui ont attribué d'autres « imprudences » passagères, mais ces accusations pèsent en général moins lourd que les louanges sur sa moralité. Dans ce cas, que cherchait-il en réalité en ayant une « passade » avec Marilyn Monroe ?

Plusieurs sources nous permettent d'envisager deux raisons valables. Tout d'abord, John Kennedy se montrait très imprudent lors de ses rencontres avec Marilyn et il regretta par la suite de lui avoir confié beaucoup de choses. Il lui aurait par exemple raconté qu'il avait épousé en premières noces Durie Malcolm, union à laquelle son père avait eu vite fait de mettre un terme. Cette attitude débouchait sur la seconde raison, d'une importance extrême : durant leur liaison, Marilyn se serait retrouvée en possession de certains « documents » – probablement des lettres, notes et photographies – sur lesquels John souhaitait à tout prix mettre la main. On pense qu'il tenait tout particulièrement à récupérer cette fameuse photo qui le représentait en compagnie du chef de la mafia Sam Giancana. La récupération du « dossier » de Marilyn aurait donc été l'objectif de la prétendue liaison « torride » de Robert.

Si on peut se fier aux fragments des enregistrements Spindel concernant les deux dernières visites rendues par Robert au domicile de Marilyn – que nous avons analysés dans un précédent chapitre –, il ne fait pas de doute qu'en ce dernier jour de la vie de la star Robert Kennedy faisait passer avant tout le reste son besoin désespéré de récupérer ces papiers. « C'est important pour la famille. Tu pourras prendre toutes les dispositions que tu veux... » lui aurait-il hurlé. Mais Marilyn n'avait clairement pas l'intention de vendre ce que cherchait Robert Kennedy. Le biographe de JFK, Thomas C. Reeves, a écrit : « Bobby donnait toujours des ordres et utilisait tous les moyens pour obtenir ce qu'il voulait. » Cette fois, il échoua. Marilyn était folle de rage et se braquait.

Si l'on observe les événements survenus au cours des dernières semaines de la vie de Marilyn, on entrevoit que l'objectif de Robert était de rompre le lien entre Marilyn et son frère et de récupérer les documents que voulait John. Il vit peut-être en une « histoire d'amour » un moyen d'atteindre ces deux buts. Il n'éprouvait peut-être aucune passion. Dans ce cas, il trompa certainement Marilyn, laquelle goba tout. Elle était convaincue qu'il allait divorcer pour l'épouser, malgré tous les conseils de ses amis qui voyaient avec bien davantage de lucidité qu'elle que ses espoirs relevaient de la pure illusion.

Robert parvint peut-être au premier de ses buts, mais pour ce qui est du second, il échoua lamentablement. Comment aurait-il pu récupérer les documents alors qu'il avait laissé tomber Marilyn ? La grossesse de la star n'était pas qu'une simple rumeur. Un certain nombre de ses intimes étaient au courant, et la coïncidence qui veut que Robert Kennedy ait rompu à ce moment précis s'insère parfaitement dans le scénario. Il ne suffirait pas à Marilyn de déclarer que l'enfant était de Robert pour empêcher le monde de penser que le véritable géniteur était peut-être le Président. Le souvenir de l'apparition spectaculaire de Marilyn au gala d'anniversaire du Président au Madison Square Garden restait vivace dans toutes les mémoires des citoyens américains. Dans un cas comme dans l'autre, le royaume de Camelot n'aurait pas résisté à un scandale de ce genre. Toutes les anecdotes sur les aventures féminines de John auraient probablement fait surface, car les directeurs de publication auraient fini par diffuser toutes les informations qu'ils avaient jusque-là gardées sous le coude.

Lorsque la crise fut évitée, Marilyn crut que Robert allait recommencer à lui faire la cour, mais les choses ne redevinrent plus jamais les mêmes. Il rompit net. Le temps passant, Marilyn revint à la raison et ses enregistrements révèlent que c'est elle qui décida de s'éclipser. Cela ne l'empêcha pas d'espérer que Robert aurait la politesse de lui dire un au revoir amical. Il n'en fit rien et lorsqu'ils finirent par se rencontrer, il ne pensa qu'aux précieux documents de son frère, si bien qu'il se retrouva, Kennedy ou pas Kennedy, jeté dehors par une harpie.

Cela étant dit, il n'est pas difficile de voir pourquoi certains attribuèrent aux frères Kennedy la responsabilité de la mort de Marilyn. On peut trouver facilement des arguments superficiels allant en ce sens, mais il suffit de gratter la surface pour constater qu'ils sont totalement erronés. En outre, cette hypothèse suscite davantage de questions qu'elle n'en résout. Avant de soulever une multitude de questions, nous pouvons dire que nous avons examiné de près cette éventualité et qu'il est évident que les frères Kennedy n'étaient pas impliqués. Pour toute une série de raisons. La première étant qu'en tuant Marilyn – ou en utilisant un tueur à gages –, ils auraient signé la ruine absolue de la famille Kennedy, et cela indépendamment des examens judiciaires. De plus, le chef de la police Parker accordait trop de prix à sa réputation et son intégrité pour participer à la protection d'un coupable. Parker ne pouvait que s'assurer qu'aucun Kennedy n'était impliqué avant de s'embarquer dans l'audacieux étouffement de l'affaire.

On notera pourtant avec intérêt que ceux qui pensaient que les Kennedy étaient derrière le meurtre de Marilyn raisonnaient exactement selon le désir de ses assassins.

L'enquête discrète menée à la mort de Marilyn aboutit à un gros dossier, nous le savons. Jusqu'à sa disparition, on s'interrogea sur son contenu et sur ceux qui y avaient accès. Le maire de Los Angeles, Sam Yorty, ne se privait pas de poser des questions ou de fournir des réponses concluantes. Il confirma par exemple à un certain nombre de personnes que Robert Kennedy se trouvait bien à Los Angeles le jour de la mort de Marilyn, à une heure où on se demandait où il pouvait bien être passé, et alors que l'on répugnait à laisser son nom être accolé à celui de la star. Yorty et Parker étaient de bons amis, et il aurait été normal que Yorty – patron de Parker – fît partie des privilégiés ayant eu accès au dossier. Cette question reste irrésolue, les avis des enquêteurs étant partagés sur ce point. Il ne fait cependant pas de doute que, à la mort de William Parker, Sam Yorty demanda à la police de lui faire parvenir le dossier Marilyn. Ils lui répondirent « nous ne l'avons pas », et il ne resta plus au maire qu'à s'interroger sur ce qui s'était passé.

Le temps passant, le maire Sam Yorty, éminence grise réputée à son époque, fut contrarié d'apprendre que la police avait toujours eu en sa possession un dossier – ou une espèce de dossier. Sa contrariété venait du fait qu'il avait essuyé un refus de la part d'individus qu'il rangeait parmi ses amis. Yorty, homme avisé, connaissait, ou devinait tout au moins, les réponses aux questions soulevées par le dossier Marilyn. Il aurait dit de la dissimulation : « Lawford s'est occupé de ce qu'il pouvait », indiquant par là qu'il disposait d'informations de l'intérieur. Evoquant le manque d'empressement de la police à lui faire parvenir le dossier, il déclara : « Ils devaient avoir un secret qu'ils ne voulaient pas voir divulgué. » Euphémisme, s'il en est.

La conduite du chef de la police William Parker au moment de la mort de Marilyn soulève plusieurs questions intéressantes. Pour quelle raison, par exemple, ne confia-t-il pas l'affaire à Thad Brown, son principal enquêteur et chef adjoint de la police ? Ce fut Brown qui, peu après l'annonce de la mort de Marilyn, annonça à Parker que Robert Kennedy se trouvait à Los Angeles le jour de son décès. L'affaire fut ensuite remise entre les mains du capitaine James Hamilton, chef du bureau du renseignement. Hamilton et Parker ne dévoilaient rien de leur jeu. La propre équipe d'Hamilton était au courant du secret entourant l'enquête. Thad Brown, homme de devoir qui s'acquit un immense respect, dut rapidement comprendre ce qui se passait, car il se mit à fouiller ici et là et à rassembler son propre dossier qui devint vite un gros volume. Il rangea ces « archives » dans son garage. Tom Reddin, assistant et successeur de Parker, m'a confié que le fils de Thad les avait trouvées après son décès. On ignore où est passé ce dossier.

Tom Reddin m'a dit qu'il avait vu ce qui restait du « dossier Marilyn ». Il contenait une cinquantaine de pages – certains disent moins – sans intérêt aucun. Plus récemment, le département de la Police a déclaré que ce rapport avait été détruit.

Le fait que le patron du FBI, J. Edgar Hoover, ait ou non vu le dossier original sur Marilyn relève du domaine de la conjecture. Tout bien pesé, cela est improbable, sans signifier pour autant que ses agents ne lui rendaient pas compte des documents qui y étaient insérés. Somme toute, peu lui importait. Courant août, après la mort de Marilyn, le FBI divulgua un rapport à propos de « rumeurs sur une liaison entre M. Kennedy et l'actrice Marilyn Monroe », auquel Robert Kennedy répondit sèchement. Il déclara qu'il l'avait bien rencontrée, mais que « ces allégations dépassaient de loin tout semblant de vérité ». Cette simple rumeur permit néanmoins à Hoover d'atteindre son but. Vu le contenu du dossier secret qu'il détenait sur J.F. Kennedy, il était en mesure de garder son poste. Il avait également dès lors l'assurance de conserver sa position si Robert Kennedy devenait un jour président, comme on le pensait à l'époque.

Il ne faut pas sous-estimer le pouvoir et le rôle de J. Edgar Hoover. Le président John Kennedy fut assassiné à Dallas un an tout juste après la mort de Marilyn Monroe. La veille du meurtre de Kennedy, le baron du pétrole de Dallas Clint Murchison offrit une réception à laquelle assistèrent de nombreux notables, dont les futurs présidents Richard Nixon et Lyndon B. Johnson. Johnson fit le déplacement de Fort Worth, non loin de là, pour y assister, laissant le Président et son entourage se reposer là-bas avant leur visite de Dallas. On rapporta aussi que J. Edgar Hoover, présent dans le voisinage, assistait à cette réception. Selon un témoin oculaire, ces hommes se seraient rencontrés en privé avant que Johnson ne reparte. Ce témoin déclara que Johnson révéla par la suite qu'il était au courant de ce qui était projeté contre Kennedy à Dallas.

Depuis lors, un employé du FBI a déclaré que Hoover avait éliminé un rapport, quelques jours avant l'assassinat, révélant qu'on l'avait informé d'un projet de tuer le président Kennedy le 22 novembre à Dallas. Si la version des événements de la soirée donnée par Murchison est exacte et si la déclaration de William S. Walters, l'employé du FBI qui travaillait au bureau du FBI de La Nouvelle-Orléans, l'est également, il y eut haute trahison au domicile de Murchison cette nuit-là. En tout cas, il fallait compter avec le pouvoir détenu par J. Edgar Hoover, un pouvoir opposé au Président et au ministre de la Justice.

Les dossiers sur John F. et Robert F. Kennedy sont censés avoir été gardés jusqu'à la mort de Hoover, où une liquidation systématique se fit dans son service. Après la mort de Marilyn, le directeur aurait envoyé au ministre de la Justice document sur document concernant ce décès, comme pour renforcer sa position. Mais la relation de Robert Kennedy avec Marilyn allait encore rester secrète pendant des années. Robert Kennedy fut abattu à l'hôtel Ambassador de Los Angeles en 1968, et il fallut encore sept ans pour que cette relation soit évoquée au grand jour. L'article le plus notable fut publié dans le magazine *Oui* par Anthony Scaduto en 1975. Scaduto affirmait, contre la version du suicide généralement acceptée, que Marilyn avait été assassinée et qu'on avait caché les faits pour protéger les Kennedy.

On prétend que la vérité finit toujours par venir au grand jour. Il faut dire que celle concernant la mort de Marilyn a mis longtemps à faire surface, mais qu'en dépit de la remarquable chape de secret due au chef de la police William Parker sur toute l'affaire, soutenue et encouragée par la machine publicitaire d'Arthur Jacobs et étayée par l'action du bureau du coroner, nous avons fini par éclaircir la plupart des mensonges et par dénoncer la plus grande partie de la désinformation. La disparition du dossier de la police n'a bien entendu fait qu'augmenter la difficulté, et le peu d'empressement à nous parler de ceux qui auraient pu nous aider a vraiment ralenti notre travail. Nous pouvons toutefois reconstruire désormais une grande partie du puzzle des événements que Marilyn a vécus au cours de ses derniers jours et dévoiler un schéma qui fait apparaître la vérité.

Chapitre 17

Les derniers jours

Cela faisait environ six mois que Marilyn avait une aventure avec Robert Kennedy. Aventure qui, en fait, permettait à ce dernier d'atteindre le premier but qu'il s'était fixé : débarrasser son frère de la star. Mais cette aventure donnait toutes les apparences de se transformer en liaison passionnée, dans laquelle Peter Lawford servait d'entremetteur pour permettre à Robert de la poursuivre de ses assiduités. Marilyn finit par se persuader que Robert allait quitter sa femme pour l'épouser, auquel cas, lorsqu'il succéderait à John à la présidence, idée très répandue à l'époque, elle deviendrait Première Dame.

Si elle tomba vraiment enceinte, elle détint un atout majeur contre les deux frères, jusqu'au jour où on la convainquit de se faire avorter – ou celui où elle perdit l'enfant. Il se pourrait bien que cette fausse couche ait marqué la fin de sa liaison avec Robert. Quoi qu'il en soit, la flamme de Robert – si flamme il y eut – s'éteignit pour une raison mystérieuse quelques jours avant la mort de Marilyn. Celle-ci essaya à maintes reprises de le contacter, mais sans succès. Le numéro direct que Robert lui avait donné « n'était plus attribué ». Toutes ses tentatives de le joindre en passant par le standard du ministère de la Justice demeurèrent infructueuses. Robert Slatzer lui ayant appris qu'il avait entendu aux informations que Robert allait se rendre à une réunion de l'American Bar Association [1] à San Francisco, Marilyn chercha à savoir dans quel hôtel il allait descendre.

Elle essaya aussi de joindre Peter Lawford, mais l'acteur se terrait depuis que l'aventure prenait l'eau. Elle finit par mettre la main sur lui, obtint le numéro de sa femme, Pat, à Hyannis Port pour pouvoir lui demander comment contacter Robert. Par l'intermédiaire de Pat, avec laquelle elle entretenait des relations très amicales, ou par quelqu'un d'autre, elle découvrit que le ministre de la Justice séjournerait à l'hôtel St Francis et elle lui téléphona là-bas, une fois de plus en vain. Elle alla jusqu'à l'appeler à son domicile en Virginie, ce qui l'aurait rendu fou furieux. Le ministre de la Justice avait emmené sa femme Ethel avec lui, ainsi que quatre de leurs enfants, et les avait déposés chez l'un de ses amis avocats, John Bates, qui possédait un ranch près de San Francisco, pendant qu'il se rendait sur les lieux de la conférence. Il s'inscrivit effectivement à l'hôtel St Francis et il semblerait qu'il s'y trouvait bien lorsque Marilyn l'appela là-bas, mais qu'il refusa de répondre à ses coups de fil.

Marilyn était blessée. Elle savait que leur liaison était terminée et n'attendait plus de lui qu'un simple au revoir. Mais la rupture était peut-être prématurée du côté de Robert, puisqu'il n'avait pas emporté les documents que John réclamait à la star. Il semble que Marilyn ait appris que Robert avait l'intention de venir à Los Angeles et qu'elle était persuadée qu'il passerait la voir, ne serait-ce que par simple politesse. Le soir où il était attendu à Los Angeles, elle commanda un dîner onéreux chez Briggs Delicatessen. On était le vendredi 4 août, veille de sa mort. Le traiteur livra à son domicile une variété de hors-d'œuvres et de plats ainsi que du champagne, mais Robert Kennedy ne montra pas le bout de son nez. Marilyn reçut alors un appel de Peter Lawford qui, non sans mal, la convainquit de dîner avec lui au restaurant.

Il l'emmena à La Scala, un établissement à la mode.

---

1. Association du Barreau américain.

Robert Kennedy, installé à une table au fond de la salle, les
y attendait. Jean Léon, le maître d'hôtel français du restaurant, essaya d'abord de nier cet épisode en disant aux
enquêteurs qu'il avait livré un repas au domicile de Marilyn
ce soir-là, mais sa déclaration ne tenait pas, car Briggs Delicatessen, dont les dires étaient corroborés par une facture
plutôt lourde, affirmait la même chose. Léon confia alors à
Rupert Allan, membre fiable de l'équipe de publicité
d'Arthur Jacobs, que ce dîner avait effectivement eu lieu à
La Scala, et qu'il avait assisté à une dispute entre Robert
Kennedy et Marilyn. Nous ignorons ce qui transpira de
cette altercation mais nous pouvons, sans risque de nous
égarer, imaginer que Robert Kennedy voulait, avant tout, se
débarrasser de la star, tout en trouvant un moyen de la
persuader de lui remettre les documents et de garder le
silence. Une suite à l'anecdote du repas livré par La Scala
émergea plus tard. Jean Léon aurait alors prétendument
déclaré que ce n'était pas pour le vendredi, mais pour le
samedi soir, que la commande de ce repas lui avait été passée. Détail qui correspondrait aux projets de Marilyn pour
le samedi, puisqu'elle avait invité son masseur, Ralph
Roberts, à venir dîner sur sa terrasse.

Les langues allaient bon train et Marilyn comme Robert
en avaient conscience. Dorothy Kilgallen, la journaliste et
personnalité de la presse nationale, avait publié le jour
même un article sous forme de devinette, dans lequel elle
parlait de Marilyn : « Dernières nouvelles dans le domaine
du sex-appeal. Un beau gentleman l'a trouvée extrêmement
séduisante. Un beau gentleman dont le nom est plus célèbre
que celui de DiMaggio au sommet – donc ne faites pas une
croix sur elle. » Plus proche d'elle, son masseur Ralph
Roberts l'avait étonnée en lui rapportant que tout Hollywood cancanait sur elle et Robert Kennedy.

Quelle que soit la vitesse – ou la lenteur – à laquelle
l'information parvint aux oreilles d'Ethel, la femme de
Robert, les autres membres de la famille Kennedy étaient
déjà au courant de sa relation avec Marilyn, ce qui n'a rien
d'invraisemblable s'il s'était rendu à Los Angeles à la

demande de son frère. Ethel ne vit peut-être pas la chose sous le même angle que les autres, qui la classaient peut-être dans la catégorie « affaire essentielle ». A l'appui de cette hypothèse, nous disposons d'une note que Jean Kennedy envoya à Marilyn et qui fut retrouvée parmi ses affaires quelques années après sa mort.

> *Chère Marilyn,*
> *Mère m'a demandé de vous écrire pour vous remercier du gentil petit mot que vous avez envoyé à Papa – il lui a vraiment fait plaisir et c'était adorable de votre part.*
> *Il paraît, aux dernières nouvelles, que Bobby et vous êtes ensemble !*
> *Nous pensons tous que vous devriez l'accompagner quand il reviendra sur la côte Est.*
>
> *Amitiés.*
> *Jean Smith*

Ce mot existe bel et bien. Son authenticité a été prouvée mais il apparaît comme extrêmement calculé. Jean Kennedy ne reconnut l'avoir écrit qu'en 1994, lorsqu'il fut mis aux enchères. Elle rejeta néanmoins avec mépris l'idée qu'on puisse l'interpréter au premier degré. A l'entendre, il s'agissait d'une plaisanterie. A la lumière de nos découvertes sur le fait que le Président envoya Robert faire place nette, je suis prêt à le croire, même si je trouve qu'il s'agissait d'un humour particulièrement sarcastique. Marilyn n'aurait pu en aucune façon être acceptée par la famille Kennedy, et surtout pas par la mère, Rose. Si un membre de la famille avait manifesté un désir sincère de l'accueillir, il se serait aliéné la fois Jackie et Ethel.

La plus vive inquiétude du ministre de la Justice vint sans doute d'un rapport qu'il reçut par l'intermédiaire du ministère de la Justice à son arrivée à San Francisco. On lui disait carrément : « Vous feriez mieux de vous précipiter à L.A., car on ne peut plus la contrôler. » Marilyn avait confié à une ou deux personnes qu'elle avait l'intention de donner une conférence de presse trois jours plus tard. Le lundi à

11 heures du matin, elle « ferait sauter le couvercle de toute cette foutue affaire ». On doutera qu'elle ait pu mettre sa menace à exécution, mais cette dernière déclencha néanmoins l'alarme en haut lieu, puisqu'on apprit beaucoup plus tard que la CIA lui avait consacré des documents justificatifs et que son directeur, James Angleton, s'y était intéressé.

Marilyn en aurait-elle eu véritablement l'intention et aurait-elle donné sa conférence de presse qu'on peut douter que les journalistes eussent ajouté foi à ses propos. Nombre d'entre eux n'auraient pas effleuré ce sujet, d'autres se seraient vu supprimer leur article par leur rédacteur en chef, si bien qu'il n'en serait resté que quelques-uns qui lui auraient consacré un quart de colonne dans un coin de leur journal. Cependant ni John ni Robert Kennedy ne pouvaient courir ce risque. Marilyn détenait encore le dossier contenant les lettres, la photographie et d'autres documents que John souhaitait si désespérément récupérer pour se mettre complètement à l'abri. L'attitude de Robert Kennedy n'incita sans doute Marilyn qu'à promettre vaguement de se rendre à la réception donnée le samedi soir par Peter Lawford.

Quoi qu'il en soit, Pat Newcomb confirma que le vendredi en fin de soirée, sans doute après l'épisode de La Scala, elles allèrent ensemble prendre un verre et que Marilyn s'enivra sans mesure avant de regagner son domicile. Peter Lawford les accompagnait toujours et ils se rendirent dans un autre restaurant de Sunset Boulevard. Le couturier Billy Travilla tomba sur eux par hasard et fut vexé de constater que Marilyn était trop avinée pour le reconnaître. Pat Newcomb était souffrante depuis quelque temps – elle avait une bronchite – et lorsque vint le moment de mettre un terme à cette soirée bien arrosée, Marilyn l'invita à dormir chez elle.

Le samedi matin, Marilyn ronchonnait, parce qu'elle avait eu des insomnies et qu'elle en voulait à Pat d'avoir bien dormi. Cette mauvaise nuit venait avant tout de son excès de boisson de la veille au soir et d'une série de coups de fil menaçants qu'elle avait reçus, dont la teneur se résumait à :

« Laissez Bobby tranquille, espèce de traînée. » Cette nuit-là, elle avait négligé de placer son téléphone devant la porte de sa chambre. Tôt le matin, elle confia par téléphone à son amie Jeanne Carmen qu'elle ne pensait pas que ces appels venaient d'Ethel en personne, mais qu'Ethel en était l'instigatrice. La nouvelle avait donc fait son chemin.

Nous avons connaissance d'au moins quatre des coups de fil que Marilyn passa le samedi 4 août au matin. Elle était au téléphone lorsque Mme Murray arriva à 10 heures. Elle essaya de joindre sans succès Arthur James, un ami, mais parvint en revanche à parler au père de son ex-mari, Isadore Miller, auquel elle vouait une vive affection. Elle téléphona également à son masseur, Ralph Roberts, et ils projetèrent de se voir dans la soirée pour un barbecue sur sa terrasse. Elle donna son quatrième coup de fil à Sidney Skolsky, un ami journaliste. Elle prit des nouvelles de sa famille et lui raconta qu'elle allait voir Robert Kennedy chez Peter Lawford dans la soirée. Skolsky, qui s'inquiétait de la manière qu'avait Marilyn de lancer le nom des Kennedy à tous les vents, voulut avoir un témoin des propos qu'elle tenait : il demanda à sa fille d'écouter la conversation qu'il eut avec la star ce matin-là.

Le déroulement de la soirée précédente avait été loin de réjouir Marilyn. A supposer qu'elle ait décidé de faire éventuellement un saut à la réception du samedi soir si l'envie lui en prenait – ce qui paraît logique – cela expliquerait beaucoup de choses. Peut-être que l'état d'ébriété lui permettait davantage de se défouler que de noyer son chagrin. Mais elle n'avait aucun moyen ce samedi-là de savoir que les événements de l'après-midi allaient irrévocablement changer sa relation avec Robert Kennedy.

Apparemment, Robert Kennedy ne resta pas au Beverley Hills Hotel, où il avait réservé une chambre, après son altercation avec Marilyn. Il se serait rendu plus loin, peut-être au ranch de John Bates ou à l'hôtel St Francis de San Francisco. Dans tous les cas, le chef de la police William Parker apprit que le ministre de la Justice était revenu à Los Angeles le samedi matin. Il arriva à l'aéroport et prit un hélicoptère pour se rendre aux studios de la Fox, où l'attendait une voiture. Peter Lawford l'accompagnait. Le voisin de ce dernier les reconnut alors qu'ils empruntaient la route menant à la maison de l'acteur à Santa Monica.

Au cours de ce samedi matin on livra des plantes au Fifth Helena Drive que Marilyn avait commandées le vendredi chez un pépiniériste du coin, ainsi qu'un colis contenant un tigre en peluche. La coiffeuse de Marilyn, Agnes Flanagan, était présente au moment de la livraison du jouet. Elle remarqua que ce cadeau – ou un mot qui l'accompagnait peut-être – semblait déprimer la star. Flanagan termina de la coiffer et partit sur la pointe des pieds, pour ne pas la déranger. On ignore la signification de ce tigre et de la note – s'il y en avait effectivement une – mais il n'est pas improbable que Robert Kennedy le lui ait expédié. Si leur rencontre du vendredi soir était une réunion de crise organisée en hâte, comme elle semblait l'être, il s'agissait peut-être d'un cadeau qu'il avait projeté antérieurement de lui envoyer et dont il n'avait pas pu empêcher la livraison. Ou alors il s'agissait simplement du retard d'une livraison qui aurait dû avoir eu lieu la veille, alors qu'elle s'était donné beaucoup de mal pour le repas. Cependant, cela n'aurait pas suffi à la déprimer. Mais il pouvait également s'agir d'un message d'un tout autre ordre. Si les violents appels téléphoniques nocturnes provenaient du fait qu'Ethel Kennedy venait de découvrir le pot-aux-roses, il ne serait pas étonnant que la note accompagnant le tigre l'ait prévenue que Robert avait reçu un avertissement solennel et une menace de divorce de sa femme, lesquels auraient expliqué pourquoi il n'était pas venu dîner chez Marilyn le vendredi soir. Une demande de divorce d'Ethel réduirait à néant sa carrière en plein essor et ses ambitions présidentielles. Une telle note ne pouvait que détruire toute l'affection que lui vouait encore Marilyn et lui faire cruellement comprendre qu'il n'avait jamais eu l'intention de divorcer pour l'épouser, comme il le lui avait apparemment promis. Si elle venait de tomber de si haut, on ne s'étonnera pas qu'elle ait montré sa déception.

Il semble que Robert agissait à présent en hâte et avec précision, bien décidé à mettre une fois pour toutes un terme à ce problème. On le vit lui rendre visite chez elle cet après-midi-là, alors que cela n'était pas prévu et qu'elle ne l'y avait pas invité. Sans doute s'agissait-il pour lui d'une simple réunion professionnelle, au cours de laquelle il avait l'intention de récupérer les documents réclamés par John. Lui faire ses adieux n'était sûrement pas sa préoccupation essentielle. Peter Lawford l'accompagnait. En arrivant, l'acteur prit un verre près de la piscine pendant que Robert et Marilyn discutaient. Le détective privé Fred Otash, qui prétend avoir écouté une partie des enregistrements de Bernard Spindel, déclara qu'ils avaient fait l'amour avant d'avoir une violente dispute. Ce qui aurait entraîné Marilyn à se plaindre d'être « passée à la ronde comme un morceau de viande ». Elle savait qu'il était désormais complètement hors de question que Robert Kennedy puisse un jour l'épouser. « Tu m'as menti. Sors d'ici. Laisse-moi tranquille. » Le ministre de la Justice ne pouvait que s'exécuter. S'il voulait avant tout récupérer les documents, il n'y parvint pas. D'après les enregistrements, il hurla à plusieurs reprises : « Il est où ? » Peut-être se référait-il au cliché que son frère désirait tellement récupérer, ou au dossier contenant la photo et d'autres documents.

Kennedy essaya de persuader Marilyn de le voir à la réception qu'allait donner Lawford le soir, mais elle l'envoya promener. « Arrête de m'embêter » fut toute la réponse qu'il obtint. Selon Fred Otash, Peter Lawford raconta que Marilyn avait essayé de joindre le président Kennedy au téléphone pour qu'il la débarrasse de Bobby. Voici sa version :

> *Lawford disait lui avoir téléphoné. Elle lui avait dit qu'on la passait à la ronde comme un morceau de viande. Elle en avait par-dessus la tête. Elle ne voulait plus que Bobby l'utilise. Elle avait appelé la Maison-Blanche sans parvenir à joindre le Président. On lui avait répondu qu'il se trouvait à Hyannis Port et elle ne lui avait pas*

parlé. Elle avait continué à essayer de le joindre. Il (Peter Lawford) avait essayé de la calmer, de la raisonner pour qu'elle vienne se détendre à sa maison de la plage. Elle lui avait répondu : « Non, je suis fatiguée. Rien ne peut plus me faire réagir. Rends-moi juste un service. Dis au Président que j'ai essayé de le joindre. Dis-lui au revoir pour moi. Je crois que je ne sers plus à rien. »

Un certain nombre de coups de fil passés ce jour-là expliquent ce qui arriva à Marilyn et, plus important encore, ce qui ne lui arriva pas. Au cours de l'après-midi, elle appela pour la seconde fois son amie Jeanne Carmen. Elle l'avait déjà appelée à 6 heures du matin quand elle n'arrivait pas à dormir et lui avait raconté qu'on l'avait harcelée jusqu'à 5 h 30 du matin au téléphone de « Laissez Bobby tranquille ». L'après-midi, elle la rappela donc pour lui demander de passer la voir. Jeanne lui fit remarquer que c'était le jour de son anniversaire et la remercia de lui avoir offert des clubs de golf dorés (Jeanne était une professionnelle des coups magiques au golf qui lui valurent célébrité et popularité). Elle lui précisa donc qu'elle ne pouvait pas venir parce qu'elle était prise par la célébration de son anniversaire. De plus, Marilyn et elle devaient se voir le lendemain, dimanche, sur le terrain de golf.

C'est également au cours de l'après-midi que Marilyn, à en croire Mme Murray, demanda s'il y avait de l'oxygène dans la maison. Comme nous l'avons déjà dit, les maîtres de maison ne s'attendent pas que leurs gouvernantes stockent une bonbonne d'oxygène dans la perspective d'un usage éventuel. Il est beaucoup plus réaliste de penser qu'il s'agit là d'un indice lancé volontairement par Mme Murray à posteriori, afin d'étayer la thèse du projet de suicide de son employeuse, qu'aucun autre fait à notre connaissance ne vient étayer. Mme Murray, selon ses dires, se serait aperçue vers 16 heures que Marilyn ne se sentait pas bien et aurait téléphoné au Dr Greenson pour lui demander de venir la voir. Cela n'avait rien d'inhabituel. Greenson voyait Marilyn une, voire deux fois par jour, parfois même davantage. En revanche, le plus remarquable, étant donné cette histoire d'oxygène et ces allusions au suicide, fut que Mme Murray confia par la suite à Robert Slatzer à propos des journées précédant sa mort : « Elle était pleine de vie, impatiente d'aller au bout des choses et d'agir vite et spontanément, et elle avait de bonnes idées », déclaration qui a un parfum plus vraisemblable.

Il était environ 17 heures lorsque Peter Lawford appela Marilyn pour lui redemander de se joindre à ce fameux dîner. Robert Kennedy tenait à la voir. Marilyn n'avait désormais aucune intention d'y aller et le lui fit savoir. Et elle n'avait plus envie de revoir – jamais – Robert Kennedy, après leur altercation de l'après-midi. Ralph Greenson arriva à son domicile vers 17 h 30. Quant à Pat Newcomb qui, semble-t-il, avait été là toute la journée, elle s'en alla vers 18 h 30. Jusqu'à son départ, elles lurent des scénarios et prirent un bain de soleil. « Marilyn était de bonne humeur, d'humeur heureuse », rapporta Pat, et il ne semble pas que le Dr Greenson la trouva mal en point. Sans doute est-ce en cette occasion que Marilyn lui remit les bandes qu'elle avait enregistrées, dont nous publions plus loin les transcriptions.

Au moment où Pat s'en allait, Marilyn lui lança : « On se voit demain, salut. » A la même heure environ, elle reçut un coup de fil de son masseur, Ralph Roberts, à propos de leur projet de barbecue. Greenson, qui n'aimait pas Roberts, prit l'appel et répondit abruptement que Marilyn était absente, ce qui déconcerta le masseur. Après être resté environ deux heures, le psychiatre s'en alla et emmena sa femme dîner. Avant son départ, Mme Murray lui demanda s'il souhaitait qu'elle passe la nuit chez Marilyn, mais Greenson lui répondit qu'il n'en voyait pas la nécessité. Bizarrement, Mme Murray décida cependant de rester, même si elle n'a jamais expliqué pourquoi.

Robert Kennedy n'en avait cependant pas terminé avec Marilyn. Il retourna donc la voir chez elle ce soir-là, une fois de plus sans en avoir été prié, peut-être aux environs de 18 h 45. Lawford l'accompagnait sans doute, ainsi qu'un troisième individu. Des femmes qui jouaient aux cartes dans une maison voisine les virent descendre de voiture. L'une d'elles déclara : « Regardez, les filles, le revoilà. » Il semble que Kennedy avait cessé, lors de cette deuxième visite, d'essayer de négocier la récupération des documents ; il voulait simplement mettre la main dessus et les embarquer, avec ou sans le consentement de Marilyn. Sur les bandes de Spindel, Kennedy dirait : « Nous devons savoir. C'est important pour la famille. Tu pourras prendre toutes les dispositions que tu veux, mais nous devons le trouver. »

Des bruits indiquent qu'ils continuèrent à fouiller. On entendait Lawford dire à Kennedy : « Calme-toi », pendant que Marilyn leur hurlait de sortir de chez elle. Il semble que l'enregistrement comporte alors des bruits d'un coup ou de plusieurs coups, comme si Marilyn était tombée, suivis de bruits d'apaisement. Spindel, qui essayait toujours de trouver du matériel susceptible de servir de chantage à Jimmy Hoffa, déclare qu'il pense que l'un des trois hommes la tua et qu'ils étaient encore là quand elle mourut. Mais si une grande partie des citations extraites de l'enregistrement est crédible, ni ce dernier détail ni aucun fait avéré ne viennent corroborer cette hypothèse d'assassinat. Un extrait comporte soi-disant la phrase : « Que fait-on du corps, à présent ? », tandis que dans une autre version cette question se transforme en : « Que fait-on de son *cadavre* ? », comme si on voulait mettre les points sur les *i* et ne laisser aucun champ à la moindre supputation. Ce petit ajout peut indiquer que cette phrase n'est que pure invention. Il vient en tout cas contredire les preuves, dont nous disposons, indiquant que Marilyn était encore en vie beaucoup plus tard dans la soirée.

Nous ne devons pas oublier que, dans le monde entier, les ingénieurs du son ont la réputation de « raconter des histoires avec des bruits ». Un montage méticuleux, un placement de paroles hors contexte et le transfert d'une bande à une autre peuvent créer toutes sortes de situations qui passeront pour ce qu'elles ne sont pas. Dans un enregistrement, la personne expliquant le contenu de la bande évoque le bruit de quelqu'un qu'on place sur un lit, ce qui est tout à fait absurde. Le plus doué des ingénieurs du son – Bernard Spindel compris – ne pourrait relever le défi de produire un bruit aisément identifiable comme celui de quelqu'un qu'on pose sur un lit. De nos jours, on n'utilise plus des lits à ressorts, qu'on entendait se plier. Bien évidemment, un commentaire à l'attention de l'auditeur peut lui suggérer ce qu'il écoute. Bref, lorsque l'enregistrement d'un bruit nécessite d'être accompagné d'une explication sur ce qui est enregistré, cette dernière prouve que ce bruit n'est pas explicite. Il est impossible de se fier à ce qu'il est censé être s'il faut y ajouter un commentaire, qui ne peut qu'être introduit par un tiers au parti pris évident – en l'occurrence Bernard Spindel.

Les preuves que Marilyn était encore en vie vers minuit, voire plus tard, sont beaucoup plus fiables que les bandes de Bernard Spindel qui nécessitent une explication. L'une d'elles émane de son amie Jeanne Carmen. Elle m'a dit que, vers 22 heures, elle avait reçu un troisième coup de fil de Marilyn qui revenait à la charge et lui redemandait de passer la voir. Jeanne refusa, car la célébration de son anniversaire l'avait fatiguée. Elle la verrait le dimanche. Selon Jeanne, Marilyn avait l'air un peu tendue et nerveuse, mais par ailleurs normale. Elle ne trouva dans ses propos aucune matière à s'inquiéter.

En fait il semble que Robert Kennedy et ceux qui l'accompagnaient s'en allèrent vers 19 h 30 et que Marilyn était loin d'être effondrée par cette visite. C'est alors qu'elle reçut un coup de fil de Joe Jr, le fils de Joe DiMaggio, avec lequel elle conversa d'un ton parfaitement normal. Elle s'entendait bien avec lui, c'était réciproque, et il comprit qu'elle était enchantée de lui parler. Il lui téléphonait pour lui annoncer la rupture de ses fiançailles, nouvelle qui ne manquerait pas de lui faire plaisir. Marilyn se faisait du souci parce qu'elle trouvait qu'il allait commettre une erreur s'il épousait sa petite amie. Mme Murray surprit un extrait de cette conversation et rapporta qu'elle avait entendu Marilyn rire et dire : « Oh, c'est merveilleux. » Joe DiMaggio Jr la trouva « gaie, satisfaite et pleine de vivacité. Si quelque chose clochait, je ne m'en suis pas rendu compte ».

Peter Lawford prétendit avoir appelé Marilyn vers 19 h 30 pour l'inviter à dîner. C'est impossible puisqu'elle s'entretenait à ce moment-là avec Joe Jr, conversation qui a été vérifiée. A en croire Lawford, le contenu de leur conversation fut à la fois spectaculaire et abracadabrant, à tout le moins. Elle s'exprimait selon lui d'une voix chargée et bredouillante, et il avait du mal à comprendre ce qu'elle disait. Il prétendait avoir tenté de la sortir de sa torpeur en l'apostrophant à grands cris. Deborah Gould, que Lawford épousa par la suite, m'a raconté que ce dernier lui avait décrit cette conversation. Marilyn y aurait dit que ce serait mieux pour tout le monde si elle mourait. Il lui aurait alors répondu : « Tu dis des bêtises, Marilyn, reprends-toi... », et plus tard, cyniquement : « Quoi que tu fasses, ne laisse pas de notes derrière toi. » Il existe cependant une autre version de cet appel téléphonique, selon laquelle Marilyn est censée avoir dit : « Dis au revoir à Pat, dis au revoir au Président et dis-toi au revoir, parce que tu es un type sympathique. » D'après Lawford, la voix de Marilyn s'amenuisa et, comme il n'entendait plus rien, il raccrocha et refit son numéro. Mais la ligne était occupée.

Lawford n'avait qu'un seul souci en tête : couvrir les arrières des frères Kennedy, sans considération pour quiconque ou quoi que ce soit, et il atteignit brillamment son but. Il est des plus improbable que ce second coup de fil ait eu lieu et très peu crédible que Marilyn ait prononcé aucune des paroles qui ont été mises dans sa bouche. En fait, on pourrait même douter du premier coup de fil qu'il lui passa à 17 heures, mais le fait qu'il en communiqua le contenu au privé Fred Otash fait pencher pour sa véracité, même si on peut se demander si Otash eut droit à la vérité. D'après ce dernier, Lawford lui rapporta : « Elle m'a dit qu'elle avait sommeil et qu'elle allait se coucher. Je ne l'ai pas trouvée somnolente. Je lui avais déjà parlé des centaines de fois et elle m'a paru comme d'habitude. Je me suis dit qu'elle était seule et je l'ai invitée à venir dîner chez moi en compagnie de quelques amis. Mais Marilyn a décidé de ne pas venir. » Cela correspond probablement au contenu de leur conversation, très différent de celui qu'il rapporta plus tard, et bien plus proche de la vérité. Il comprit à posteriori le grand profit qu'il pourrait tirer de propos de Marilyn qui corroboreraient le fait qu'elle était au plus bas moralement et qu'elle songeait au suicide.

Lawford savait parfaitement que la théorie du suicide sapait toutes celles subodorant que les Kennedy étaient impliqués dans la mort de Marilyn. Il semble clair qu'il fabriqua un tissu de mensonges à propos de son – ou de ses – prétendus coups de fil à Marilyn, afin d'étayer la thèse selon laquelle la star avait mis fin à ses jours. On n'a qu'une seule trace de Marilyn parlant d'une voix vaseuse, beaucoup plus tardive, puisqu'il était 21 h 45. Elle appela la permanence téléphonique de Ralph Roberts alors qu'elle était probablement sur le point de s'endormir. Cela dit, elle passa ensuite un dernier coup de fil à Jeanne Carmen, qui ne remarqua pas alors qu'elle avait du mal à articuler.

Comme nous disposons de la preuve que Marilyn bavardait gaiement avec Joe DiMaggio Jr à l'heure où Lawford prétendit l'avoir appelée pour la seconde fois et l'avoir trouvée d'humeur « suicidaire », Deborah Gould modifia l'heure de cet appel et opta pour les environs de 22 heures. Malheureusement pour elle, cela la fit classiquement tomber de Charybde en Scylla. Après avoir prétendu que cet appel avait eu lieu dans une tranche horaire impossible en raison d'un autre coup de fil, elle commit le même impair, car vers 22 heures, lorsque Marilyn téléphona à Jeanne Carmen, elle était loin d'être suicidaire. Peter Lawford savait ce qui était arrivé à Marilyn. Il passa son temps, semble-t-il, à entrer et sortir de chez elle la nuit de sa mort. Mais l'histoire ne s'arrête pas là, nous le découvrirons plus tard.

Marilyn appela le Dr Greenson vers 19 h 45, juste avant qu'il ne sorte dîner en ville. La teneur de ses propos ne permettait pas de penser qu'elle s'était laissé démonter par la visite de Robert Kennedy. Elle l'avait vite surmontée. A propos de ce coup de fil le Dr Greenson rapporta qu'elle lui avait assuré qu'elle se sentait beaucoup mieux. Elle était plus « gaie » qu'en début de journée, et il n'eut pas l'impression qu'elle aurait un problème pendant qu'il allait dîner. Vers 20 heures, elle annonça à Mme Murray qu'elle allait se coucher. Elle emporta le téléphone dans sa chambre et on sait, avec certitude, qu'elle passa quatre coups de fil. Le premier, aux environs de 21 heures, à Henry Rosenfeld, un couturier new-yorkais avec lequel elle avait sympathisé durant la brève période où elle fut mannequin. Il dit qu'elle avait l'air « groggy », mais il ne s'en inquiéta pas le moins du monde. Elle tombait alors probablement de sommeil.

Entre les coups de fil qu'elle donnait, elle en reçut un, de son ami mexicain Jose Bolanos. Il raconta l'avoir appelée d'un restaurant où il dînait. Elle avait eu une liaison avec lui et il l'avait accompagnée à la cérémonie des Golden Globes le 5 mars. Il ne fit état que d'un détail bizarre : à la fin de leur conversation, elle ne raccrocha pas. Elle se contenta de poser le téléphone. Bolanos ne s'en étonna pourtant pas, car ce n'était pas la première fois qu'elle agissait ainsi. Le téléphone ne resta cependant pas longtemps décroché, car elle appela presque dans la foulée Sydney Guilaroff, le légendaire coiffeur. Une conversation très brève, mais elle lui aurait dit : « Je suis très déprimée. » Elle raccrocha sans lui dire au revoir. Lui non plus ne s'inquiéta pas. Et, bien évidemment, on peut supputer que cette petite mention de sa déprime appartient à la catégorie des propos que l'on extrait rétrospectivement d'une conversation quand le suicide est évoqué.

En arrivant au dîner de Peter Lawford vers 21 h 30, Pat Newcomb annonça que Marilyn se sentait trop lasse pour venir. Joe et Dolores Naar semblent être arrivés les premiers, environ une heure avant elle, et aux dires de tous ils savaient déjà que la star ne viendrait pas. Le producteur George Durgom, présent aussi, se souvient de l'arrivée de Pat et également, beaucoup plus tard dans la soirée, de l'inquiétude manifestée par Peter Lawford à propos de Marilyn. Comme nous l'avons dit dans un précédent chapitre, il serait invraisemblable que Pat ait ignoré les coups de fil passés au cours de la soirée pour prendre des nouvelles de l'état de Marilyn. Si elle était au courant, qu'elle n'ait pas, en qualité de proche amie, joint sa voix à celles de ceux qui, ce soir-là, se souciaient de la star, dépasse l'entendement. Ce détail fait partie des points non élucidés importants, voire capitaux, du récit de la chronologie des événements de la soirée.

Vers 21 h 45 Marilyn essaya de joindre Ralph Roberts. Si le Dr Greenson ne lui avait pas fait part du précédent appel de Roberts vers 18 h 30, elle voulait sans doute savoir ce qui se passait. S'il le lui avait dit, elle voulait probablement présenter des excuses à Roberts. Elle ne parvint cependant pas à lui parler. Sa permanence téléphonique lui apprit qu'il était allé dîner avec des amis. Il s'agit de l'appel où elle aurait eu du mal à articuler. Or Jeanne Carmen, qui reçut son dernier coup de fil de la soirée vers 22 heures, n'a pas mentionné ces difficultés. Ce soir-là, Marilyn ne déposa pas non plus son téléphone devant la porte de sa chambre.

Comme elle l'avait dit un peu plus tôt au Dr Greenson, elle était la plus belle femme du monde, sans homme avec qui sortir le samedi soir. Ce soir-là, Marilyn allait se transformer en carte maîtresse à abattre, aux yeux de l'un des participants à l'âpre bataille qui déciderait de qui gouvernerait les Etats-Unis.

Chapitre 18

Absolument impossible

On est véritablement frappé par le nombre de personnes de tous horizons – dont la plupart avaient eu des relations directes avec Marilyn – qui pensèrent très vite, malgré la version du suicide répandue dans la presse à l'époque, qu'elle avait été assassinée.

En tête de liste vient sans doute John Miner. Avocat extrêmement respecté aujourd'hui, il n'avait aucun intérêt personnel en jeu. Il assista à l'autopsie de Marilyn, qui n'était pour lui qu'une simple autopsie parmi les milliers d'autres où il représentait le procureur du district de Los Angeles. Au départ, cette autopsie se présenta comme toutes les autres. Il regarda le Dr Noguchi procéder, étape par étape. Il l'aida à chercher sur le corps des traces de piqûres et, ensemble, ils firent chou blanc. Avant de sortir de la salle d'autopsie, il savait que le décès de Marilyn n'avait pas davantage été provoqué par des médicaments qu'elle aurait ingérés que par des médicaments qu'on lui aurait injectés. Cela l'intriguait, d'autant qu'il avait été frappé par la couleur violacée du côlon. Sa curiosité se mua en une réelle inquiétude qui le poussa à écrire à deux éminents pathologistes internationaux pour obtenir leur opinion. Ils confirmèrent tous les deux son avis, à savoir que les médicaments avaient été administré par lavement, ce qui revenait à dire que Marilyn avait été assassinée.

John Miner a divulgué le contenu des bandes enregistrées par Marilyn à l'attention de son psychiatre, que nous reproduisons plus loin, dans l'espoir d'obtenir l'ouverture d'une enquête qui prouvera qu'elle ne s'est pas suicidée. C'est la seule façon d'effacer la honte d'un suicide. Cela ne la ramènera pas à la vie mais, au moins, on lui rendra le service de divulguer enfin au monde entier la vérité sur son décès.

Thomas Noguchi a toujours répugné à dire qu'il pensait qu'elle avait été assassinée, même si on sait que le terme lui est venu au bord des lèvres. De mes rencontres et conversations avec lui, je déduis qu'il en a la conviction. Il n'essaie en tout cas pas de soutenir la théorie du suicide. Noguchi, jeune membre de l'équipe à l'époque, fut la victime de la gestion implacable du coroner Theodore Curphey, à laquelle il dut se plier. Noguchi s'en tira sans que sa réputation en soit ternie, mais ce ne fut pas grâce à ceux qui l'attelèrent à une affaire qui risquait d'exploser dans les médias et d'avoir des répercussions politiques. Une vraie bombe à retardement, en somme. Un homme de moindre stature, professionnellement parlant, aurait pu laisser sa peau entre les mains de ceux qui tiraient les ficelles.

Robert Slatzer, ami intime de Marilyn, la connaissait depuis très longtemps. Dès le début, il ne crut pas aux versions du suicide que l'on faisait circuler. En fait, Slatzer fut même le second mari de Marilyn. Non sans audace, puisqu'elle sortait à l'époque avec Joe DiMaggio, Marilyn et lui s'étaient esquivés à Tijuana en octobre 1952, sur la frontière avec le Mexique, pour convoler vite fait bien fait. Trois jours plus tard, le patron de la Fox, Darryl Zanuck, les convoqua pour les sermonner. Vu l'énorme investissement financier qu'il avait effectué sur Marilyn, il ne se laisserait pas « embêter » par un mariage. Le jeune couple retourna à Tijuana et versa un pot-de-vin au fonctionnaire pour qu'il détruise leur certificat de mariage, qui n'avait pas encore été enregistré.

Bob Slatzer reconnaît que quand ils regagnèrent Los Angeles, Marilyn avait probablement changé d'avis à propos de leur mariage hâtif, mais cela n'entrava en rien la poursuite d'une longue amitié. Slatzer connaissait bien Marilyn. Il suivait avec intérêt ses progrès professionnels – parfois ses piétinements. L'annonce de son suicide à la radio le stupéfia. Il ne parvint pas à l'accepter, avant même d'avoir entamé une enquête à son propos, et ses investigations ne firent que corroborer son intuition. Il engagea un privé, Milo Speriglio, auquel il demanda de mettre son savoir-faire au service de son enquête personnelle, et dix années durant Speriglio explora coins et recoins pour trouver le fin mot de l'histoire. Les réponses arrivaient cependant sous toutes les formes, et parfois une réponse ne faisait que susciter une nouvelle question. Speriglio déblaya beaucoup de terrain. Il déterra de nombreux détails, des on-dits fascinants et beaucoup de faits intéressants. Mais on tombe difficilement sur des preuves en béton armé. Pourtant, convaincu par ses recherches que Marilyn avait été assassinée, il finit par disposer d'assez d'éléments pour consacrer deux ouvrages au sujet. Robert Slatzer, qui a également écrit un livre de son côté, n'a pas changé d'avis. Il en est lui aussi persuadé.

Le sergent Jack Clemmons, premier policier à être entré dans la résidence de Marilyn après la notification du décès, n'y est pas non plus allé par quatre chemins. Lorsqu'il pénétra dans la maison de Fifth Helena Drive cette nuit-là, il eut l'impression de se trouver sur les lieux d'un meurtre. La maison était trop bien rangée, il fut incapable de trouver un récipient qui aurait pu servir pour boire dans la chambre et constata que les papiers et autres documents qui auraient dû traîner ici et là brillaient bizarrement par leur absence. Apparemment, d'autres personnes s'aperçurent que la pièce était beaucoup trop en ordre : sur les photos prises plus tard, on voit des documents éparpillés au pied de la table de chevet. Le cadavre aussi lui sembla bizarre. Il gisait dans ce qu'il appela la position « du soldat » : jambes droites, bras le long du corps. Les personnes présentes lui donnèrent la chair de poule et il « sentit » qu'ils n'étaient pas seuls dans la maison. Quant aux bruits de machine à laver et d'aspirateur, ils restèrent à jamais gravés dans sa mémoire.

Il suivit l'affaire et apprit avec stupéfaction qu'on avait remis au coroner des médicaments, prétendument trouvés sur la table de chevet. Pendant qu'il était dans la maison, il s'était fait un devoir d'inspecter chaque flacon posé sur la table et avait constaté qu'ils étaient tous vides. Beaucoup de choses se seraient éclaircies s'il avait su que la maison avait bourdonné d'activité durant les heures précédant l'appel qu'il avait reçu au commissariat, de même qu'après son départ. Il aurait été scandalisé d'apprendre que le chef de la police William Parker avait été informé de la mort de Marilyn cinq heures avant lui, malgré sa qualité de policier de garde au moment du décès. Aujourd'hui, Clemmons est mort, mais il a toujours eu la conviction inébranlable que Marilyn avait été assassinée.

Parmi les nombreux journalistes ayant mis en question le verdict de suicide, Dorothy Kilgallen était sans doute la plus célèbre. Basée à Chicago, personnalité de la radio et de la télévision comme de la presse écrite, elle commença par accepter la théorie du suicide, mais uniquement jusqu'au jour où elle analysa de près les faits connus à l'époque. Douée d'un esprit vif et pénétrant, Kilgallen reconnut rapidement qu'elle se trouvait face à un assassinat. Elle avait l'intention d'y consacrer un livre mais, sans que l'on sache pourquoi, ne concrétisa jamais son projet.

Un autre journaliste, Frank Capell, écrivait dans un petit journal peu connu. Il ne lui fallut pas longtemps, homme très astucieux, pour comprendre remarquablement la dure réalité de l'événement, et il mena, avec ses associés, de nombreuses enquêtes sur ceux qui étaient proches de Marilyn au moment de sa mort. Capell n'acceptait pas le verdict de suicide et ne ménagea personne dans son livre, *The Strange Death of Marilyn Monroe*. Il s'y plaint des « fortes tentatives » de le discréditer, ainsi que de ceux qui firent des recherches sur son nom. Il trouve ces efforts « trop bien coordonnés » pour être gaspillés contre un rédacteur d'un petit canard de droite. Pourtant on accorda assez d'importance à son brûlot pour attirer dessus l'attention de J. Edgar Hoover, lequel, à son tour, parla à Robert Kennedy de son contenu. La justesse et la solidité du travail de Capell étaient gâchées par le motif irréfutable qui l'avait poussé à l'écrire. Ardent militant de droite, il cherchait un moyen de discréditer Robert Kennedy qu'il considérait comme un socialiste. A cette époque, dans l'esprit d'un homme de droite comme lui, être socialiste ou communiste, c'était bonnet blanc et blanc bonnet.

Des écrivains ayant consacré un livre à l'affaire, Norman Mailer est sans aucun doute le plus célèbre. Mailer, à défaut d'être totalement convaincu que Marilyn fut victime d'un meurtre, penche néanmoins beaucoup de ce côté. Dans son livre *Marilyn*, il cite l'ouvrage de Robert Slatzer, *The Life and Curious Death of Marilyn Monroe*, et rend hommage à la profondeur des recherches menées par son auteur.

Certaines stars comptant au nombre des amis de Marilyn pensaient, elles aussi, qu'elle avait été assassinée. D'après son biographe Michael Munn[1], Frank Sinatra, qui garda le silence jusqu'à la fin de ses jours, croyait à un meurtre. Il avait une idée très précise sur la manière dont il avait été commis et en attribuait la responsabilité à la mafia. Il donnait même les noms de ses meurtriers présumés. Robert Mitchum, qui avait été son partenaire dans *La Rivière sans retour*, n'acceptait pas non plus le verdict du suicide. « Je pense qu'elle a été assassinée », m'a-t-il dit. Marilyn avait essayé de joindre Robert Mitchum avant le gala au Madison Square Garden auquel il l'avait convaincue de se rendre. N'ayant pas réalisé qu'il y avait urgence, il ne lui reparla pas avant sa mort. Pat Newcomb lui apprit plus tard que Marilyn tenait vraiment à s'entretenir avec lui et, par la suite, le grand acteur ne parvint jamais à se débarrasser d'un sentiment de culpabilité car il n'avait pas essayé de la rappeler. Il semble « qu'elle souhaitait désespérément me parler », m'a-t-il confié.

Jeanne Carmen, la voisine de Marilyn lorsque cette dernière vivait dans son appartement de Doheny et son amie de longue date, m'a affirmé qu'elle n'acceptait pas non plus

---

1. Michael Munn, *Sinatra, The Untold Story*, Londres, 2002.

ce verdict : « Je ne le croirai jamais. » Marilyn lui parla trois fois le jour de sa mort. Elle tenait absolument à ce que Jeanne passe la voir mais cette dernière était occupée toute la journée, nous l'avons vu, par son anniversaire. A 22 heures Marilyn la pressait encore de venir. « Je ne pense pas qu'elle était suicidaire. C'est un mensonge. » A propos du nouveau contrat de Marilyn et de son réengagement pour *Something's Got to Give*, elle déclare : « Je ne l'avais jamais vue si heureuse. » Marilyn avait prévu de rejoindre Jeanne sur le terrain de golf de Monterey le lendemain de sa mort.

Allan (Whitey) Snyder, le maquilleur de Marilyn, était aussi proche d'elle que nombre de ses meilleurs amis. Lui et sa femme, Marjorie Plecher, costumière de Marilyn, faisaient partie des membres de son entourage qu'elle préférait. L'annonce de la mort de Marilyn laissa Whitey effondré. Il ne parvenait pas à se faire à cette idée. Il dut se rendre à son domicile pour réaliser véritablement qu'elle n'était plus là. Mais il n'oublia pas la dernière tâche qu'elle lui avait confiée. Elle n'avait que vingt-sept ans lorsque, pendant le tournage de *Les hommes préfèrent les blondes*, elle lui avait dit : « S'il m'arrive quelque chose, promets-moi de me maquiller pour que je sois à mon avantage. » Whitey s'en tira par une pirouette : « D'accord. Qu'on m'apporte le cadavre encore chaud et je ferai de mon mieux. » Marilyn, pour sa part, ne semblait pas plaisanter. Quelque temps plus tard, elle avait envoyé à Whitey un clip en or sur lequel était gravé : « Whitey mon cher, tant que je suis encore chaude, Marilyn. »

Whitey, à présent que l'heure avait sonné, ne fit pas défaut à Marilyn. Mais lorsqu'il entendit à la radio la nouvelle selon laquelle elle s'était suicidée, il répliqua sur-le-champ : « Impossible. Absolument impossible. »

Chapitre 19

Aucune douceur, aucune finesse

L'hypothèse selon laquelle Marilyn, alors qu'elle était déjà couchée, reçut une visite nocturne le samedi n'est pas improbable. Peut-être s'agissait-il d'un individu de sa connaissance, ou alors de quelqu'un dont l'identité et le statut l'impressionnèrent. J'ai tendance à pencher pour la seconde solution. Il ne fait pas de doute que Mme Murray laissa entrer ce visiteur et il est probable qu'il persuada Marilyn de l'emmener dans le pavillon d'amis, afin d'avoir avec elle une conversation privée. Cette partie réservée aux intimes était la plus éloignée du salon, de la cuisine et des chambres principales, et la seule à ne pas être sur écoutes. Ce visiteur n'était pas venu parler, mais on peut penser qu'on lui offrit – et qu'il accepta – un rafraîchissement. Ce détail était essentiel à son plan, car il lui permettait de glisser un « Mickey Finn » à Marilyn.

Un « Mickey Finn » contient de l'hydrate de chloral et l'hydrate de chloral n'a pas de goût, si bien que Marilyn, sans se douter de rien, se contenta de s'endormir – sans doute – en présence de son hôte. J'avance l'idée que cet « hôte » fut alors rejoint par des comparses. Comme des personnes demeurèrent sur les lieux pendant et après la mort de Marilyn, afin d'ouvrir la porte à des individus ayant des raisons légales et justifiables d'entrer dans les pièces, le fait que la A-1 Lock and Safe Company (entreprise de serrures et de coffres-forts) envoya, *après* la mort de la star, une facture à la succession de Marilyn correspondant à des réparations de serrures suggère la présence d'intrus. Comme la secrétaire de Marilyn, Charlie Redmond, se plaignait que pas une seule serrure ne fonctionnait dans la maison, on peut en déduire qu'elle n'incluait pas le pavillon d'amis dans sa remarque. L'« hôte » qui avait parlé à Marilyn dans le pavillon ne parvint apparemment pas à faire entrer ceux qui venaient le rejoindre sans attirer l'attention ni faire de dégâts. Les intrus savaient parfaitement ce qu'ils faisaient et comment remplir leur objectif. Soit ils apportèrent leur propre matériel chirurgical, soit ils s'emparèrent de celui disponible dans la maison, ils le savaient, dont ils se servirent pour administrer un lavement à Marilyn et lui injecter par ce biais une dose massive et fatale de Nembutal. En temps normal cette méthode provoque la vidange de l'intestin, ce qui suggérerait qu'ils étaient équipés d'une espèce de bouchon pour empêcher les barbituriques de ressortir. Meurtre sans aucune finesse, mais moyen rapide pour tuer Marilyn, allant droit au but et laissant, à première vue, toutes les preuves qu'elle s'était donné la mort. Il fait peu de doute que ce fut Mme Murray qui fit tourner la machine à laver évoquée par le sergent Clemmons, afin d'effacer toute trace de matière fécale sur les draps.

Nous savons qu'on lui a donné un « Mickey Finn » grâce au volume d'hydrate de chloral trouvé dans son sang. Considérable, mais pas fatal en soi. Sans doute suffisant pour la plonger dans le coma, rapidement qui plus est. Les tueurs purent alors procéder à la partie suivante de leur mission sans être gênés par leur victime. Des intrus venus simplement accomplir un meurtre auraient pu achever leur tâche à l'aide d'une dose plus élevée d'hydrate de chloral, mais l'assassinat en soi n'était pas leur but. Ils savaient que comme son médecin prescrivait du Nembutal à Marilyn, elle en avait en temps normal dans la maison. Un décès par empoisonnement au Nembutal – une grosse overdose – indiquerait clairement qu'elle s'était donné la mort.

Si ce meurtre manquait de subtilité, il débordait d'habileté et avait été soigneusement mis au point. Il fallait que ce fût un décès, facilement identifié au début comme un suicide, qu'on devrait par la suite, tout aussi aisément, faire passer pour un assassinat. Par conséquent, il devait donner l'impression qu'il y avait eu tentative maladroite de dissimuler un meurtre. La mort de Marilyn Monroe n'était pas l'objectif premier des maîtres d'œuvre de ce plan. Elle n'était qu'un traquenard, destiné à prendre au piège à la fois le ministre de la Justice et le Président. Lorsqu'on découvrirait que ce suicide apparent était un meurtre et que le dernier visiteur qu'avait reçu Marilyn la nuit de sa mort était Robert Kennedy, ce dernier deviendrait sur-le-champ suspect. Il semblerait évident qu'il était responsable du décès de la star et qu'il avait, maladroitement, essayé de le faire passer pour un suicide.

La liaison qu'entretenait Robert Kennedy avec Marilyn Monroe était de notoriété publique parmi les journalistes, mais la presse, nous l'avons souligné, considérait qu'il ne fallait pas y toucher. Cependant, les journalistes n'étoufferaient pas plus cette affaire que leurs rédacteurs en chef ne le feraient. Il s'agissait d'un meurtre avec, dans le rôle de l'assassin, pas moins que l'homme de loi le plus puissant du pays, le ministre de la Justice. Malgré tous les privilèges qui étaient les siens, rien ne viendrait adoucir son cas. A imaginer que Robert Kennedy parvienne à prouver sans le moindre doute son innocence, sa démission serait néanmoins sur le bureau du Président le jour où les journaux publieraient la nouvelle, et celle de JFK ne pourrait que suivre : la presse était également au courant de l'aventure du Président avec Marilyn et irait peut-être jusqu'à estimer qu'il était aussi coupable que son cadet. Le clan Kennedy serait balayé d'une pichenette du royaume de la politique. Mais qui pouvait nourrir un tel dessein ? Et qui pouvait utiliser des moyens d'une telle atrocité pour parvenir à ses fins ?

Les Kennedy comptaient de solides ennemis, parmi lesquels une faction puissante de la CIA. Nous avons déjà raconté comment l'agence de renseignements – parmi d'autres « partis intéressés » – avait placé le domicile de Marilyn sur écoutes. La CIA prétendait le faire au nom de la « sécurité nationale », mais cela n'explique pas pourquoi elle effectuait un travail relevant du FBI, lequel avait par ailleurs disposé ses propres écoutes chez la star. D'une manière générale, la CIA ne portait pas les Kennedy dans son cœur, mais la faction en question les haïssait, purement et simplement. Elle était composée des survivants du fiasco du débarquement de la Baie des Cochons, l'année précédente, au cours duquel des rebelles cubains avaient tenté de renverser le régime de Castro. La CIA avait entraîné ces rebelles, les avait équipés, nourris, armés, et était sans doute aussi à l'origine de l'invasion. Elle estimait que les frères Kennedy l'avaient abandonnée au moment où elle avait le plus besoin d'eux.

L'épisode de la Baie des Cochons fut créé de toutes pièces par la CIA. Pendant la présidence de Dwight D. Eisenhower l'agence obtint le soutien des chefs d'état-major pour la formation de groupes de guérilla destinés à envahir Cuba. Le prédécesseur de JFK approuva cette opération. En prenant ses fonctions, JFK trouva donc le dossier tout chaud sur son bureau. C'était une opération mal conçue, dont la principale faiblesse provenait, chose étonnante, de renseignements défaillants. Kennedy fit clairement savoir qu'il ne laisserait pas les Etats-Unis entrer en guerre contre Cuba. Les insurgés ne pourraient donc compter que sur eux-mêmes. Ce serait des Cubains contre des Cubains. Mais on était à l'époque où la CIA constituait virtuellement un Etat dans l'Etat, qui opérait indépendamment du gouvernement élu. De même que l'Agence avait omis de prévenir Eisenhower qu'elle avait développé le projet qu'il avait approuvé, elle se garda bien d'éclairer le nouveau président : elle ne s'était pas contentée de rassembler quelques bandes de guérilleros ; elle avait recruté une petite armée de Cubains.

L'issue du débarquement fut un vrai désastre. La CIA avait prévu que le peuple cubain accueillerait les insurgés à bras ouverts et se rallierait derrière eux pour renverser

Castro, mais c'était une illusion. Elle avait mal calculé la puissance des armes et la force de frappe de l'armée de l'air de Castro. Ils restèrent cloués sur place. Le sang coula à flots sur le rivage cubain et parmi les nombreux tués figurèrent des agents de la CIA. Ils essayèrent désespérément d'obtenir une couverture aérienne du Président pour se dégager de ce chaos, mais leur SOS resta sans réponse. En fait, une couverture aérienne avait bien été envoyée mais pour une raison de calcul erroné de décalage horaire, semble-t-il, les avions arrivèrent une heure trop tard.

On apprit que, le jour des événements, le mal de dos chronique du Président l'empêchait d'être à son poste et que c'était Robert Kennedy qui avait dirigé cette tentative de débarquement avortée. A dater de ce jour, la CIA reprocha donc cette débâcle aux deux frères. Le groupe d'agents qui s'en étaient tirés leur vouait une haine irrépressible, ainsi, sans nul doute, que les amis de ceux qui avaient trouvé la mort. Si ce groupe de rebelles, à l'intérieur de la CIA, ne se chargea pas dès le départ de surveiller la relation entre Robert Kennedy et Marilyn, certains d'entre eux en furent très probablement informés par leurs collègues et entrèrent dans le jeu.

La confirmation que la CIA suivait de près ce qui se passait entre Robert Kennedy et Marilyn Monroe vint plus tard au grand jour dans un document indiquant que le grand patron de l'Agence en personne, James Angleton, fut tout de suite averti que Marilyn menaçait de « faire éclater toute cette foutue affaire ». Il ne pouvait s'agir d'un renseignement isolé. Tout indiquait que ce qui était enregistré par les micros posés par la CIA dans la maison de Marilyn était passé au crible et que l'Agence ne quittait pas des yeux et des oreilles le moindre de ses gestes. On doit donc tenir pour certain que les ennemis des frères Kennedy, à l'intérieur de la CIA, étaient au courant de tout et savaient exactement quand et comment frapper pour discréditer l'administration Kennedy par l'intermédiaire de l'assassinat de Marilyn Monroe.

Se présentait à eux l'occasion de se venger des Kennedy

qu'ils cherchaient depuis un an. D'un seul geste spectaculaire, ils pouvaient éjecter à la fois les deux frères du gouvernement. Mais ils ne disposaient que d'une mince tranche
horaire pour mener à bien leur opération. Les écoutes leur
avaient révélé que l'aventure amoureuse était bel et bien
terminée et qu'ils ne pouvaient réaliser leur projet audacieux que le samedi soir, sinon cette occasion s'envolerait.
Si le plan fut mis en action dans la précipitation, cela ne
signifie pas qu'il avait été préparé à la va-vite ou organisé à
la dernière seconde. Cela faisait un certain temps, voire des
mois, qu'ils l'avaient élaboré, et ils attendaient simplement
le bon moment pour le mettre à exécution. Il semble qu'ils
frappèrent peu après 10 heures du soir et qu'à peine une
demi-heure plus tard ils avaient déjà quitté les lieux.

Un tel cadre horaire correspondrait aux allées et venues
des personnes impliquées dans la suite des événements. Le
premier qu'on appela sur les lieux fut Arthur Jacobs, l'agent
de publicité de Marilyn. Il arriva sans doute à 23 heures
et constata qu'on ne pouvait pas la ranimer. Après s'être
entretenu avec Mme Murray, qui lui apprit certainement
l'identité de l'homme qu'elle avait fait entrer dans la maison, ils essayèrent probablement, pendant un certain temps,
de ramener Marilyn à la vie, sans savoir exactement ce qui
lui était arrivé. Quand ils constatèrent leur impuissance, ils
appelèrent une ambulance. Marilyn mourut, semble-t-il,
pendant le trajet vers l'hôpital. On la ramena à son domicile, on l'allongea à plat ventre, visage contre le lit, pour
faire croire à un suicide. Arthur Jacobs, après avoir fait ses
calculs à partir des renseignements que lui avait fournis
Mme Murray, appela ensuite le chef de la police William
Parker en personne.

Parker était un homme intelligent, qui comprit vite de
quoi il retournait et saisit les implications de ce drame. La
chance de sa vie lui tombait du ciel. Un Robert Kennedy
reconnaissant, rescapé grâce à lui d'un bombardement destiné à le faire exploser, le Président et le reste des Kennedy
sauvés de la noyade ne manqueraient pas de le récompenser
en lui confiant le poste qu'il briguait par-dessus tout, celui

de directeur du Bureau fédéral d'Investigation. Il n'est pas douteux qu'il se rendit directement chez Marilyn afin de s'entretenir avec ceux qui se trouvaient déjà sur place. Hormis Arthur Jacobs et Eunice Murray, il s'agissait de Peter Lawford qui servit sans doute d'intermédiaire entre le ministre de la Justice et les autres, tout comme il l'avait auparavant fait entre Marilyn et les frères Kennedy, avec les conséquences désastreuses que l'on connaît.

Apparemment, Mme Murray ne parvint à joindre aucun des deux médecins du premier coup. La chronologie de leurs arrivées respectives suggère que Ralph Greenson apprit la nouvelle au retour de son dîner en ville et qu'il se rendit tout de suite chez la star, et que Hyman Engelberg rentra plus tard et arriva Fifth Helena Drive plus de deux heures après son collègue. Ils ne purent qu'être attirés dans la conspiration. En toute logique, ils estimèrent donc ne plus pouvoir rien faire pour Marilyn. En revanche les Kennedy, complètement innocents de son assassinat, étaient totalement exposés. Or eux – ce petit groupe de personnes – avaient les moyens de protéger la Première Famille. On doit inclure dans leur groupe Eunice Murray, qui nettoya les dégâts et – avec une audace inouïe – fit disparaître les preuves pendant que la police se trouvait dans la maison, ainsi que Milton Rudin, l'avocat de Marilyn, qu'on appela assez vite sur les lieux. Si la description que je viens de donner correspond vraiment aux faits, et il existe de nombreuses raisons concluantes de croire que ce fut le cas, on les voit mal aller bien loin sans inclure également Pat Newcomb dans leur plan.

Des réunions et des consultations se tinrent pendant tout le dimanche, culminant en soirée avec une dernière rencontre, où tous ceux impliqués dans la supercherie arrivèrent à un accord sur la manière de procéder. Ruppert Alan, homme d'Arthur Jacobs, la décrivit comme une « réunion de stratégie ». Un autre membre de l'équipe de Jacobs, Michael Selsman, était également présent, de même qu'un représentant des Kennedy. Après le décès de Marilyn, Peter Lawford était sur les charbons ardents et il est vraisemblable qu'il y assista aussi. Le ton monta par moments au cours de cette discussion où ils consolidèrent leur plan pour bien étouffer la vérité. La mise au point minutieuse des meurtriers leur avait fourni une couverture qu'ils pouvaient, avec la collaboration de personnes clés, faire tenir. La version superficielle du suicide allait être développée et donnée en pâture au monde entier. Revenait à Arthur Jacobs, le roi de la publicité, le soin de la vendre.

A première vue, il serait facile d'imaginer que les frères Kennedy avaient comploté de faire assassiner Marilyn pour s'extirper eux-mêmes une bonne fois pour toutes de leurs relations compliquées avec elle, mais les preuves dont nous disposons autour du décès de Marilyn ne permettent pas à cette théorie de résister à l'analyse. Pour commencer, elle aurait nécessité que toutes les personnes que nous venons de citer – et d'autres encore – soient prêtes à être complices de ce crime. Le fait accompli, chacune d'elles, à savoir le chef de la police William Parker, Arthur Jacobs, les Drs Ralph Greenson et Hyman Engelberg, Eunice Murray, Peter Lawford, Milton Rudin et Pat Newcomb, si elle fut impliquée, aurait été coupable de meurtre. Par « autres », j'entends le coroner, qui fabriqua sa propre version de l'autopsie, et les officiers de police, dont certains de rang élevé, qui n'auraient pu manquer de découvrir le pot-aux-roses.

Les Kennedy auraient eu amplement le temps, ainsi que de nombreuses occasions, de tuer Marilyn s'ils en avaient eu envie. Mais réfléchissez à l'énorme risque qu'ils auraient pris s'ils avaient décidé de franchir le pas. Un faux mouvement, un mot déplacé d'un comparse auraient signé leur arrêt de mort. On ne peut pas concevoir que la famille Kennedy aurait tout risqué à la roulette russe. Bien qu'enclins à se montrer casse-cou, les Kennedy n'étaient pas des flambeurs. Si l'un des camps, parmi ceux qui enregistrèrent ce qui se passa chez Marilyn au cours de cette nuit tragique, avait éprouvé de l'amitié pour les Kennedy, il aurait pu éclairer notre lanterne, mais ce ne fut pas le cas. Non pas qu'ils aient pu enregistrer le meurtre même de Marilyn. Mon hypothèse est qu'il se déroula dans le pavillon d'amis parce que c'était, d'abord, l'endroit le plus à l'écart de la maison, et surtout parce que ses assassins savaient qu'il était le seul à ne pas être truffé de micros. Ils n'y seraient pas enregistrés et, par conséquent, ne couraient pas le risque de sauter avec leur propre bombe. La position du cadavre, tel qu'on le trouva dans sa chambre, suggère que Marilyn fut tuée ailleurs et transportée là, tandis que le linge sale tournant dans la machine à laver laisse supposer qu'il y avait eu des dégâts à l'endroit où elle fut tuée. Le pavillon d'amis semble donc avoir été le lieu du crime.

Comme nous l'avons déjà dit, les écoutes enregistrées par ceux qui surveillaient la maison de Marilyn n'étaient pas davantage fiables que ceux qui nous les ont traduites. Les enregistrements étaient effectués à la vitesse, incroyablement lente, de 1/15-16ᵉ de pouce/seconde. L'installation était conçue pour enregistrer en continu pendant de très longs laps de temps, et même à supposer que le matériel utilisé en ce début des années soixante fût très haut de gamme, la qualité du son ne pouvait être que très médiocre. La nature même d'une opération d'écoutes empêche de tout entendre. N'oublions pas que les micros doivent être invisibles et qu'ils ne sont pas nécessairement cachés à l'endroit idéal pour obtenir un son de bonne qualité.

Il ne fait aucun doute que Bernard Spindel procéda à une mise sur écoutes professionnelle de la résidence de Marilyn et que des copies des bandes survécurent à la descente de police à son domicile. Plusieurs personnes en ont écouté des extraits et ont fait état de leur contenu. Nous avons déjà évoqué les bruits d'altercation entre Robert Kennedy et Marilyn le jour de sa mort, ainsi que la voix de Marilyn mettant Robert à la porte. Nous avons également mentionné les bruits enregistrés plus tard dans la journée, lorsque Kennedy fouillait la maison en fulminant pour mettre la main « dessus », et nous avons émis l'hypothèse qu'il s'agissait d'un dossier contenant des documents que Marilyn avait promis de rendre à John Kennedy avant la rupture de son aventure avec Robert. Il semble probable que le Président avait conclu un pacte avec Marilyn, qui lui avait promis de garder ses secrets. Mais cela ne l'empêchait pas de vouloir récupérer des objets qu'elle détenait encore. On peut également se dire que, malgré sa promesse de les lui remettre, le comportement maladroit de Robert l'avait fait changer d'avis. Ces objets furent sans doute récupérés au cours de la fouille des affaires de Marilyn au moment de sa mort.

D'autres extraits des bandes Spindel ont été cités par Milo Speriglio dans les livres qu'il publia sur le décès de Marilyn. Après quoi, ces citations furent reprises *ad libitum* par divers auteurs. On a par conséquent l'impression que beaucoup de monde a entendu les enregistrements, alors que ce n'est absolument pas le cas. De plus, au fur et à mesure que ces citations étaient reprises, s'y sont glissées des inexactitudes comme celles sur lesquelles nous avons déjà attiré l'attention. « Qu'allons-nous faire à présent de son corps ? » s'est transformé en « Qu'allons-nous faire de son *cadavre* ? ». Et puis la voix d'une personne – présumée être celle du ministre de la Justice – appelant au téléphone figure sur l'enregistrement des écoutes. Cette voix demande : « Est-ce qu'elle est morte ? » Cette question pourrait être la réaction – soucieuse – de quelqu'un qui vient d'apprendre que Marilyn est au plus mal. Mais un embellissement postérieur la transforma en : « Est-ce qu'elle est *déjà* morte ? », pour bien laisser entendre que le correspondant est un individu sans cœur qui n'attend que sa mort.

Spindel expliqua que le « Est-ce qu'elle est déjà morte ? » venait d'un individu – sans doute Robert Kennedy – appelant le domicile de la star pour établir, par le biais des écoutes téléphoniques, qu'il était parti avant qu'elle ne décède. Exemple supplémentaire de la nécessité d'une explication. N'oublions pas que ces enregistrements étaient effectués pour le plus grand ennemi de Robert Kennedy, Jimmy Hoffa, et qu'il est peu probable qu'on ait choisi d'en faire écouter, aux rares personnes qui se virent accorder ce privilège, des extraits autres que ceux censés nuire au ministre de la Justice.

Spindel utilisa 15 bobines pour ses écoutes, mais on

notera que les enregistrements significatifs, une fois les longues plages de silence coupées, se résumèrent à 7 bobines. Ce montage nous incite à nous demander si d'autres parties n'ont pas été supprimées ou, pourquoi pas, ajoutées. Il nous rappelle également que les séquences d'un enregistrement peuvent être montées dans un ordre différent, afin de créer une autre signification. Si les enregistrements contenaient véritablement des preuves de la présence de Robert Kennedy lors du décès de Marilyn, il est tout à fait étonnant qu'on ne les ait jamais utilisés pour faire chanter le ministre de la Justice. Avec un tel argument à sa disposition, Jimmy Hoffa ne se serait sans doute pas privé de l'occasion de le faire. Robert Kennedy continua à mener son combat contre Jimmy Hoffa jusqu'au jour où il fut déchargé de son poste, après l'assassinat de son frère en novembre 1963. On notera également avec intérêt qu'à l'époque où Robert Kennedy se présenta à l'élection pour la présidence, ce furent ses ennemis qui eurent recours aux services de Ralph de Toledano – comme nous l'avons déjà dit – afin d'acquérir les bandes dans l'espoir de le discréditer. Ce n'était donc pas le sénateur Kennedy qui essayait de les acheter dans le but de cacher leur éventuel contenu. Si Hoffa n'y trouva pas d'éléments utilisables, ces enregistrements ne contenaient pas de matériel irréfutable pour exercer un chantage et les commanditaires de Toledano se raccrochaient à du vent.

Hoffa n'aurait probablement pas envoyé un commando de tueurs assassiner Marilyn. Il s'intéressait bien davantage à obtenir l'emprise qui lui permettrait de contrôler les Kennedy, plutôt qu'à les chasser. Il s'agissait d'un objectif beaucoup plus réaliste, d'où cette opération de surveillance sophistiquée qu'il chargea Spindel de mettre au point et de diriger. D'une envergure considérable, elle dut revenir très cher à Hoffa, étant donné que les services de Spindel se monnayaient ferme. Elle avait commencé dans l'appartement qu'avait loué Marilyn au Beverley Hills Hotel avant d'emménager dans sa maison, et comprenait également la couverture de la maison de plage de Peter Lawford à

Santa Monica. Pour garder son poste au sommet du puissant syndicat des camionneurs et résister aux constantes attaques menées par le département de la Justice, Hoffa avait besoin de moyens de mettre des bâtons dans les roues de Kennedy et de renvoyer la pression sur le ministre de la Justice.

J. Edgar Hoover, informé lui aussi de ce qui se passait dans la maison de Marilyn, avait également l'intention d'exercer un chantage. Nous ignorons ce qu'entendirent les agents du FBI postés aux écoutes, mais le dossier que détenait Hoover sur Kennedy s'est sans doute épaissi à cette époque-là. Les Kennedy méprisaient Hoover et ne pouvaient ignorer qu'il le leur rendait bien. Pourtant, ils ne semblaient pas se rendre compte que le directeur les faisait épier partout. Il est improbable, de toute façon, que Hoover ait envoyé une équipe assassiner la star. Lui aussi voulait exercer une emprise sur les Kennedy et il parvenait exactement à ses fins.

Comme nous l'avons dit, on peut subodorer que l'équipe de deux ou trois hommes qui fut introduite dans la maison de Marilyn était composée de membres de la CIA qui vouaient une haine profonde et brûlante au Président et au ministre de la Justice. Cette haine allait être assouvie par un plan qui les vengerait d'avoir été abandonnés et d'avoir perdu des camarades, tout en débarrassant le pays de l'influence des Kennedy.

Fred Otash connaissait certainement comme sa poche les maisons de Peter Lawford et Marilyn Monroe. Il reconnut que ses opérateurs avaient installé des micros dans les deux et il était bien placé pour savoir que d'autres que lui les avaient également mises sous surveillance. Otash déclara que « certains éléments » du parti républicain l'avaient d'abord engagé pour mettre la demeure de Lawford sur écoutes, intéressés sans nul doute par les activités des invités de l'acteur, les Kennedy. Puis Spindel entra en scène – au nom de Hoffa. Otash se vit confier, outre la surveillance du domicile des Lawford, celle de la maison de Marilyn Monroe. Arrivèrent ensuite le FBI et la CIA. Selon Otash,

« la CIA voulait les [les Kennedy] neutraliser, parce qu'elle refusait qu'ils prennent son contrôle ». Opinion reflétant sans nul doute l'intérêt de l'Agence elle-même, mais qui ne prenait pas en compte celui des survivants de la Baie des Cochons.

Chapitre 20

Lawford et « Mr O »

Peter Lawford faisait partie de ces Anglais qui réussirent à Hollywood, même s'il n'atteignit jamais le statut de grande star. Homme séduisant, il devint populaire et recherché à une époque, la Seconde Guerre mondiale, où Hollywood avait besoin d'acteurs anglais. Il avait du succès à la fois comme acteur et dans les affaires liées à l'industrie cinématographique. Il entra par son mariage dans la famille Kennedy et devint également membre du « Rat Pack », dont le meneur indiscuté était Frank Sinatra et qui comprenait Dean Martin, Sammy Davis Jr et Joe Bishop.

On considérait sa femme, Patricia, comme la plus jolie des filles Kennedy. Elle l'épousa en 1954, mais cela n'empêcha pas Lawford de continuer à avoir le regard baladeur. John et Robert Kennedy l'acceptèrent dans la famille en dépit des réticences de leur père Joe, le patriarche. Les Lawford acquirent l'impressionnante demeure que le grand manitou du cinéma Louis B. Mayer s'était fait construire sur un site splendide en bordure de la plage de Santa Monica. Peter y profitait pleinement du soleil, de la mer et du sable quand sa vie trépidante lui offrait le loisir de se détendre.

Pat Lawford et Marilyn Monroe sympathisèrent et nouèrent des liens d'amitié. Marilyn faisait exception à la règle, car Pat n'appréciait pas les amis de Peter. Elle fréquentait beaucoup la maison de la plage et les invitations devenaient lourdes d'insinuations lorsque John Kennedy était attendu, bien qu'elle s'abstienne d'y répondre quand elle s'apercevait qu'il y aurait des prostituées du coin parmi les autres « invitées ». Lawford et Marilyn, d'après les cancans, auraient eu un petit flirt, rapidement avorté. Lawford l'aurait en vain poursuivie de ses assiduités.

Peter Lawford servait de rabatteur à John F. Kennedy, pour lui permettre d'assouvir ses besoins sexuels. Plus tard, il le fit pour Robert Kennedy. John, ébloui par Marilyn la première fois qu'il la rencontra lors d'une réception organisée par son agent Charles Feldman, demanda à Lawford de la lui présenter. De son côté, Marilyn fut très impressionnée par la beauté, l'énergie et la remarquable intelligence de John Kennedy, attributs qu'elle recherchait chez l'homme de ses rêves. La liaison qui s'ensuivit devint l'un des secrets les mieux gardés de Hollywood alors que tout le monde était au courant. Il semble qu'elle l'entama sans tenir compte de son récent mariage avec Joe DiMaggio. Le légendaire joueur de base-ball s'imaginait avoir convolé avec une jeune femme douce et saine et s'attendait que Marilyn devienne une épouse loyale et fidèle. Neuf mois suffirent à rompre leur union mais DiMaggio continua néanmoins son histoire d'amour avec Marilyn à distance, tandis que Marilyn s'accrochait à la sécurité que lui procurait le sentiment de l'avoir toujours à sa disposition.

Peter Lawford avait ses entrées auprès du président Kennedy et du ministre de la Justice. Durant la période où Marilyn ne parvenait plus à joindre ce dernier, Lawford n'avait aucun mal à le faire, si bien que Robert Kennedy était au courant, à tout instant, de ce qui se passait à Los Angeles et des faits et gestes de Marilyn. Il semble que les choses basculèrent le jour où Ethel découvrit la liaison de son mari avec Marilyn. C'était le vendredi 4 août, veille de la mort de la star. Le ministre de la Justice, apparemment, avait prévu de rencontrer Marilyn – en fait, il devait impérativement la voir pour récupérer la photo et les documents exigés par son frère –, mais il refusa que ce rendez-vous eût lieu à son domicile, comme cela avait été sans doute organisé. Comme si on l'avait averti que Fifth Helena Drive faisait l'objet d'une surveillance de quelqu'un qui en informerait Ethel. Dans ce cas, la rencontre orageuse du vendredi soir au restaurant déclencha sûrement un sentiment proche de l'exaspération chez Kennedy, puisque le lendemain, faisant fi de toute précaution, il se rendit au domicile de Marilyn non pas à une, mais à deux reprises.

A certains points de vue, Peter Lawford ressemblait à Mme Murray. Il avait désespérément envie d'établir que Marilyn avait mis fin à ses jours. Pour parvenir à son but, il fabriqua sa propre mouture des faits. Le jour de la mort de la star il lui parla une fois, voire deux, mais l'heure de ces conversations reste du domaine de la conjecture. Il semble probable qu'il l'appela effectivement à 17 heures. Ce coup de fil ne vient en tout cas pas contredire d'autres appels, donnés ou reçus, par Marilyn. Pour ce qui est de l'heure du second coup de fil, s'il y en eut vraiment un, il reste à tout un chacun de s'en faire une idée. Lawford prétendit avoir invité Marilyn à dîner lorsqu'il lui téléphona à 17 heures. Cette invitation ne pouvait qu'arranger Robert Kennedy qui devait encore régler avec elle le problème si crucial pour son frère. Cependant, après leur rencontre orageuse du début de l'après-midi, il semblerait que Marilyn n'était d'humeur ni à sortir ni à rendre service à Robert Kennedy.

Deborah Gould, qui fut en 1976 l'épouse de Peter Lawford pendant quelques semaines, prétend en savoir beaucoup sur ce qui se passa au moment de la mort de Marilyn, car Lawford se serait confié à elle. Il essaya de faire croire qu'il avait téléphoné une seconde fois à Marilyn à 19 h 30. Cela est impossible, puisque nous savons qu'à cette heure-là elle conversait gaiement avec Joe DiMaggio Jr. Gould changea 19 h 30 en 22 heures, mais cet horaire était contredit par un coup de fil que Jeanne Carmen disait avoir reçu de Marilyn. On dispose de plusieurs versions du ou des appels téléphoniques que Lawford passa à Marilyn. Dans celui passé à 19 h 30, d'après ses premiers dires, elle lui aurait expliqué pourquoi elle ne venait pas dîner. Attitude bizarre, si elle avait décliné son invitation lors du coup de fil précédent. Lawford prétendait qu'elle avait des difficultés à articuler et qu'elle s'exprimait d'une voix qui s'amenuisait de plus en plus, au point qu'il en arriva à ne plus rien comprendre. Puis la communication fut coupée. Il raccrocha et refit son numéro, mais la ligne, à l'entendre, était occupée.

Lawford disait qu'il avait alors contacté son agent, Milton Ebbins, pour lui demander conseil. En cas de doute sur l'état de santé d'une amie, la plupart d'entre nous sauteraient tout de suite dans leur voiture pour se précipiter chez elle, mais Lawford contacta son agent ! Ebbins, à l'en croire, lui répondit que le beau-frère du Président commettrait une erreur en s'impliquant et qu'il ne devait donc pas se rendre chez elle. C'était lui, Ebbins, qui allait joindre l'avocat de la star, Milton Rudin, pour le mettre au courant du problème. Incroyable ! Et pourtant, c'est bien ce que fit Ebbins. Il parvint à trouver Rudin à 20 h 45 dans une réception et Rudin appela chez Marilyn à 21 heures pour prendre de ses nouvelles. Mme Murray alla bien évidemment jeter un coup d'œil dans la chambre de la star et lui répondit qu'il n'avait aucun souci à se faire.

Il est néanmoins probable que Peter Lawford se rendit au domicile de Marilyn plus tard dans la nuit, au moment de sa mort. Il fait partie de ceux qu'on appela sans doute lorsqu'il s'avéra qu'elle était mourante, avant qu'on ne la transporte en catastrophe à l'hôpital de Santa Monica, où on espérait que les médecins pourraient la ramener à la vie. Selon le patron du service des ambulances Walter Schaefer, un « acteur célèbre » l'accompagnait dans le véhicule qui fonçait vers l'hôpital. Ledit acteur ne pouvait être que Peter Lawford. Si notre analyse est exacte, ce fut sans doute lui qui suggéra, quand on constata son décès, de ramener son cadavre chez elle. Si l'hôpital avait été impliqué, il aurait eu du mal à « maîtriser » la situation et à laisser les Kennedy hors de l'équation.

Nous en savons bien davantage sur Lawford et sur ses faits et gestes qu'il ne le dit jamais parce que, des années

plus tard, le détective privé qu'il avait engagé, Fred Otash
(« Mr O »), révéla ce qu'il savait. A la lumière de ses propos, les trous devinrent plus faciles à remplir et les hypothèses moins fumeuses. Le fait que Lawford téléphona au
président Kennedy le matin du dimanche 5 août juste après
6 heures (9 heures du matin à Washington) ne relève pas
du domaine de l'hypothèse. On lui passa directement John
Kennedy et la conversation des deux hommes dura vingt
minutes. Le relevé de cette conversation resta secret jusqu'en 1991, au motif de la « sécurité nationale ». Le journaliste britannique Anthony Summers découvrit alors que
l'appel avait été automatiquement classé par la compagnie
du téléphone. Il provenait d'une résidence de Santa
Monica, sur la Pacific Coast Highway. On prétendit que
Lawford avait également appelé la Maison-Blanche plus tôt
encore, et de chez Marilyn. Cependant, on ne pourra obtenir une confirmation définitive de ce coup de fil qu'en
consultant les relevés téléphoniques confisqués par William
Parker, le chef de la police. Ceux de la Maison-Blanche ne
couvraient malheureusement pas l'heure en question.

Otash, après avoir été agent de la brigade des mœurs
dans la police de Los Angeles, était devenu détective privé.
Il travaillait pour un grand nombre de stars hollywoo-
diennes célèbres, dont Frank Sinatra, Judy Garland, Anita
Ekberg et Errol Flynn, ainsi que pour des personnages de
la mafia, parmi lesquels figurait Jimmy Hoffa. Lawford avait
engagé Fred Otash pour mettre ses téléphones sur écoutes
durant les années où il était marié à Pat Kennedy, et le
détective en avait conclu que l'acteur faisait surveiller sa
propre épouse. Il semblerait qu'Otash revint plus tard
mettre des micros dans la maison de la plage, cette fois pour
permettre à Bernard Spindel d'écouter pour le compte de
Jimmy Hoffa. Comme Otash était par ailleurs impliqué dans
le travail de surveillance effectué chez Marilyn par Bernard
Spindel et qu'il avait pris connaissance des enregistrements
effectués là-bas, il en savait un bon bout sur les événements.

Otash raconta que Peter Lawford l'avait appelé « peu
après minuit » le dimanche 5 août, pour lui annoncer qu'un

événement dramatique s'était produit. Il accepta de le recevoir à son bureau de Laurel Avenue, où Lawford arriva à
2 heures du matin. D'après Otash, l'acteur avait l'air « à
moitié imbibé, à moitié stressé ». « Lawford disait qu'il
venait de quitter Marilyn Monroe, qu'elle était morte et que
Bobby était venu plus tôt à son domicile. Il disait qu'ils
avaient fait sortir Bobby de Los Angeles, qu'ils lui avaient
fait regagner le nord de la Californie et il me demandait de
bien vouloir me rendre sur place et de tout faire pour vider
la maison de tous les objets susceptibles d'être compromet-
tants. Il [Lawford] disait : "J'ai pris ce que j'ai pu et je l'ai
détruit – c'est tout". »

Lawford confia donc à Otash le soin d'aller terminer le
travail. Le détective lui répondit qu'on le connaissait trop
pour qu'il pointe le nez au domicile de Marilyn, mais il
accepta d'envoyer là-bas l'un de ses hommes, expert en installation de systèmes d'écoutes, accompagné d'un flic de
Los Angeles qui n'était pas en service, pour accomplir ce
boulot. Il s'avéra qu'à leur arrivée la maison fourmillait de
monde, ce qui entrava beaucoup leur tâche. Ils parvinrent
néanmoins à identifier des objets que Lawford n'avait pas
repérés et à les emporter.

Lawford avait raconté à Otash que Marilyn et Robert
Kennedy s'étaient disputés – à propos de savoir s'il allait
l'épouser – et qu'en sortant de chez elle le ministre de la
Justice était revenu se plaindre chez lui : « Elle tempête et
fulmine. Je m'inquiète à son sujet et pour ce qui va sortir
de tout ça. » Selon Otash, Lawford avait alors téléphoné à
Marilyn, qui lui avait déclaré qu'on la passait à la ronde
comme un morceau de viande. Elle avait son compte. Elle
ne voulait plus se laisser utiliser par Bobby. Elle appela la
Maison-Blanche sans sucès. On lui fit savoir que John Kennedy était à Hyannis Port et elle ne parvint pas à le joindre.
L'acteur prétendait avoir tenté de la calmer et lui avoir pro-
posé de venir se détendre à la maison de la plage. Elle avait
répondu : « Non, je suis fatiguée. Rien ne peut plus me faire
réagir. Rends-moi juste un service. Dis au Président que j'ai
essayé de le joindre. Dis-lui au revoir pour moi. Je pense

que je ne sers plus à rien. » Peter Lawford aurait essayé de la rappeler mais le téléphone était décroché. Bobby se serait affolé. Il aurait demandé : « Qu'est-ce qui se passe ? – Rien, aurait répondu Lawford. Elle est comme ça. » Tous les renseignements précédents ont été communiqués par Otash, de Cannes où il avait pris sa retraite. Il est mort il y a quelques années.

Je trouve la version que donne Otash de ce coup de téléphone beaucoup plus crédible que celle de Peter Lawford, selon laquelle Marilyn semblait s'éteindre de déprime. D'autant qu'avant qu'elle ne commence à circuler, l'acteur lui-même aurait dit qu'il avait parlé à Marilyn et qu'elle « ne paraissait pas avoir de problème. Elle semblait en forme ».

Parmi les invités de Peter Lawford, ce samedi soir fatidique, figuraient Joe et Dolores Narr, qui déclarèrent par la suite n'avoir rien remarqué, au cours du dîner, ayant trait aux problèmes de Marilyn. Ils quittèrent la maison de la plage peu avant 23 heures, mais eurent droit à une démarche curieuse de l'acteur peu après être rentrés chez eux. Lawford, apparemment très inquiet, les appela pour leur dire que Marilyn avait avalé trop de médicaments. Joe Narr lui proposa d'aller voir ce qui se passait. Il se rhabilla en hâte, mais n'eut pas le temps de partir. Lawford le rappela pour lui dire qu'en définitive il n'était pas nécessaire qu'il aille chez Marilyn, qu'il ne s'agissait que d'une fausse alerte. Dolores Narr se souvient que Lawford leur dit que le médecin de Marilyn lui avait prescrit un sédatif et qu'elle se reposait.

Le producteur George Durgom comptait également au nombre des invités de Peter Lawford ce soir-là. Il se rappela qu'à son arrivée Pat Newcomb leur avait annoncé que Marilyn ne venait pas parce qu'elle n'était pas en forme. Fred Otash connaissait George Durgom. Lawford aurait confié à ce dernier que Robert Kennedy redoutait que la langue de Marilyn ne se délie. « Elle refuse de me parler, avait-il dit à Lawford. Fais-la venir sur la plage. » Le souci premier de l'acteur était d'éviter des ennuis aux frères Kennedy. Il semble avoir manipulé les Narr en leur laissant entendre qu'il s'inquiétait pour Marilyn, puis en s'arrangeant pour les empêcher d'approcher de la maison de la star.

Je ne peux pas dire que les propos de Deborah Gould m'aient inspiré une grande confiance. Lorsque je l'ai appelée pour prendre un rendez-vous avec elle, après avoir fait le déplacement de Los Angeles à Miami, elle m'a fait comprendre sans ambiguïté qu'elle ne m'accorderait pas d'entretien sans contrepartie financière. Avant de mourir, en 1984, Peter Lawford nia une grande partie des déclarations de Gould à propos de la mort de Marilyn. Son ex-femme mentionna néanmoins une chose qui mérite d'être retenue. Elle prétendait que, lorsqu'elle avait interrogé Lawford sur la manière dont Marilyn était morte, il lui avait répondu : « Elle a eu droit à son dernier grand lavement. » Déclaration bien antérieure au moment où on avança que c'était peut-être par le biais d'un lavement que Marilyn avait été assassinée.

Chapitre 21

Les bandes secrètes de Marilyn Monroe

Lorsque le coroner demanda au procureur adjoint du district de Los Angeles John Miner d'aller interroger le docteur Ralph Greenson trois jours après le décès de Marilyn Monroe, Miner se rendit auprès d'un homme qu'il connaissait et respectait. Il avait assisté à des conférences et des séminaires donnés par le psychiatre à l'université de Californie du Sud. Greenson était reconnu comme un homme aux facultés hors du commun. Outre divers articles et ouvrages, il avait signé *Explorations in Psychoanalysis,* livre devenu une véritable bible dans le monde de la psychanalyse.

C'était Greenson qui avait informé la police du suicide de Marilyn. A présent, il souhaitait revenir sur ses déclarations. Selon toutes les apparences, il avait été pris au piège de la conspiration montée au moment du décès de la star pour protéger les Kennedy. Mais cet homme intègre, ayant eu le temps de réfléchir au bourbier dans lequel il avait mis les pieds, désirait rétablir la vérité. Il fit clairement comprendre à Miner qu'il ne croyait pas qu'elle s'était suicidée et il accepta de lui faire écouter deux bandes sonores enregistrées par Marilyn, afin d'étayer la position qui était à présent la sienne. Certaines conditions accompagnèrent l'écoute de ces enregistrements. Miner était autorisé à faire état des conclusions qu'ils lui inspiraient, mais il ne devait divulguer leur contenu à personne, même pas au procureur ni au coroner. Miner les accepta et prit connaissance des bandes dont il effectua une transcription.

Il tint sa promesse jusqu'au jour où, vingt ans après la mort de Greenson, on essaya avec malveillance de faire passer le psychiatre pour un meurtrier, tandis que la mémoire de Marilyn était toujours entachée par la suspicion d'un suicide. Hildi, la veuve de Greenson, le délivra de cette promesse pour lui permettre de s'exprimer au nom du psychiatre lorsque la mémoire de ce dernier fut attaquée par des auteurs comme Donald Spoto, Marvin Bergman et d'autres. Miner fournit de brèves citations des transcriptions qu'il avait faites des bandes et n'en divulgua, jusqu'à aujourd'hui, que de rares extraits. A présent, il a accepté qu'elles figurent ici même dans leur totalité.

On a tout lieu de croire que Marilyn enregistra ces bandes très peu de temps avant sa mort et qu'elles ne furent pas détruites pour une seule raison : elle les avait remises au Dr Greenson, probablement le jour même de son décès. Voici donc la propre voix de Marilyn. C'est la seule trace qui subsiste de la star elle-même, qui nous parle de son état d'esprit à l'époque où elle mourut. Elle évoque, parmi d'autres sujets, son quotidien, les frères Kennedy, ses mariages et les raisons de leur échec, ses amis – Clark Gable, Frank Sinatra, Joan Crawford, Laurence Olivier et d'autres –, ses problèmes sexuels, le livre qu'elle est en train de lire, des expériences de relation lesbienne, et, plus significatif que tout, ses projets d'avenir.

Il est à noter qu'en dépit de l'attitude protectrice adoptée par le Dr Greenson à l'égard du contenu de ces bandes, elles n'entrent pas, à proprement parler, dans le cadre de son dossier médical sur Marilyn. Cette dernière les enregistra d'elle-même, en dehors du traitement qu'il lui prodiguait. Elle éprouvait des difficultés lors des séances d'analyse de libre association, car elle était incapable de se laisser aller en présence de son psychiatre. Elle les enregistra sans témoins, en privé, dans des conditions où elle parvenait à s'ouvrir complètement. Il s'agissait d'une expérience dont l'idée lui était venue, qui permettrait au Dr Greenson, à leur séance suivante, d'analyser en sa présence ces pensées associées librement. Elle évoque d'ailleurs cette idée au fil de ses réflexions.

Il s'agit donc, comme elle le définit elle-même, des « pensées les plus intimes, les plus secrètes, de Marilyn Monroe ». Sauf indication contraire, le texte reproduit en italiques dans les chapitres suivants correspond à la voix de Marilyn enregistrée sur ses bandes.

Chapitre 22

Les bandes secrètes :
sexe, littérature et la petite fille de son papa

Marilyn commence son enregistrement par :

« *Cher docteur,*
Vous m'avez tout donné. Grâce à vous, je suis aujourd'hui *capable de ressentir ce que je ne ressentais pas auparavant.* *Elle se révèle à elle-même et avec l'aide d'un autre. A pré-sent, je suis donc une femme femme (calembour volontaire* *– comme Shakespeare). A présent, je maîtrise donc les choses* *– je me maîtrise – je maîtrise ma vie.* »

Les auteurs qui ont imaginé que Ralph Greenson entrete-nait, sans tenir compte de la déontologie, une relation d'ordre sexuel avec Marilyn en sont sévèrement pour leurs frais dans les propos qu'elle tient ensuite. Propos qui sont soulignés plus tard lorsqu'elle évoque son désir d'être adop-tée par lui.

« *Que puis-je vous offrir ? Pas de l'argent – je sais bien* *que de ma part, cela ne signifierait rien. Pas mon corps –* *je sais que c'est impossible, à cause de votre éthique profes-sionnelle et de votre fidélité à votre merveilleuse épouse.* *Je vais donc vous offrir mon idée qui va révolutionner la* *psychanalyse.*
« *N'est-il pas exact que la libre association est la clé de*

l'analyse ? Marilyn Monroe associe. Vous, mon médecin, grâce à la compréhension et à l'interprétation des idées qui me passent par la tête parvenez à atteindre mon inconscient, et cela vous permet de traiter mes névroses et me permet de les surmonter. Mais lorsque vous me dites de me détendre et de vous confier mes pensées, j'ai un trou complet et je reste sans voix ; il s'agit là de ce que vous et le Dr Freud appelez résistance. Nous parlons donc d'autres choses et je réponds de mon mieux à vos questions. Vous êtes la seule personne au monde à laquelle je n'ai jamais menti et ne mentirai jamais.

« Oh oui, les rêves. Je sais qu'ils sont importants. Mais vous souhaitez que j'associe librement les éléments de mes rêves. Et j'ai le même trou. Une résistance supplémentaire dont le Dr Freud et vous avez le droit de vous plaindre.

« J'ai lu son Introduction à la psychanalyse. *Quel génie ! Il éclaircit tout si bien. Et il a tellement raison. N'a-t-il pas dit lui-même que Shakespeare et Dostoïevski comprenaient mieux la psychologie que tous les savants réunis ? C'est sûrement vrai.*

« Vous m'avez conseillé de me plonger dans les méandres mentaux de Molly Bloom (je sais employer les mots, non ?) pour me faire une idée de la libre association. C'est en le faisant que ma grande idée m'est venue à l'esprit.

« Pendant ma lecture, quelque chose me chiffonnait. Joyce écrit les pensées intérieures d'une femme. Mais peut-il connaître ses pensées les plus intimes ? Les connaît-il vraiment ? Après avoir achevé ma lecture, j'ai néanmoins compris que Joyce est un artiste capable de pénétrer dans l'âme des êtres humains, hommes ou femmes. Peu importe que Joyce ne possède ni seins ni autres attributs féminins ou qu'il ignore tout des crampes menstruelles. Attendez. Vous l'avez deviné, j'associe librement mes pensées, si bien que vous allez entendre beaucoup de langage cru. En raison du respect que j'éprouve pour vous, je n'ai jamais été capable de prononcer les mots qui me viennent vraiment à l'esprit lors de nos séances. Mais à présent, je vais dire tout ce que je pense, sans restriction.

« *Je peux le faire à cause de mon idée dont, si vous êtes patient, je vais vous parler.*

« *C'est drôle. Je vous demande d'être patient, alors que je suis votre patiente. Pourtant, être patient et être patiente, cela a une espèce de signification shakespearienne, non ?*

« *Revenons à Joyce. Pour moi, Leopold Bloom est le personnage central. Le Juif irlandais méprisé, marié à une catholique. A travers eux, Joyce développe une grande partie de ce qu'il veut nous dire. A mes yeux, la scène la plus érotique du livre est celle où Bloom observe la petite fille sur la balançoire. Est-ce que vous êtes d'accord ? Qu'est-ce qu'un Juif ? Dans ma profession, j'ai rencontré une quantité innombrable de Juifs. Il y a ceux qui, j'imagine, ont l'air juif, mais les Arabes aussi ; il y en a d'autres, qui ont des cheveux plus blonds et des yeux plus bleus que n'en a jamais eus Hitler. Et entre les deux, il y a ceux dont on ne peut pas deviner s'ils sont juifs ou non. A votre avis, comment Hitler s'y prenait-il pour savoir quels Juifs devaient être tués ? C'était impossible à partir de leur seul physique. J'ai rencontré bien trop de Juifs allemands qui, à leur apparence physique, auraient pu sans aucun mal passer pour des Aryens d'Hitler.*

« *Je serais incapable de dire que vous êtes juif d'un seul regard. Même chose avec les femmes.*

« *Je n'arrête pas de m'égarer. Oui mais c'est ça, la libre association.*

« *Très bien, mon idée ! Pour commencer, on a le médecin et on a le patient. L'expression "sujet" en analyse ne me plaît pas. Elle donne l'impression que soigner un esprit malade est autre chose que soigner un corps malade. Pourtant, vous et le Dr Freud affirmez que l'esprit fait partie du corps. Du coup la personne qui est traitée devient le patient. Je vous parie que Gertrude Stein dirait qu'une patiente est une patiente, est une patiente. Vous voyez, la libre association, ça peut être amusant.*

« *Bref, quand on est dans son cabinet, le médecin nous demande de lui dire tout ce qui nous passe par la tête, sans restriction. Et pas une seule idée ne nous vient à l'esprit. Le nombre de fois où je suis rentrée en larmes chez moi après une séance, parce que je me sentais coupable.*

« Pendant que je lisais les bavardages de Molly, cette fameuse IDÉE m'est venue à l'esprit. Prends un magnétophone. Mets une bande dedans. Allume-le. Dis tout ce qui te passe par la tête, comme je le fais maintenant. C'est vraiment facile. Je suis allongée sur mon lit, seulement vêtue d'un soutien-gorge. Si j'ai envie d'aller à la salle de bains ou d'ouvrir le frigo, il me suffit d'appuyer sur le bouton arrêt et de reprendre quand ça me plaira.

« Et je me contente d'associer librement. Pas de problème. Vous avez compris, non ? La Patiente ne peut pas faire ça dans le cabinet du Médecin. La Patiente est chez elle avec son magnétophone. La Patiente associe librement sans[1] difficultés. La Patiente envoie la bande au Médecin. Une fois que le Médecin l'a écoutée, la Patiente vient à son rendez-vous. Il lui pose des questions à son sujet, il l'analyse. La Patiente se fait traiter. Oh oui, elle peut aussi raconter ses rêves sur la bande – juste après son réveil. Vous savez bien que j'oublie mes rêves ou que je ne sais même pas si j'en ai fait.

« Le Dr Freud disait que les rêves sont la via regia *vers l'inconscient. Je vais donc vous raconter mes rêves sur ces bandes.*

« Très bien, Dr Greenson, vous êtes le plus grand psychiatre du monde. A vous de me dire. Est-ce que Marilyn Monroe a inventé un moyen important de mieux faire fonctionner la psychanalyse ? Après avoir pris connaissance de mes bandes et vous en être servi pour me traiter, vous pourriez peut-être publier un article dans un journal scientifique. Ça serait sensationnel, non ? Je ne veux aucun cachet. Je ne veux pas que vous m'identifiez dans votre article. Mon cadeau, c'est ça. Je n'en parlerai jamais à personne. Vous serez le premier à apprendre à votre profession comment faire tomber la résistance. Peut-être que vous pourriez breveter cette idée. Et en accorder la licence à vos collègues. Posez la ques-

---

1. En français dans le texte (*N.d.T.*).

tion à Mickey. [Marilyn se réfère ici à Milton (Mickey) Rudin, son avocat.] »

Dans l'intimité de sa chambre Marilyn se laisse aller à ses pensées et parle au Dr Greenson comme elle n'a jamais été capable de le faire dans son cabinet.

« *Vous êtes la seule personne qui connaîtra jamais les pensées les plus intimes, les plus secrètes de Marilyn Monroe. J'ai en vous une foi, une confiance absolues. Ce que je vous ai dit quand je suis devenue votre patiente était vrai. Je n'avais jamais eu d'orgasme. Je me rappelle parfaitement que vous m'avez dit qu'un orgasme se produit dans la tête, pas dans les organes sexuels.* »

Marilyn développe alors le sujet du langage explicite, disant qu'elle préfère les termes crus à leurs équivalents plus policés.

« *Je ne pense pas que ce sont les mots en eux-mêmes qui sont grossiers, c'est la façon dont les gens les utilisent.*
« *Cela ne me gêne pas, mais cette fichue association libre pourrait rendre quelqu'un fou. Oh, oh, fou me fait penser à ma mère.* »

Marilyn vivait dans la peur de la folie. Son grand-père maternel, Otis Monroe, mourut d'un problème au cerveau et son arrière grand-père maternel, Tilford Hogan, se pendit à l'âge de quatre-vingt-deux ans. Sa grand-mère maternelle, Della, mourut à cinquante et un ans dans un asile psychiatrique, un an après la naissance de Marilyn, tandis que sa mère était internée au Sanatorium de Rock Haven. Avec les connaissances plus développées dont nous disposons aujourd'hui, nous savons qu'Otis Monroe mourut d'une maladie cérébrale, et en aucun cas de folie. Il contracta la syphilis, endémique au Mexique où il vivait. Cette maladie se transmettait là-bas, non par voie sexuelle, mais en raison des déplorables conditions sanitaires locales.

Il se peut que Tilford Hogan ait mis fin à ses jours à un moment où « son équilibre mental était perturbé », selon les termes des avocats, mais on ne dispose d'aucune preuve qu'il souffrait d'une maladie mentale. Gladys Baker, la mère de Marilyn, était une monteuse de cinéma habile, apparemment tourmentée par les convictions religieuses qui l'habitaient. On la fit interner dans un asile, mais il semble des plus improbable qu'on lui aurait réservé le même sort aujourd'hui. Au dire de tous, elle était certainement perturbée, mais absolument pas folle. Marilyn nourrissait des soucis infondés, mais on ne peut nier qu'elle était très angoissée et vivait dans la peur d'être condamnée à finir folle comme les autres membres de sa famille.

« Je ne vais pas tout de suite associer librement à son sujet [sa mère]. *Laissez-moi en finir avec mes pensées sur les orgasmes. Vous dites qu'une personne dans le coma ou paraplégique n'a pas d'orgasme parce que la stimulation génitale n'atteint pas le cerveau, mais qu'un orgasme peut se produire dans le cerveau sans aucune stimulation génitale. »*

Marilyn développe cette idée, parle de ses rêves et aborde les problèmes évoqués par le Dr Greenson à propos de son incapacité à avoir un orgasme.

« Vous m'avez dit qu'un obstacle, dans mon cerveau, m'empêchait d'avoir un orgasme ; qu'il s'agissait d'un événement que j'avais vécu dans ma petite enfance, à propos duquel j'éprouvais une telle culpabilité que je ne pensais pas mériter le plus grand des plaisirs ; qu'il se rapportait à quelque chose de très mal dans le domaine sexuel et que je culpabilisais d'en avoir éprouvé du plaisir. »

Le Dr Greenson était cependant parvenu à vaincre ses peurs.

« Que Dieu vous bénisse, docteur. Vos propos sont pour moi paroles d'Evangile. Que d'années gâchées ! Comment

puis-je vous expliquer, à vous, un homme, ce qu'une femme ressent dans l'orgasme ? Je vais essayer. Imaginez un appareillage électrique équipé d'un rhéostat. Quand vous le tournez lentement, l'ampoule commence à s'éclairer. Petit à petit la lumière s'amplifie jusqu'à devenir éblouissante en un éclair. Quand vous l'éteignez, elle baisse peu à peu et finit par se dissiper tout à fait.

« *J'ai un rêve à vous raconter. J'ai rêvé que j'étais assise sur les genoux de Clark Gable. Il m'enlaçait. Il me disait :* "*Ils veulent que je tourne une suite d'*Autant en emporte le vent. *Je vais peut-être accepter si tu joues ma Scarlett.*" *Je me suis réveillée en pleurant. Ils l'appelaient le Roi, et les acteurs et l'équipe, Huston lui-même, lui manifestaient un respect et une déférence incroyables.* [Marilyn se réfère ici au tournage des Désaxés, son film le plus récent.] *J'espère qu'on me traitera comme ça un jour. Pour tout le monde sur le plateau il était M. Gable, mais il me demandait de l'appeler Clark.*

« *Il se faisait énormément de souci pour les animaux. Malgré tous ces inspecteurs de la SPA qui fourmillaient autour de nous, il n'arrêtait pas d'exiger qu'on ne fasse aucun mal aux chevaux. Ironiquement, c'est un cheval qui l'a blessé. On m'a raconté qu'après qu'il se fut fait traîner par le cheval, il lui a caressé les naseaux quand il s'est calmé et lui a donné un morceau de sucre. Il était tellement gentil avec moi alors que je ne le méritais pas. J'avais des problèmes avec Arthur, j'étais malade et, à cause de moi, le tournage prenait beaucoup de retard. Clark me protégeait d'Huston qui m'en faisait voir de toutes les couleurs.* »

Les Désaxés fut le dernier film que tourna Gable avant sa mort. Le week-end suivant la fin du tournage, il se plaignit de graves douleurs dans la poitrine et succomba à une crise cardiaque. Sa femme, Kay, aurait attribué son décès au stress qu'il avait dû subir pendant ce tournage où il passait des heures interminables à attendre et, sans l'exprimer ouvertement, elle aurait rendu Marilyn responsable de cette tension. Il est évident que Marilyn était une retardataire invétérée, et tout aussi évident que ses retards provoquaient une grande tension. Des journalistes demandèrent à Marilyn si elle en éprouvait une culpabilité, mais nous découvrirons un peu plus tard sur ses bandes que cela était loin d'être le cas. Elle avait le sentiment d'avoir donné quelque chose à Gable. Quoi qu'il en soit, Kay envoya une invitation à Marilyn pour le baptême du fils de Clark, John, qui naquit après la mort de son père.

Marilyn avait vu une photographie de l'homme qui était censé être son père. Il portait un chapeau mou et arborait une fine moustache à la Clark Gable, en qui on a souvent pensé qu'elle voyait un père de substitution. *Les Désaxés* devait également être le dernier film de Marilyn. Celui dont elle allait reprendre le tournage au moment de son décès, *Something's Got to Give*, ne fut jamais achevé. Sur ses bandes, elle continue à parler de Gable :

« Dans les scènes de baiser, je l'embrassais de tout mon cœur. Je ne voulais pas coucher avec lui, mais je voulais lui montrer la grande affection et la grande estime que je lui portais. Il m'a raconté qu'il avait été chasseur pendant longtemps mais qu'il avait décidé de ne plus tuer les animaux. Il m'a dit que s'il avait des enfants, il leur apprendrait à chasser avec un appareil photo à la place d'un fusil.

« Lorsque je suis revenue après m'être absentée un jour du plateau, il m'a tapoté les fesses et m'a dit que si je me conduisais mal, il me flanquerait une bonne fessée. Je l'ai regardé dans les yeux et je lui ai répondu : "Chiche !" Il a éclaté d'un rire si bruyant que c'en était déchirant. A cause de lui, j'ai vu Autant en emporte le vent *un nombre incalculable de fois. Il était parfait. Ça me rend folle à hurler que ces idiots de l'Académie ne lui aient pas donné l'Oscar. Il aurait dû le remporter haut la main.*

« Tout ça se passait il y a très longtemps. Je devais avoir environ treize ans. Je n'ai jamais vu d'homme plus romantique que lui dans ce film. Quand je l'ai connu, c'était différent. Là, j'aurais voulu qu'il soit mon père. Je me fichais qu'il me donne la fessée, du moment qu'il compensait ça par un

câlin, en me disant que j'étais la petite fille de son papa et qu'il m'aimait. Bien sûr, tout ça n'est qu'un fantasme. »

Ces réflexions déclenchent une autre série d'idées tournant autour de son besoin d'avoir une famille.

« Depuis que vous m'avez accueillie chez vous et permis de rencontrer votre famille, je pense à ce que ce serait d'être votre fille au lieu de votre patiente. Je sais bien que c'est impossible pendant que je suis votre patiente, mais une fois que vous m'aurez guérie, peut-être que vous pourriez m'adopter. Du coup, j'aurais le père que j'ai toujours voulu avoir et votre femme, que j'adore, pourrait devenir ma mère, et vos enfants, mes sœurs et frères. Non, Docteur, je ne vous forcerai pas. Mais c'est beau d'y penser. J'imagine que vous savez que je pleure.

« Maintenant, je vais m'arrêter un peu. »

Marilyn nourrissait toujours le rêve nostalgique de faire partie d'une famille stable et aimante. Ici, elle exprime clairement son désir. Puis elle reprend...

« Quand Clark Gable est mort, j'ai pleuré pendant deux jours d'affilée. Je ne pouvais plus ni manger ni dormir. J'ai éprouvé un peu de réconfort de l'avoir fait rire comme ça. Est-ce qu'il y a un Dieu ? Il doit être cruel, pour ne pas avoir laissé vivre Clark assez longtemps pour qu'il apprenne à son fils à chasser avec un appareil photo. »

Elle se lance alors dans une tirade à propos de ses amants passés et du peu d'importance qu'ils représentaient pour elle. Exception faite, cependant, de Johnny Hyde, qui fut son agent jusqu'au jour où il mourut.

« Johnny Hyde était quelqu'un de particulier. Physiquement, il ne cassait pas la baraque. Une petite crevette. Une petite crevette, c'est redondant ou tautologique ? Je m'emmêle toujours les pinceaux. Bref, il m'arrivait tout juste au

menton. Johnny était effronté. Il n'y avait pas meilleur agent dans la profession. Les patrons des studios et les directeurs de casting le respectaient. Il tenait toujours sa parole. Quand il concluait une affaire, on n'avait pas besoin de ces fichus avocats.

« Cet homme prenait un soin de moi incroyable. Il avait divorcé et acheté une maison pour qu'on puisse y vivre tous les deux. Il m'achetait des vêtements, payait ma coiffeuse, mes factures de produits de beauté et mes frais médicaux. Il était mon agent et m'obtenait de meilleurs rôles et des cachets plus élevés qu'avant. Bizarre, pourtant. Il prenait toujours son pourcentage d'imprésario. Disait que ça m'obligeait à rester professionnelle. Après quoi, il tournait les talons pour aller dépenser une fortune pour moi.

« On racontait beaucoup qu'il faisait tout ça pour me contraindre à l'épouser. Je l'aurais probablement fait s'il l'avait désiré. Mais en vérité, il pensait que le mariage ferait du tort à ma carrière. Il disait que si je suivais ses conseils, il ferait de moi une grande star. J'étais tout pour lui : femme, mère, sœur, fille, maîtresse. Personne ne pourra m'aimer ou ne m'aimera davantage que Johnny H. J'aimais ce petit gars, mais je n'ai jamais été amoureuse de lui. Je faisais tout ce qu'il désirait, et en racontant tout ça, je n'ai fait qu'effleurer la surface. Simplement, j'étais incapable d'éprouver pour lui le genre d'amour qu'il éprouvait pour moi. Nous savions tous les deux qu'il avait le cœur fragile. Son médecin lui avait dit que s'il voulait rester en vie, il devait cesser de me voir et arrêter de travailler. Il ne l'a pas fait, et il est mort subitement avant d'avoir rempli sa promesse de me coucher sur son testament. C'est la vie[1]. »

A la mort de Johnny Hyde, Marilyn dut quitter sur-le-champ la maison qu'elle habitait avec lui. La famille de Johnny n'avait pas de temps à perdre avec elle.

« On a raconté à la ronde que c'était ma relation avec lui qui avait tué Johnny. Ils perdent leur temps à essayer de me

---

1. En français dans le texte (*N.d.T.*).

culpabiliser. J'ai offert à Johnny le plus grand bonheur de son existence. Il n'en aurait pas échangé un seul jour contre une vie entière. »

Marilyn change complètement de sujet et aborde ensuite la manière dont elle est sortie un jour faire une expérience. L'idée lui en était venue après avoir entendu une histoire à propos d'un calife ou d'un sultan qui s'était mêlé incognito à son peuple, pour savoir ce qu'il pensait de lui. Elle ne s'était pas maquillée et s'était déguisée à l'aide d'une perruque brune accompagnée de lunettes cerclées d'écaille, et avait emprunté ensuite neuf taxis dans le seul but de poser une question au conducteur. Contre un billet de 10 dollars, elle avait demandé à chacun de lui citer la femme avec laquelle il aimerait le plus sortir ce soir-là. Six d'entre eux avaient répondu : Marilyn Monroe.

Chapitre 23

Les bandes secrètes : l'impact d'Olivier

« *Il y a quelqu'un, à la radio, qui essaie de ranimer les braises de la prétendue querelle* [Joan] *Crawford-Marilyn Monroe. C'est vrai qu'elle a eu des mots assez mesquins à mon égard il y a quelque temps. Mais qu'est-ce que ça peut me faire ? J'ignore pourquoi elle a fait ça. Au début, Crawford et moi avons sympathisé. Comme d'habitude, Shakespeare le dit mieux que moi : "Celui qui m'enlève ma bonne réputation me dépouille, non pas de ce qui l'enrichit, mais de ce qui m'appauvrit vraiment." Non, docteur, je n'ai pas cherché cette citation. J'ai beaucoup lu Shakespeare. Ça me rappelle* Le Prince et la Danseuse.

« *Olivier est venu me voir dans ma loge pour me passer un savon parce que je bousillais tout. Je l'ai calmé en lui disant que je trouvais que son Hamlet était l'un des plus grands films jamais réalisés. Vous savez qu'il lui a valu un Oscar. Mais ce Prince était un vrai clown. Il était superficiel – non, ce n'est pas le mot juste –, hautain, arrogant, snob, suffisant. Voire même un peu antisémite, dans la mesure où certains de mes meilleurs amis sont juifs. Mais maudit soit-il, quel grand, grand acteur !* »

Sir Laurence Olivier et Marilyn ne s'entendirent pas très bien sur le tournage du *Prince et la Danseuse*. La compagnie de production de Marilyn finançait ce film, ce qui témoigne de la confiance qu'elle portait à Olivier. En qualité de coproducteur et de metteur en scène, celui-ci s'attaquait pour la première fois à une comédie et ne semblait pas avoir trouvé les marques de son personnage. De son côté, Marilyn avait l'impression que son sens inné de la comédie convenait bien à son rôle. Olivier critiquait Lee Strasberg, son coach, allant même jusqu'à dire qu'au lieu de l'aider à développer son talent naturel, il le réprimait. Comme d'habitude, Paula, la femme de Lee, papillonnait sur le plateau. Tous les conflits susceptibles de surgir lors de la création d'un film régnaient sur celui du *Prince et la Danseuse*.

Marilyn avait épousé Arthur Miller juste avant le début du tournage. Il l'avait accompagnée en Angleterre où se tournait le film. Il était censé se consacrer à l'écriture, mais il parvint néanmoins à se mêler de la production et, pour couronner le tout, à s'aliéner Marilyn en se rangeant du côté d'Olivier, alors qu'elle éprouvait le besoin d'être soutenue. Ils n'avaient convolé que depuis quelques semaines lorsque Marilyn tomba sur des notes qu'il avait rédigées à son propos. Elle eut un choc épouvantable en découvrant qu'elle l'avait déçu. A ses proches, elle résuma la teneur de ce qu'il avait écrit : « Sa première femme l'avait laissé tomber, mais j'avais fait pire. Olivier commençait à dire que j'étais une sale faiseuse d'embrouilles et Arthur lui répondait qu'il n'avait aucune réponse convenable à apporter à cette constatation. »

Marilyn, retardataire invétérée, arrivait chaque jour de plus en plus tard. Bien qu'on l'eût prévenu de ce défaut, Olivier en éprouvait néanmoins de l'exaspération, et répliquait par des remarques d'un « humour » cinglant. Les affrontements entre les personnes qui exerçaient une influence sur le déroulement du tournage créaient une grande tension. On en arriva même à l'épreuve de force : Olivier donna l'ordre à Paula Strasberg et Hedda Rosten – l'épouse du poète Norman Rosten qui servait de secrétaire à Marilyn – de vider les lieux. Mais face à l'ultimatum de cette dernière – « elles restent ou c'est moi qui pars » – les deux femmes restèrent. Malgré tout, le film connut un certain succès et Marilyn garda de ce côtoiement avec Olivier une affection pour Shakespeare et une admiration des plus vive pour le jeu de son partenaire.

« *Pendant une réception, il* [Olivier] *a raconté deux ou trois blagues juives. Arthur disait que son accent yiddish était parfait. Je lui ai raconté que Lee Strasberg avait dit que j'étais faite pour Shakespeare. Qu'en pensait-il ? Olivier m'a répondu : "Marilyn, si vous travaillez avec Lee plus dur que vous n'avez jamais travaillé et si vous acquérez les bases, venez me voir, je vous aiderai. Voici ce qui vous attend..." Et Olivier a récité du Shakespeare pendant deux heures d'affilée. Tout, de Hamlet à Shylock. C'était magique. Je n'ai jamais rien entendu de plus magnifique. Il a terminé par : "Elle serait morte un jour. Le temps serait venu, de cette chose. Demain, puis demain, puis demain, se traîne à petits pas, et tous nos hiers ont éclairé des sots, marchant vers leur mort poussiéreuse. La vie n'est qu'une ombre mouvante, un pauvre acteur, qui se pavane et s'agite l'heure qu'il est en scène, et puis qu'on n'entend plus. C'est un conte dit par un idiot, plein de bruit et de fureur, et qui n'a pas de sens." Olivier a dit : "Ça résume tout", il a souri et il est parti. Je suis restée là à pleurer d'avoir bénéficié d'un tel privilège.* »

Le Prince et la Danseuse fut produit par Warner Brothers en 1957. Marilyn enregistra cette bande en 1962, juste avant sa mort. Cinq ans plus tard, l'impact exercé sur elle par Laurence Olivier ne s'était donc pas estompé. Ce film modifia ses ambitions. Elle se voyait à présent comme une future grande actrice shakespearienne. Elle le déclarait de manière très positive au Dr Greenson.

« *Si je dois faire d'autres films pour ces s... de la Fox, je serai l'actrice la mieux payée d'Hollywood, avec un salaire deux fois plus élevé que celui qu'ils donnent à Taylor et un pourcentage sur les recettes. Je choisirai le scénario, le metteur en scène et la distribution. Les films seront des succès au box office. Je placerai une partie des millions que je gagnerai dans des investissements sans risques. J'investirai le reste dans mon projet. Je prendrai une année entière pour étudier Shakespeare, jour et nuit, avec Lee Strasberg. Je le paierai pour qu'il se consacre entièrement à moi. Il a dit que je pouvais jouer Shakespeare. Je l'obligerai à le prouver. Cela me procurera les bases que souhaitait Olivier. Puis j'irai voir Olivier pour lui demander l'aide qu'il m'a promise. Et je le paierai ce qu'il voudra. Après, je produirai et jouerai dans le "Festival de cinéma Shakespeare-Marilyn Monroe" qui sera consacré à la version cinématographique de ses plus grandes pièces.*

« *J'ai besoin de vous pour m'aider à rester solide pendant un an ou deux. Je vous paierai pour être votre seule patiente. Oh, je vous ai fait un autre cadeau.* J'ai jeté tous mes médicaments dans les toilettes. *Vous voyez à quel point mon projet est sérieux ?*

« *J'ai lu tout Shakespeare et étudié un grand nombre de ses vers. Je n'aurai pas à me soucier des scénarios. Le plus grand des scénaristes ayant jamais existé travaillera pour moi et je n'aurai pas à le payer. Oh, Monroe s'impliquera. Je commencerai par interpréter Juliette. Avec les prouesses dont sont capables les maquilleurs, les costumiers et les cameramen, je ferai une Juliette de quatorze ans, une vierge innocente, mais dont la féminité naissante est fantastiquement sexy.*

« *J'ai plusieurs idées formidables pour Lady Macbeth et la reine Gertrude. Je suis persuadée que je remporterai un Oscar pour une ou plusieurs de mes interprétations des personnages féminins de Shakespeare. Oui, docteur, c'est cela que je vais faire. C'est à vous, docteur, que je dois d'en être capable.* »

Marilyn avait une grande soif d'apprendre, son appétit de connaissances était insatiable et elle rêvait vraiment de devenir une artiste accomplie. Parmi les nombreux livres de sa bibliothèque figurait un exemplaire de *How Stanislawsky Directs* de Michael Gorchakov. Dans son ouvrage *Les Vies secrètes de Marilyn Monroe*, Anthony Summers observe que ce titre « reflétait l'objectif que Marilyn voulait sincèrement atteindre : sa détermination à devenir une actrice sérieuse ».

John Huston lui-même, qui mit en scène *Les Désaxés* et qui n'avait pas vraiment d'affinités avec elle, reconnut qu'elle avait quelque chose de spécial. Il déclara : « Elle pourrait devenir une excellente actrice. » Dans la bouche de ce maître, il s'agissait d'un véritable compliment.

Aucun des vingt-neuf films que tourna Marilyn ne lui offrit l'occasion de prouver qu'elle était une actrice talentueuse. Certains d'entre eux, cela est vrai, lui permirent de se montrer sous un meilleur jour que d'autres, mais les producteurs ne la considéraient pas comme une bonne actrice et lui faisaient parvenir des scénarios à l'image de l'idée qu'ils se faisaient d'elle. Bien qu'un film comme *Les Désaxés* eût commencé à effacer son image de « blonde idiote », les scénaristes, les producteurs et le public dans son ensemble continuaient à la voir esentiellement sous ce jour.

Il lui fallait néanmoins faire davantage qu'ouvrir les yeux de ses employeurs. Sous l'influence, probablement, de ses agents de publicité qui lui ordonnaient de le faire, Marilyn ne tendait que trop souvent, lors de ses apparitions publiques, à s'identifier au rôle de « blonde idiote » qu'elle interprétait dans ses films. Elle donnait d'elle-même l'image d'une fille effervescente, au filet de voix et à la cervelle d'oiseau, qui ne l'aidait pas à promouvoir son envie d'être reconnue comme une actrice sérieuse. Ses amis ne la traitaient pas avec condescendance et n'avaient donc aucun problème à comprendre son ambition de changer de cap, mais pour se débarrasser de l'image créée par le studio, elle allait devoir tout reconsidérer dans sa vie. Cette évolution serait courageuse et présenterait des dangers. De plus, après avoir fermé une porte derrière elle, la rouvrir s'avérerait peut-être difficile si elle ne parvenait pas à concrétiser ses ambitions.

Au moment où elle enregistra ces bandes, Marilyn était plutôt satisfaite de s'être vu confier le rôle d'Ellen dans *Something's Got to Give*, une femme intelligente et pas du tout évaporée. Après un naufrage, Ellen avait survécu plusieurs années sur une île déserte. Enfin secourue, elle voulait reprendre la vie commune avec époux et enfants. Mais son mari venait juste de reconvoler. Les cloches du mariage tintaient encore le jour du retour d'Ellen à la civilisation. Ce film allait lui permettre d'accomplir un premier pas dans la bonne direction. Le personnage d'Ellen l'éloignait nettement de celui de *Les hommes préfèrent les blondes* et de Cherie, l'héroïne un rien vulgaire de *Bus Stop*.

Après s'être remise de ses déboires du tournage de *Something's Got to Give*, de son renvoi et du règlement avantageux des conditions de son retour sur le plateau, Marilyn avait décidé d'effectuer des changements radicaux dans sa vie. Elle avait licencié Paula Strasberg, pour cause d'interférence sur le tournage, et rogné aussi les ailes du Dr Greenson en lui interdisant de négocier à sa place avec le studio. A présent, elle voulait aussi se débarrasser de Mme Murray.

« Mais venons-en à quelque chose de sérieux, docteur. Je veux que vous m'aidiez à me débarrasser de Murray. Hier soir, pendant qu'elle me faisait un lavement, je me suis dit : ma petite dame, vous vous y prenez très bien, mais il faut que vous partiez. Mais comment m'y prendre ? Je ne peux pas la renvoyer sans autre forme de procès. Le résultat, un livre intitulé "Les Secrets de Marilyn Monroe par sa gouvernante", ne se ferait pas attendre. Elle gagnerait une fortune en déballant ce qu'elle sait et elle en sait beaucoup trop. Voici mon idée : Vous lui annoncez que vous avez un patient gravement malade ou suicidaire ou vous en inventez un. Ce patient a un besoin urgent des services de Murray. Et moi, gracieusement, les yeux mouillés de larmes, j'accepterai de me séparer d'elle. Je lui accorderai une prime de séparation substantielle, mais il faudra qu'elle signe une décharge selon laquelle elle s'abstiendra d'écrire sur moi et de donner des interviews à mon sujet. Demandez à Mickey [Milton Rudin, son avocat] s'il est possible de faire respecter ce genre de contrat. Docteur, en vérité, elle et moi, nous ne nous aimons pas. Je ne supporte pas l'insolence et l'irrespect qu'elle manifeste chaque fois que je lui demande de faire quelque chose. Si vous avez une meilleure idée, je vous prie de me la communiquer. »

Cette démarche était tout à fait avisée de la part de Marilyn. Le Dr Greenson et Mme Murray étaient de vieux amis. Le Dr Greenson avait racheté la maison de Mme Murray et c'était lui qui avait « trouvé » la gouvernante pour Marilyn. Apparemment, la star venait de comprendre que Mme Murray servait plus d'espionne à Greenson qu'elle n'était sa gouvernante. Il est probable que le médecin l'avait placée là bien davantage en raison de ses antécédents d'infirmière en psychiatrie que de ses talents ménagers. Marilyn était cependant désireuse de ne pas blesser le Dr Greenson. En projetant de l'impliquer dans le renvoi de Mme Murray – ou en lui demandant de lui suggérer une autre façon de se débarrasser d'elle – elle mettait habilement la balle dans son camp. Ce qu'elle omettait de dire au Dr Greenson, c'est que comme Mme Murray allait prendre des vacances, elle lui avait versé un mois de salaire en lui disant qu'elle n'avait pas besoin de revenir avant septembre. Cela lui laissait un mois pour résoudre le problème avec son psychiatre. En tout cas, elle paraissait bien décidée à renvoyer Mme Murray, que cela plût ou non au psychiatre.

Même s'il nous est impossible de savoir ce que Marilyn pensait en son for intérieur, le contenu des enregistrements, en dépit de ce qu'ont avancé certains auteurs, ne laisse en aucun cas suggérer qu'elle avait également l'intention de se débarrasser du Dr Greenson. Elle semble encore s'appuyer énormément sur lui et elle l'inclut, de même que ses services, dans ses projets à long terme. L'allusion à son désir de se faire adopter par lui, afin de devenir un membre à part entière de sa famille, indique par ailleurs qu'elle éprouve pour lui une immense affection.

Chapitre 24

Les bandes secrètes : maris, amis et autres

Joan Crawford et Marilyn étaient des amies proches.

« Nous sommes allées chez elle pour boire un cocktail. Elle m'a demandé si cela ne m'ennuyait pas d'attendre pendant qu'elle faisait un lavement, prescrit par le médecin, à sa fille qui avait la grippe. Mais la petite fille hurlait qu'elle ne voulait pas de lavement et refusait de laisser faire sa mère. J'ai bien vu que Crawford s'énervait tellement qu'elle allait la frapper. »

La fillette était si bouleversée que Marilyn intervint et proposa de faire le lavement. Il était évident que Crawford s'y prenait mal.

« J'ai fait le lavement à ce petit ange avec tant de douceur que cela l'a fait pouffer de rire. Joan m'a jeté un regard aigre et m'a dit : "Je ne crois pas qu'il faille gâter les enfants." J'ai eu l'impression qu'elle avait tendance à faire preuve de cruauté envers sa fille. »

Ceux qui se sont interrogés sur la sexualité de Marilyn trouvent une réponse dans ses enregistrements. Elle décrit en détail un moment intime où elle a fait l'amour avec Joan

Crawford. Crawford, déclare-t-elle, voulait poursuivre cette relation, contrairement à elle qui s'y opposait totalement.

« Je lui ai déclaré sans ambages que je n'éprouvais pas de plaisir à le faire avec une femme. Une fois que je l'ai rejetée, elle est devenue malveillante. Un poète anglais le décrit mieux que moi : "Le ciel ne connaît pire tempête que l'amour transformé en haine et l'enfer ne connaît pire furie qu'une femme méprisée." La plupart des gens attribuent à tort cette citation à Shakespeare. En fait, elle est de William Congreve. C'est moi, Marilyn Monroe, l'érudite. »

Marilyn fait plusieurs citations de ce genre, comme si elle tenait à étaler son savoir et à bien montrer qu'elle possède une culture livresque.

Elle en revient aux lavements. Elle se souvient de ce que le Dr Greenson lui a dit à propos de leurs effets psychologiques et se réfère à ce qu'elle a appris sur Freud. Ces propos se rapportent à ses déclarations sur ses difficultés à avoir un orgasme et à des problèmes qu'elle a eus dans son enfance.

« Vous savez que je n'ai que de piètres souvenirs de ma petite enfance. Après l'épisode du lavement de la petite fille de Crawford, je me suis un peu souvenue de ceux qu'on me faisait quand j'étais petite. Ils appartenaient à la catégorie des souvenirs refoulés, comme vous et le Dr Freud les appelez. Je vais travailler là-dessus et vous remettre une autre bande.

« Cependant, docteur, je ne comprends pas ce gros tabou au sujet des lavements. La plupart des actrices de ma connaissance y ont recours, y compris celles qui refusent de le reconnaître. Mae West m'a raconté qu'on lui en faisait un tous les jours. Mae prétend qu'ils vont lui permettre de rester jeune jusqu'à 100 ans. J'espère qu'elle y arrivera. C'est une dame gentille, même si elle a refusé de faire un film avec moi. Cela ne fait que prouver son intelligence. Avant qu'elle ne m'en parle, j'étais au courant de ses lavements par Jim Bacon. Il m'a dit que Gloria Swanson en fait deux ou trois par jour.

Regardez-les. Pour des femmes postménauposées, elles sont plutôt sensationnelles.

« Peter Lawford m'a montré des seringues à piston qu'il s'est procurées en France. Il dit qu'à la cour de Louis XIV la reine et les femmes de la noblesse avaient droit à de fréquents lavements que leur prodiguaient des domestiques préposés à cette tâche, appelés apothicaires. Il s'agissait de leur donner un teint de pêche crémeux et de les empêcher d'avoir des boutons causés par la constipation. J'ai posé la question à mon gastro-entérologue. Il m'a confirmé que la constipation pouvait effectivement provoquer des boutons. Ça a quelque chose à voir avec les toxines intestinales qui se répandent dans le sang. Nous y voilà. Ces dames de la Cour s'y prenaient de manière intelligente.

« Eh oui, j'aime bien les lavements. Et alors ! Ils font vraiment disparaître les crampes et la diarrhée provoquées par les laxatifs. On s'est amusés avec ces seringues à piston pendant des réceptions dans la maison de la plage. Peter jure [...] que l'une d'elles [...] appartenait à la comtesse du Barry. »

Marilyn évoque le fait que quelqu'un l'a mise à bout et qu'elle ne sait pas bien comment réagir.

« J'ai demandé conseil à Frank Sinatra. Il m'a répondu : "Marilyn, mon chou, n'y prête pas attention. Si tu t'en prends à un de ces salauds, tu lui donnes de l'importance et tu te rapetisses." J'imagine que si quelqu'un sait s'y prendre, c'est bien Frank. Il est au pinacle de sa profession et, en outre, c'est un excellent acteur. Vous savez qu'il a obtenu un Oscar pour Tant qu'il y aura des hommes. *Sous le couvert de l'anonymat, il est venu en aide à bien plus de gens que n'importe qui. Et ces journalistes minables le couvrent de mensonges sur ses relations avec la mafia et les gangsters. Et Frank se contente d'encaisser. C'est un ami merveilleux. J'adore Frank et il m'adore. Pas le genre d'amour qui mène au mariage. Tant mieux, parce que, comme ça, le mariage ne peut pas le détruire. Je suis bien placée pour le savoir. Le mariage a détruit ma relation avec deux hommes merveilleux. »*

Marilyn fait ici preuve de générosité envers Sinatra à bien des égards. Ils ont eu une aventure amoureuse quelque temps auparavant, qui s'est conclue par les fiançailles de Sinatra avec la danseuse Juliet Prowse, sans qu'il ait eu la courtoisie d'annoncer à Marilyn que leur liaison était terminée. Il ne leur a cependant pas fallu longtemps pour reprendre leur amitié et Marilyn, comme on le constate dans ses enregistrements, le défend contre vents et marées.

Les propos de Marilyn ne sont destinés qu'au Dr Greenson : ils trahissent le fait qu'elle savait parfaitement que Sinatra frayait avec des personnages de la pègre. Quand elle se sépara d'Arthur Miller, ce dernier garda leur basset qu'elle aimait beaucoup et une ou un ami – Pat Newcomb selon certains ; Frank Sinatra selon d'autres – lui offrit un petit caniche blanc. Elle le baptisa « Maf », en référence aux amis de Sinatra. Quoi qu'en dise Marilyn, l'amitié de Sinatra pour des maffiosi comme Sam Giancana et Johnny Rosselli en particulier était de notoriété publique. On savait, par exemple, que Giancana descendait dans la résidence de Sinatra à Palm Springs et on disait qu'il était son associé dans le Cal-Neva, l'hôtel-casino que le chanteur possédait sur le lac Tahoe. Deux ans après le décès de Marilyn, lorsque le FBI apprit cette relation d'affaires, Sinatra se retira du Cal-Neva et perdit sa licence d'établissement de jeux. Près de vingt ans plus tard, tout en admettant connaître de vue Giancana, il démentit avoir su après 1960 que ce dernier entretenait des liens avec le crime organisé. A dire vrai, Sam Giancana passa un week-end en sa compagnie – et en celle de Marilyn – quelques jours à peine avant la mort de la star.

A première vue, on a l'impression que Marilyn en était alors arrivée à considérer Sinatra comme un véritable ami et qu'elle se serait refusée à prononcer le moindre mot sévère à son sujet. Son enthousiasme provient peut-être d'une autre raison, destinée davantage à étouffer les reproches que lui faisait le Dr Greenson à propos de ses amitiés. Son ami Norman Rosten déclara que, de la part de Marilyn, il voyait, dans cette amitié, « non pas de l'empressement, mais de la panique ».

« Joe DiMaggio aime Marilyn Monroe et l'aimera toujours. Je l'aime et je l'aimerai toujours. Mais Joe ne pouvait pas rester le mari de Marilyn Monroe, la célèbre star de cinéma. Dans sa caboche d'Italien, Joe avait l'image d'une épouse italienne traditionnelle. Elle devait lui être fidèle, lui obéir, se consacrer entièrement à lui. Docteur, vous savez que je ne suis pas comme ça. Il n'y avait aucun moyen pour que je cesse d'être Marilyn Monroe et devienne une autre femme pour sauver notre mariage. Il ne nous a pas fallu bien longtemps pour le comprendre et y mettre un terme. Mais cela ne nous a pas empêchés de continuer a nous aimer. Chaque fois que j'ai besoin de lui, Joe répond présent. Je ne pourrais pas avoir de meilleur ami que lui. »

Marilyn affirme ensuite clairement son intention de revoir Joe DiMaggio. Une intention loin d'être platonique. Ses propos inclinent à penser qu'elle aurait accepté le remariage qu'il appelait de tous ses vœux. DiMaggio lui vouait une dévotion véritablement impressionnante et touchante. Bien qu'on ne dispose d'aucune mention précise à propos de ce remariage, lequel, d'après la rumeur, aurait été prévu pour le mercredi suivant la mort de Marilyn, on détient assez d'éléments pour imaginer qu'ils avaient atteint un cessez-le-feu dans leurs relations et que leur réconciliation était en bonne voie.

« Pour Arthur [Miller], ce n'est pas du tout la même chose. C'est moi qui ai commis l'erreur de l'épouser, pas lui. Il ne pouvait pas m'offrir l'attention, la chaleur et l'affection dont j'ai besoin. Ce n'est pas dans sa nature. Arthur ne m'a jamais crédité d'une grande intelligence. Il ne pouvait pas partager sa vie intellectuelle avec moi. Au lit, ça se passait comme ci, comme ça. La chose ne l'intéressait pas beaucoup, et moi, je simulais un plaisir exceptionnel pour qu'il se montre plus

entreprenant. Vous savez, je pense que son petit Juif de père m'aimait plus sincèrement qu'Arthur.

« J'aimais ce petit homme et son judaïsme pittoresque. Mais je n'ai jamais été séduite par la religion juive et, à mon avis, Arthur s'en moquait. Peut-être qu'il est un bon écrivain de fiction. En tout cas, je le suppose. Arthur ignorait tout du cinéma et de l'écriture cinématographique. Si Les Désaxés *n'est pas un grand film, c'est parce que ce n'était pas un grand scénario. Gable, Monroe, Clift, Wallach, Huston. Que demander de plus ? Eh bien, je vais vous le dire. Il faut que l'histoire soit à la hauteur du talent de ceux qui l'interprètent. Vous savez pourquoi ces films aux thèmes religieux comme* Ben Hur *et* Les Dix Commandements *font un tel tabac ? Parce que la Bible est un bon scénario. »*

Les Désaxés reçut un accueil mitigé et son scénario fut éreinté. Dans une critique cruelle, le magazine *Time* déclarait : « Une dizaine d'histoires tortillées en une seule. Pour la plupart... très mauvaises. » L'article poursuivait par : « [une] psychanalyse d'une sottise gênante de Marilyn Monroe, Arthur Miller et ce qui n'a pas fonctionné dans leur célèbre mariage ». Pendant le tournage, les choses avaient tellement empiré entre eux que Marilyn refusait de se rendre sur le plateau dans la même voiture que Miller. L'annonce de leur rupture, dès que le film fut bouclé, n'eut rien d'une surprise. Marilyn attendait beaucoup de choses de leur mariage. Elle pensait avoir trouvé des bases solides sur lesquelles construire sa vie, mais il s'avéra qu'elle s'était trompée. Ce mariage avait tout une fois de plus d'une union mal assortie.

Chapitre 25

Les bandes secrètes : « John » et « Bobby »

Marilyn ne laisse planer aucun doute sur l'affection qu'elle porte au président Kennedy. Ses propos viennent corroborer tout ce qui a pu être dit sur leur relation. De plus, ils discréditent la théorie, propagée par certains, selon laquelle elle faisait en quelque sorte chanter JFK :

« Marilyn Monroe est un soldat. Son commandant en chef est l'homme le plus grand et le plus puissant du monde. Le premier devoir d'un soldat est d'obéir à son commandant en chef. Il ordonne, "faites ceci", et on s'exécute. Il ordonne, "faites cela", et on s'exécute.

« Cet homme va changer notre pays. Plus aucun enfant n'aura faim. Plus personne ne dormira dans la rue et ne fouillera les poubelles pour se nourrir. Les gens qui n'en ont pas les moyens bénéficieront d'une bonne couverture médicale. Les produits industriels seront les meilleurs du monde. Non, je ne suis pas dans l'utopie, qui n'est qu'une illusion, mais il va transformer l'Amérique d'aujourd'hui comme FDR l'a fait dans les années trente. Vous n'avez pas l'impression que c'est moi qui parle, hein ? Vous avez raison. Et il fera pour le monde ce qu'il fait pour l'Amérique : il y apportera des changements positifs. Je vous l'affirme, docteur, quand il aura accompli sa tâche, il prendra place aux côtés de Washington, Jefferson, Lincoln et FDR parmi nos plus grands présidents.

« Je suis contente qu'il ait Bobby. C'est comme dans la marine. Le Président est le capitaine et Bobby est son commandant en second. Bobby ferait absolument n'importe quoi pour son frère. Et moi aussi. Je ne le mettrai jamais dans l'embarras. Aussi longtemps que je garderai ma mémoire, John Fitzgerald Kennedy y restera gravé. »

Nous avons ici la preuve que Marilyn continue à porter le président Kennedy dans son cœur. En revanche, à l'époque où elle enregistra cette bande, Robert Kennedy lui posait un problème. Après avoir poursuivi Marilyn de ses assiduités, il s'était subitement volatilisé et allait jusqu'à refuser de lui parler. Marilyn était blessée – folle de rage contre lui – qu'il ne lui ait même pas dit au revoir, mais, réflexion faite, contente de le laisser partir. On a le sentiment qu'elle tenait beaucoup à ne pas donner l'impression de le plaquer comme il l'avait lui-même fait sans cérémonie. Marilyn s'embarque dans un flot associatif au cours duquel elle compare les corps de John Kennedy et de son frère. Elle précise que, contrairement à son aîné, Robert est très velu.

« Mais Bobby, docteur, que dois-je faire de Bobby ? Comme vous le constatez, je n'ai pas de place dans ma vie pour lui. Je suppose que je n'ai pas le courage de regarder les choses en face et de l'affronter. Je veux que quelqu'un d'autre lui dise que c'est terminé. J'ai essayé de demander au Président de le faire, mais je n'ai pas réussi à le joindre. A présent, je suis heureuse d'avoir échoué. Il est trop important pour qu'on s'adresse à lui. Vous savez que quand je lui ai chanté Happy Birthday, *je transpirais abondamment ; j'avais peur que ça se voie. Peut-être que je devrais arrêter d'être lâche et le lui annoncer moi-même. Mais je sais à quel point il sera blessé, alors je n'ai pas la force de lui faire du mal. Sa morale catholique l'oblige à trouver un moyen de se justifier d'avoir trahi sa femme, alors l'amour lui sert d'excuse. Quand on aime assez, on ne peut pas s'en empêcher et on ne peut pas vous le reprocher. Très bien, docteur, vous avez eu droit à*

l'analyse, par Marilyn Monroe, de l'amour que Bobby éprouve pour moi. Et à présent que je le prends pour ce qu'il est, je ne vais pas avoir de mal à m'en occuper moi-même. C'est stupéfiant, j'ai réussi à résoudre mon problème en me contentant d'effectuer cette libre association pour vous.

« Eh bien, vous avez matière à résoudre d'ici demain, docteur.

« Bonne nuit. »

Chapitre 26

Les bandes secrètes : implications cachées

Dans le chapitre précédent, il faut replacer le passage concernant Robert Kennedy dans son contexte et au bon endroit. Il est clair qu'il fut enregistré avant leur rencontre du vendredi soir. Nous savons que lorsque Robert ne se montra pas au rendez-vous à dîner qu'ils avaient pris chez elle, ils se virent – et se disputèrent – au restaurant. Marilyn n'aurait probablement pas tenu les mêmes propos après leur querelle de ce soir-là, et encore moins après les événements du samedi après-midi et du samedi soir. La bande leur est par conséquent antérieure. Elle a peut-être été enregistrée juste avant que Peter Lawford ne convainque Marilyn de dîner à La Scala.

Nous disposons d'un autre indice chronologique précis : elle évoque le coup de téléphone qu'elle a essayé de passer au président Kennedy pour lui demander d'inciter Bobby à rompre. Peter Lawford mentionna ce coup de fil à Fred Otash, le détective privé. Il lui déclara que Marilyn avait tenté en vain de joindre le président Kennedy à la Maison-Blanche, puisqu'il s'était rendu à Hyannis Port. La bande enregistrée par Marilyn nous apprend qu'elle a changé d'avis, qu'elle ne veut plus faire intervenir le Président. Vu sous cet éclairage, le message qu'elle charge Lawford de transmettre au Président – « Dis au revoir au Président pour moi » – indique qu'elle a conscience d'en avoir fini avec les deux frères. Mais Lawford, apparemment, vit une occasion de relier cet au revoir à d'autres qu'elle aurait, selon lui, exprimés. Il le fit de manière à les transformer en paroles d'adieu d'une Marilyn déprimée qui envisageait de mettre un terme à ses jours.

On notera ici qu'on ne trouve pas la moindre trace d'abattement dans les enregistrements de Marilyn, alors qu'ils furent clairement effectués après sa tentative de joindre le Président à la Maison-Blanche et avant sa rencontre du vendredi soir avec Bobby. Le coup de fil où elle charge Lawford de « dire au revoir » fut passé le samedi dans la chronologie des événements – l'heure exacte est incertaine, même si elle se situe probablement aux environs de 17 heures. Par conséquent, Marilyn essaya sans doute de joindre le Président le vendredi, veille de sa mort, ou tout au plus l'avant-veille, jeudi 2 août.

Nous disposons d'une autre indication sur le moment où Marilyn effectua ces enregistrements : elle en termine un en souhaitant bonne nuit au psychiatre. Cette bande ne peut pas dater de la nuit du vendredi. Ce soir-là, elle s'était enivrée à la suite de son altercation avec Bobby. Comme nous l'avons dit, elle enregistra probablement les bandes avant que Peter Lawford ne la persuade de se rendre au restaurant où Robert Kennedy l'attendait. D'un autre côté, ce « bonne nuit » peut simplement indiquer qu'elle pensait que le médecin les écouterait à la fin de sa journée de travail.

De l'attitude manifestée à l'égard de Robert Kennedy par Marilyn dans l'enregistrement, on peut déduire qu'elle ne lui en veut pas. Elle s'est remise de la déception qu'elle a éprouvée lorsqu'il l'a laissée tomber et refusé de répondre à ses coups de fil. Elle a décidé une bonne fois pour toutes que leur liaison est terminée.

On pense que Kennedy avait accepté une invitation à dîner avec Marilyn le vendredi au Fifth Helena Drive – sans doute organisée par Peter Lawford. Marilyn avait en effet passé commande à Briggs Delicatessen d'un repas livré à domicile d'un montant avoisinant les 50 dollars, somme coquette pour un buffet de deux personnes en 1962. Elle voyait probablement en ce dîner une occasion de s'armer du courage qu'elle évoque dans ses bandes pour annoncer à Robert que tout était définitivement terminé. Quand il lui fit défaut, cela la contraria sans doute beaucoup. S'ensuivirent l'invitation à dîner de Peter Lawford et la dispute avec Robert Kennedy au restaurant, qui changèrent la donne et préparèrent le terrain des événements du samedi.

Les bandes révèlent une Marilyn Monroe parfaitement maîtresse d'elle-même, qui a pris un changement de cap positif. On n'y sent aucune tendance à l'introversion agressive. C'est une battante, débordante de projets, qui s'exprime. Elle s'est décidée à mettre un terme à sa relation avec Robert Kennedy. Une mesure importante. Après le renvoi de Paula Strasberg, autre démarche décisive, elle a l'intention de se débarrasser ensuite de Mme Murray. Elle envisage de manière très positive de s'accomplir véritablement dans sa carrière, puisqu'elle se fixe pour objectif de devenir une actrice shakespearienne. Il est clair qu'elle y a réfléchi longuement. Il s'agit d'un projet à long terme dont elle fait part au Dr Greenson, non comme une éventualité, mais comme une décision ferme. On n'a franchement pas l'impression, quand on l'écoute énoncer cette entreprise difficile, d'avoir affaire à une personne trébuchant au seuil du suicide. C'est même le contraire : elle manifeste une grande assurance et elle est impatiente d'entamer sa nouvelle vie.

Bien qu'elle n'y fasse aucune référence, ces bandes sont sans nul doute enregistrées dans un contexte où le Dr Greenson doit avoir pris clairement conscience d'être allé trop loin, en s'immisçant dans la vie professionnelle de sa patiente. Il ne sera pas nécessaire de soulever la question, le fait qu'il ne se mêle plus de son travail va sans doute contribuer à réduire ses tensions et à augmenter sa confiance en elle.

On ne la sent pas un instant se languir des Kennedy ou s'apitoyer sur elle-même. Elle nourrit des projets positifs, solides et réalistes, et elle entrevoit l'avenir avec enthousiasme. Elle avait déjà souvent fait état de son désir de devenir une « actrice sérieuse », qui passe à présent en tête de ses préoccupations. Elle n'est la proie d'aucune peur, hormis la légère inquiétude que lui cause l'état mental de sa mère, qu'elle mentionne, on le notera, tout en le tenant fermement à distance. On perçoit son profond désir d'appartenir à une vraie famille, dont elle a été privée, dans ce qu'elle dit au Dr Greenson au début de l'enregistrement. Greenson l'avait déjà, dans une certaine mesure, fait entrer dans son cercle familial. Après le décès de la star, cela lui valut d'être l'objet de vives critiques. Il s'agissait en effet d'un geste dangereux et tout à fait inhabituel, même si on peut douter qu'il l'ait fait dans une quelconque intention malveillante.

La vision que se fait Marilyn de Clark Gable en père de substitution mérite qu'on s'y arrête. Elle lui accorde manifestement une place tout à fait à part, loin de l'image culte qu'avaient de lui tant de jeunes femmes. Il avait atteint un tel statut d'idole qu'une chanson enregistrée dans les années cinquante par la jeune Judy Garland, intitulée *Dear Mr Gable*, exprimait à son égard un mélange d'adulation très respectueuse, d'admiration et d'amour enfantin. Les amoureux du cinéma, à cette époque, comprenaient aisément comment Gable avait pu inspirer cette chanson aux jeunes adolescentes, qui est d'ailleurs restée l'un des classiques de Judy Garland. Marilyn, pour sa part, admirait davantage Gable comme un père.

Lorsqu'elle évoque le tournage des *Désaxés* avec Clark Gable, Marilyn passe totalement sous silence les tensions et heurts d'ordres divers et variés qui faisaient rage dans le désert torride du Nevada. Elle souffrait sans nul doute du traumatisme provoqué par la désintégration de son union avec Arthur Miller, qui s'était muée en une relation dénuée de toute générosité et allait se conclure, peu de temps après la fin du tournage, par leur divorce. Le film était néanmoins une épreuve pour tous. Pendant que les acteurs et l'équipe attendaient que Marilyn veuille bien faire son apparition sous un soleil caniculaire, cette dernière était déchirée par les tourments que lui inspirait le fait d'avoir à se montrer devant la caméra. Seules les cajoleries de son maquilleur et confident, Whitey Snyder, l'aidaient à franchir le pas. Marilyn accusait Miller, présent quotidiennement sur le plateau en sa qualité de scénariste, de prendre sa revanche sur elle en réécrivant des scènes de manière à faire passer au second plan Roslyn, le personnage qu'elle incarnait. On peut dire qu'au mieux leurs relations étaient glaciales.

A présent, elle ne mentionne néanmoins plus Arthur Miller que sur un ton philosophique et plein de compréhension. Elle se montre à la fois bienveillante et tolérante. Greenson, auquel elle avait confié ses problèmes conjugaux au moment du tournage des *Désaxés*, dut être content des résultats qu'il avait obtenus en écoutant ces commentaires tout autant dénués de méchanceté que de mauvaise humeur.

Dans ses enregistrements, Marilyn révèle qu'il n'existe ni aventure amoureuse ni relation inconvenante entre elle et son psychiatre. Ses propos coupent clairement l'herbe sous le pied de ceux qui ont émis cette hypothèse. Ils indiquent, de façon lumineuse, qu'elle lui voue le plus grand respect et ne font que souligner, dans leur ensemble, la vive considération qu'elle porte à cet homme intègre.

On doit également noter qu'elle confie au Dr Greenson avoir jeté tous ses médicaments dans les toilettes. Ce geste dénote un autre pas en avant capital et indique qu'elle se prépare à affronter l'avenir avec confiance et courage. Il faut doublement souligner que le Dr Hyman Engelberg laissa entendre à la police qu'il avait prescrit une ordonnance de 50 capsules de Nembutal à Marilyn. Nembutal que, selon lui, elle avait en sa possession le jour de son décès. En fait, on s'aperçut plus tard qu'il avait menti et qu'il ne lui avait rédigé une ordonnance que pour 25 capsules. Le Dr Engelberg déclara également qu'elle l'avait fait renouveler « quelques jours avant sa mort ». Dans ce cas, et on peut formuler des doutes à ce sujet, ces médicaments auraient fait partie des capsules qu'elle fit disparaître dans ses toilettes la veille de sa mort.

Venons-en à la déclaration pleine de componction du coroner, selon laquelle Marilyn succomba à l'ingestion de

plus de 40 capsules de Nembutal. Un représentant du fabricant de ces capsules, Abbott Laboratories, déclara que pour
arriver au volume substantiel de ce médicament trouvé dans
le foie et le sang de la star, il aurait fallu qu'elle en eût avalé
environ 90 capsules. Tous ces éléments nous amènent à
nous dire que le Nembutal qui tua Marilyn fut introduit à
son domicile par ses meurtriers, probablement sous forme
liquide et non sous forme de cachets.

On ne s'étonne pas que le Dr Greenson ait fait écouter
ces bandes secrètes à John Miner. Si l'on essaie d'« entendre » les propos reproduits ci-dessus comme s'ils sortaient
des propres lèvres de Marilyn, on ne peut qu'imaginer que
John Miner l'entendit s'exprimer d'une voix excitée – peut-
être voilée – et débordante d'enthousiasme. John Miner
n'avait pas le choix. Il ne pouvait qu'écrire à ses supérieurs
pour les informer, sans la moindre incertitude, que Marilyn
Monroe ne s'était pas suicidée.

Chapitre 27

Tragédie en deux actes

On peut aisément retracer les drames des mariages et des aventures amoureuses de Marilyn sur la toile de fond des films tournés à ces périodes de sa vie et de sa carrière. Les films tiennent lieu de marque-pages, et un certain nombre des personnes qui travaillèrent avec Marilyn devinrent partie prenante de ces chapitres spécifiques du roman que fut son existence.

Dans *Les hommes préfèrent les blondes*, Marilyn partageait l'affiche avec Jane Russell. Les deux femmes s'étaient rencontrées à l'époque où Marilyn s'appelait Norma Jean et était mariée avec Jim Dougherty. Norma Jean et Jane se connaissaient déjà de vue, car elles avaient fréquenté le même lycée. Pendant le tournage du film elles se lièrent d'amitié. Les sujets de conversation ne manquaient pas entre elles et tournèrent beaucoup autour du dernier petit ami en date de Marilyn, Joe DiMaggio, car Jane avait eu pour époux Bob Waterfield, joueur de football connu en son temps. Marilyn avait très envie de savoir comment s'étaient entendus le football et le cinéma.

Elle entama sa liaison avec DiMaggio en 1952. Joe avait déjà été marié à une actrice, Dorothy Olsen. Joe Jr, avec lequel Marilyn s'entendait si bien, était le fruit de cette union. Ce mariage, contracté en 1939, avait été dissous en 1945, lorsque DiMaggio fut rendu à la vie civile, après avoir servi dans l'armée de l'air où il s'était engagé en 1943. Cette rupture provenait, semble-t-il, de l'incompatibilité entre leurs deux carrières. Il était donc pour le moins étonnant que DiMaggio replonge dans le même bain en épousant Marilyn.

Leur aventure se poursuivit durant l'année 1952. Elle se retrouva sous les feux des projecteurs et fut très médiatisée. Marilyn tournait à l'époque *Comment épouser un million-naire*. La distribution de ce film avait de quoi séduire, puis-qu'elle y côtoyait Betty Grable et Lauren Bacall. Grable et Marilyn sympathisèrent sur-le-champ et Bacall constitua derechef avec elles un trio, loyal et sans arrière-pensées. Lorsque Joan Crawford lança des vacheries à Marilyn par presse interposée, ce fut Grable qui bondit à sa défense. De son côté, cette dernière fut très touchée par les fréquents coups de fil que lui passait Marilyn pour prendre des nou-velles de sa fille qui avait été blessée dans un accident d'équitation.

Lauren Bacall, qui s'entendait également bien avec Mari-lyn, n'a pas oublié les discussions qu'elles eurent durant le tournage. Marilyn la questionnait à propos de son mariage et de ses enfants. Elle lui confia qu'au lieu d'être sur le plateau, elle aurait préféré de loin déguster des spaghettis en compagnie de Joe, dans un restaurant italien de San Francisco. Lauren Bacall aimait bien Marilyn dont elle déclara par la suite qu'elle la trouvait « totalement dénuée de mesquinerie et de rosserie ». Joe, de son côté, ne cachait pas le mépris que lui inspirait le tralala hollywoodien, les réceptions de célébrités et les apparitions de Marilyn en tenue légère.

Après *Comment épouser un millionnaire*, Marilyn se retrouva, pour ainsi dire, propulsée sur le plateau de *La Rivière sans retour*. Elle n'éprouvait pas de goût particulier pour les Rocheuses canadiennes qui tenaient lieu de cadre à l'action et n'était pas entièrement convaincue par cette histoire dans laquelle c'était le paysage – splendide au demeurant – qui tenait la vedette. Le scénario exigeait un gros investissement des acteurs, s'ils voulaient tirer leur épingle du jeu. Heureusement, Marilyn avait Robert Mitchum pour partenaire dans ce western, et elle fut ravie de donner la réplique au jeune Tommy Rettig, qui interprétait le rôle du fils de Mitchum. Le budget de la production fut dépassé, si bien que Mitchum la rebaptisa d'une boutade « Film sans retour ». Marilyn contribua aussi à le grever, en faisant des siennes sur la rivière évoquée dans le titre. Elle prétendit s'être cassé une jambe, ce qui lui valut de se faire chouchouter par l'équipe de production, fort inquiète, et par Joe DiMaggio qui se précipita sur le lieu du tournage dès qu'il apprit cette – fausse – nouvelle.

En janvier 1954, Marilyn finit par épouser le joueur de base-ball. Joe DiMaggio avait des idées très arrêtées sur les changements qu'il attendait d'elle. Ambition fréquente, sinon fatale, souvent nourrie par ceux qui convolent. La Fox avait prévu un autre film pour Marilyn après *La Rivière sans retour*. Il s'agissait de *Pink Tights*, remake de *Coney Island* qui ne datait pourtant que de 1943, avec Betty Grable dans le rôle principal. Bien que Frank Sinatra fût censé lui donner la réplique, Marilyn s'empressa de décliner cette proposition après lecture du script. Elle refusa fermement d'obéir à la Fox et de tourner un autre film qui avait, à ses yeux, tout d'un cul-de-sac, puisqu'il ne lui permettrait pas de développer sa palette d'actrice. Décision sans appel. Sur ce, elle partit en voyage de noces avec son nouvel époux.

Son union avec DiMaggio s'avéra orageuse et, selon des langues qui se déliaient, dégradante. Elle refusa de quitter Hollywood et de se couler dans le rôle de petite femme au foyer que Joe avait prévu pour elle, qui ne le quitterait pas d'une semelle, repasserait ses chemises et repriserait ses chaussettes. Il était fermement opposé au faste inhérent à Hollywood et n'avait de cesse que Marilyn abandonne le cinéma. Par ailleurs, ses antécédents de joueur de base-ball lui tenaient à cœur. Bien qu'ayant pris sa retraite, il voulait absolument continuer à occuper une place dans le monde du sport. Ce fut dans ces conditions que Marilyn tourna *La Joyeuse Parade*, dans lequel son rôle n'était guère plus qu'un

Marilyn en
compagnie de
Dorothy Kilgallen
et d'Yves Montand.
© Photo publiée avec
l'autorisation de Jean Bach

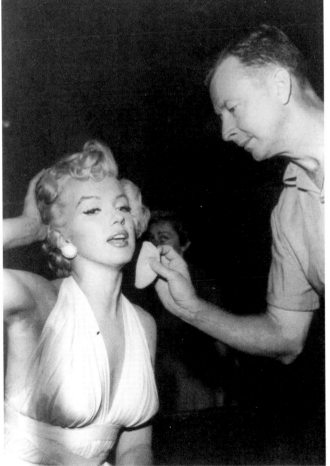

Allan Whitey Snyder
maquille Marilyn sur
le plateau. © Collection
Robert F. Slatzer

Photo de la chambre de Marilyn, prise immédiatement après son décès.
© Collection Robert F. Slatzer

Marilyn avec son magnétophone. Elle l'utilisait souvent, y compris
pour enregistrer les bandes secrètes publiées ici. © Collection Robert F. Slatzer

Robert F. Kennedy bavarde avec J. Edgar Hoover.
© Photo publiée avec l'autorisation de la Bibliothèque John F. Kennedy

Marilyn en compagnie de Clark Gable, sur le tournage des *Misfits*.
© Photo Twentieth Century Fox

Marilyn et son caniche Maf. © Collection Robert F. Slatzer

Le président John F. Kennedy et son frère Robert.
© Photo publiée avec l'autorisation de la Bibliothèque John F. Kennedy

Marilyn avec Joe DiMaggio. Leurs carrières n'étaient pas compatibles.
© Photo AP Wide World

Marilyn en compagnie d'Arthur Miller à Londres, où elle tournait
Le Prince et la Danseuse. Sans sa fausse couche,
leur mariage aurait peut-être survécu. © Photo AP World Wide

Marilyn dans *Arrêt d'autobus.* © Photo Twentieth Century Fox

Certains l'aiment chaud.
© Photo Twentieth Century Fox

Le Dr Ralph Greenson. Psychiatre brillant, mais pas pour Marilyn.

Robert Mitchum n'avait pas oublié les péripéties de l'accident
dans *La Rivière sans retour*. © Photo publiée avec l'autorisation de Robert Mitchum

Billy Travilla, costumier de Marilyn pour son rôle de « Lorelei ». Travilla
fut profondément blessé lorsque Marilyn ne le reconnut pas. © Collection Robert F. Slatzer

Allan Whitey Snyder prenait soin de Marilyn. © Collection Robert F. Slatzer

Marilyn et son ami de longue date, Robert F. Slatzer,
qui a rédigé l'introduction de cet ouvrage. © Collection Robert F. Slatzer

Sam Giancana. C'est Frank Sinatra qui le présenta à Marilyn.

Jimmy Hoffa. Robert F. Kennedy et lui étaient des ennemis mortels.

La crypte du cimetière de Westwood où Marilyn fut enterrée.
Des foules de fans lui rendent visite chaque année.
© Photo publiée avec l'autorisation de Gerald N. Davis MD

addendum à l'action, par ailleurs fort brumeuse. Le film servait simplement de vitrine aux chansons d'Irving Berlin, mais cela n'empêcha pas le public de l'apprécier, car il put y entendre la musique magique du compositeur interprétée par Marilyn, Ethel Merman, Dan Dailey, Donald O'Connor, la coqueluche Johnny Ray et Mitzi Gaynor. Marilyn obtenait ici et là des récompenses mais DiMaggio refusait obstinément de l'accompagner à leur cérémonie de remise.

La Joyeuse Parade fut loin de contribuer à améliorer l'état de leur mariage. Joe fit une apparition sur le plateau pour assister au tournage du numéro « *Heat Wave* », une séquence gênante car elle laissait entendre que les paroles de la chanson avaient un double sens. Double sens tellement bien caché qu'Irving Berlin en personne ne l'avait jamais remarqué ! Fou de rage, Joe quitta le plateau. Il n'était pas question qu'il applaudisse à ce spectacle.

Marilyn était bien décidée à faire des progrès dans son art, à élargir son horizon et obtenir des rôles plus exigeants. Joe ne voulait rien entendre ; il était absolument convaincu que c'était l'homme qui devait diriger un ménage. Marilyn tenta de poursuivre sa vie, de rester libre de recevoir les amis de son choix pour garder une certaine forme d'indépendance. Ils en arrivèrent au conflit ouvert. Ce n'était un secret pour personne qu'il la battait. Les hématomes étaient là pour en témoigner, même si une bonne couche de maquillage parvenait à les dissimuler.

Le film suivant de Marilyn fut *Sept ans de réflexion* qui sortit en 1955. Ce fut durant ce tournage que se rompit son union flamboyante et bancale avec DiMaggio. Joe accepta exceptionnellement d'accompagner sa femme à la première du film et organisa même une réception pour en fêter la sortie. Ils se querellèrent néanmoins pendant cette soirée et Marilyn partit. Leur mariage n'avait duré que neuf mois. Manifestement, ni l'un ni l'autre n'étaient prêts à faire des concessions. Leur terrain d'entente s'était évaporé. Joe faisait preuve d'une jalousie dévorante et la soupçonnait de sortir avec d'autres hommes. Si l'on en croit les ragots, ses soupçons étaient tout à fait fondés. Marilyn n'acceptait pas d'être la propriété exclusive d'un seul homme, même si ce dernier était son mari, et ce fut durant son union avec Joe DiMaggio qu'elle fit la connaissance de John Kennedy. Son ami, le journaliste Sidney Skolsky, fut également ébahi de l'entendre dire, très peu de temps après avoir épousé DiMaggio, qu'elle avait bien l'intention de se marier plus tard avec Arthur Miller. Marilyn raconta que Joe l'avait menacée de divorcer dès leur lune de miel. Il lui en voulait terriblement de fréquenter d'autres hommes et ne supporta pas le battage fait autour de ses apparitions devant les soldats en Corée. De son côté, la star avoua : « Dans le fond, je n'avais pas envie de l'épouser. »

Entre leur divorce et le décès de Marilyn, DiMaggio, en dépit de sa rigidité, de sa jalousie et de son refus du compromis passés, donna l'impression d'être prêt à faire des concessions. Il sembla s'adoucir, devenir plus tolérant, plus soucieux de se montrer accommodant dans le cadre des bribes de sa relation avec Marilyn. Dans le fond, il mourait d'envie de tenter un nouvel essai avec elle. Désir qu'il avait déjà exprimé après la rupture de son premier mariage avec Dorothy Olsen. Il avait alors essayé, sans succès, de reprendre la vie commune avec elle. Certains pensent néanmoins que si Marilyn avait survécu, sa tentative aurait été couronnée de succès, qu'ils se seraient remariés, cette fois prêts, l'un et l'autre, à mettre de l'eau dans leur vin. Les propos enregistrés par Marilyn, sans confirmer nettement cette hypothèse, laissent clairement entendre qu'elle prenait cette direction.

Après Joe, elle eut aventure sur aventure. En 1955, elle se lia avec Henry Rosenfeld, un couturier new-yorkais très aisé qu'elle connaissait déjà depuis un certain temps. Elle déclina sa demande en mariage, mais il devint un ami, confident, consultant et conseiller financier qu'elle garda jusqu'à la fin de sa vie. Elle eut une conversation téléphonique avec Henry Rosenfeld le jour même de sa mort. Vint ensuite Marlon Brando. Brando avait lui aussi suivi les cours de Lee Strasberg à l'Actor's Studio de New York. Marilyn l'admirait depuis un bon moment. Lui aussi devint un ami à vie.

Ce fut au cours de cette année-là qu'elle se lia à Arthur Miller.

Lorsqu'il fit la connaissance de Marilyn Monroe, Arthur Miller était marié depuis près de quinze ans. Il avait deux enfants et une femme à sa dévotion, qui subvenait à ses besoins, relisait ses manuscrits, et lorsqu'il était à court d'argent, travaillait pour permettre à leur ménage de joindre les deux bouts. Cette union s'était néanmoins dégradée et il cherchait à y mettre un terme. Il avait rencontré Marilyn quelques années auparavant et avait éprouvé pour elle une attirance immédiate. Leurs déplacements à bicyclette, incognito, dans des quartiers de Brooklyn d'où était originaire Miller donnaient un caractère original à leur liaison. Malgré toutes ses relations dans le monde de la littérature et du théâtre, Miller était un grand amateur de vie au grand air. Féru de chasse et de pêche, il passait beaucoup de temps à la campagne.

Pendant qu'ils étaient amants, Marilyn tourna *Bus Stop*, version adaptée pour l'écran d'une pièce du grand dramaturge William Inge. La trame de *Bus Stop* l'éloignait des comédies légères et musicales, mais ce film, malgré le succès qu'il remporta, ne lui fit pas encore prendre la direction qu'elle souhaitait. Elle n'avait aucune envie de remplacer son image de blonde idiote par celle de Cherie, la prostituée du film.

Marilyn avait onze ans de moins que Miller mais se moquait totalement de cette différence d'âge. Elle était de douze ans la cadette de DiMaggio. Leur mariage civil, enregistré secrètement, fut suivi d'un mariage juif traditionnel qu'avait souhaité Marilyn. Nombre de ses amis ainsi qu'une grande partie de son entourage étaient juifs et elle connaissait bien la foi judaïque. Le père d'Arthur, Isadore, lui plut sur-le-champ, et ils se lièrent d'une amitié qui allait survivre à son union avec Arthur. Sur l'agenda de Marilyn, le film suivant était *Le Prince et la Danseuse*, dans lequel son partenaire ne serait nul autre que l'illustre Laurence Olivier. Le tournage aurait lieu en Angleterre.

Miller l'accompagna outre-Atlantique, décision qui ne

s'avéra pas des plus avisée. Il était censé se consacrer à l'écriture pendant que Marilyn tournait. En fait, le temps important qu'il passait au studio fut très préjudiciable à leur union. Malgré l'admiration débordante que Marilyn vouait au travail d'Olivier, tous deux entretenaient une relation électrique, que n'aidaient pas les retards perpétuels de Marilyn. Lorsque Olivier, qui ne se contentait pas de jouer dans le film mais qui le mettait aussi en scène, lui envoyait une remarque cinglante, elle s'attendait qu'Arthur vienne à son secours. Mais il n'en faisait rien. Il s'entendait bien avec Olivier et les laissait en découdre seuls. Dans des notes qu'il aurait laissées traîner et que Marilyn aurait découvertes, il écrivait qu'Olivier trouvait que Marilyn était « une faiseuse d'embrouilles ». Loin de prendre la défense de sa femme, Miller ajoutait qu'il « n'avait plus de réponse convenable à apporter à cela ». D'autres allusions laissaient clairement entendre qu'il était malheureux avec elle. Des débuts catastrophiques pour un mariage.

Il semblerait qu'à ce stade Marilyn s'engagea bien moins qu'elle n'aurait pu le faire dans leur union. La fille de Miller tomba malade. Ce dernier prit un avion pour les Etats-Unis afin de se rendre à son chevet, laissant son épouse à Londres. Marilyn s'offusqua de ce départ et claironna sa colère à la ronde. Elle prétendit être souffrante et fit arrêter le tournage pendant toute l'absence de son mari. Du coup, Miller ne resta qu'une semaine outre-Atlantique. Le plateau se transforma en champ de bataille. La guerre faisait rage entre l'entourage d'Olivier et celui de Marilyn. Marilyn préserva le *statu quo* en imposant sa loi, le tournage se poursuivit tant bien que mal et, presque miraculeusement, en sortit un film soigné qui, dans l'ensemble, reçut un accueil plutôt favorable. Avant de quitter l'Angleterre, Marilyn fut l'objet de critiques parce qu'elle n'avait pas été sensible à la gentillesse et à la courtoisie dont on l'avait entourée au moment du bouclage du film. A son retour dans son pays s'ensuivit une longue coupure avec le monde du cinéma.

Marilyn attendait énormément de son union avec Arthur Miller. Par-dessus tout, elle cherchait la sécurité et l'occasion de se cultiver et d'élargir ses connaissances. Ils étaient heureux, profondément amoureux. L'atmosphère glaciale qu'ils avaient tous les deux contribué à créer en Angleterre n'était plus qu'un mauvais souvenir. Ils prirent un appartement sur East 57th Street, en plus de la ferme où vivait Arthur dans le Connecticut. Lorsque Marilyn tomba enceinte en 1957, ils eurent l'impression que leur vie formait un tout, mais leur joie fut de courte durée. Au bout de deux mois de grossesse Marilyn perdit l'enfant. Leurs espoirs et leurs rêves étaient brisés. Marilyn avait rencontré les intellectuels amis d'Arthur. Elle se lia avec eux et s'intéressa à la politique de gauche et aux idées libérales qu'il affichait. Lorsque Miller fut cloué au pilori à cause de ses opinions lors de la chasse aux sorcières de McCarthy, elle prit magnifiquement sa défense, et l'aida même financièrement à se sortir du pétrin quand il en avait besoin.

L'année suivante, Marilyn retourna à Hollywood pour le tournage de *Certains l'aiment chaud*. Billy Wilder était aux commandes pour ce film tourné en noir et blanc afin de donner davantage de parfum à une histoire hilarante dans laquelle les partenaires de Marilyn, Tony Curtis et Jack Lemmon, étaient presque tout le temps déguisés en femme. Les deux acteurs n'auraient probablement pas prêté une oreille attentive aux problèmes de Marilyn si elle avait voulu se confier à eux, car ils s'arrachaient les cheveux à cause des retards suivant les retards suivant les retards qui étaient devenus sa marque de fabrique. Pendant le tournage de *Certains l'aiment chaud*, Marilyn prit aussi pour habitude de peiner à maîtriser son texte. Lors d'une séquence mémorable – qui lui valut sans conteste d'entrer dans l'histoire du cinéma – soixante-cinq prises lui furent nécessaires pour arriver à prononcer correctement une réplique de trois mots. Malgré tout *Certains l'aiment chaud* remporta un énorme succès au box office. La Fox était impatiente de produire un nouveau succès et décida que ce serait *Le Milliardaire*.

Dès le départ, la trame du *Milliardaire* déplut à Marilyn qui avait le sentiment de reculer, de retomber dans le genre de films dont elle s'était extirpée depuis une dizaine d'années. Bien que le scénario fût signé de l'habile Norman Krasna, elle exigea des rewritings systématiques. Cela ne fut pas du goût de Gregory Peck, qui avait signé pour lui donner la réplique et qui se désista. La chasse au nouveau partenaire déboucha sur l'engagement d'Yves Montand. Malgré les seconds rôles qui étaient tenus par d'excellents acteurs, Tony Randall et l'Anglais Wilfred Hyde White, malgré le talent de metteur en scène de George Cukor, que Marilyn avait demandé pour le film, le résultat fut catastrophique. Au cours du tournage du *Milliardaire* les problèmes conjugaux de Marilyn s'envenimèrent au point qu'elle avait besoin de l'oreille et de la présence d'un psychiatre, au lieu du réconfort de ses amis.

Son mariage piqua davantage du nez dès qu'elle devint la maîtresse d'Yves Montand. Arthur apprit son infidélité et se rendit sûrement compte en même temps que ce n'était pas la première fois qu'elle le trompait. Les choses allaient de mal en pis. Ralph Greenson devint le psychiatre de Marilyn et celle-ci lui confia ses problèmes. Greenson décida de parler à Miller. Plus tard, il déclara que ce dernier avait manifesté de l'inquiétude pour Marilyn et exprimé son souci de l'aider. Il s'était transformé en une espèce de père pour elle. Mais après avoir tenté de la soutenir bien davantage que ne l'aurait sans doute fait un vrai père, il arrivait au bout du rouleau.

Le film que devait ensuite tourner Marilyn était *The Misfits* (Les Désaxés), adapté pour elle par Arthur d'une nouvelle dont il était l'auteur. Le tournage se déroula dans le désert du Nevada. La distribution, superbe, comprenait Clark Gable, Eli Wallach et Montgomery Clift. Les acteurs devaient se battre avec un scénario pesant qui prouvait que, malgré ses contributions au *Prince et la Danseuse* et au *Milliardaire*, Miller n'était pas doué pour l'écriture cinématographique. Dans la nature sauvage du Nevada, John Huston, le metteur en scène, mettait la pellicule en boîte à la sueur de son front. Dans le même temps, le mariage de Marilyn et d'Arthur Miller s'effilochait de plus en plus.

Huston déclara que Miller « avait tout fait pour que ce mariage survive. Elle le gênait... c'était de la méchanceté pure, de la vengeance ». Qu'il dise vrai ou non, le divorce du couple fut prononcé peu après l'achèvement des *Désaxés*. Comme le révèlent ses bandes secrètes, Marilyn était parvenue à accepter son échec et reconnaissait sa part de responsabilité dans ses problèmes conjugaux.

Chapitre 28

Le grand Joe D.

Joe DiMaggio avait profondément aimé Marilyn, mais il ne pouvait pas accepter ses infidélités. Il était d'une nature extrêmement jalouse : selon certains, il fit truffer l'appartement de la star de micros pour être au courant de ses faits et gestes. Lors d'une réception organisée par Charles Feldman, l'agent de Marilyn, Joe remarqua l'attention que portait à sa femme John Kennedy, en pleine ascension politique, tout comme cet intérêt ne passa pas inaperçu aux yeux de Jackie, l'épouse de John. A plusieurs reprises, Joe tenta de persuader Marilyn de quitter cette soirée et ils finirent par se disputer. Joe nourissait le vœu, parfaitement légitime, de construire avec Marilyn un mariage sans prétention. Les valeurs simples, italiennes, qu'il prônait, deviendraient leur règle de vie, et ils vivraient dans la félicité « jusqu'à la fin de leurs jours ». Un problème de taille se posait néanmoins : Marilyn ne partageait ni ses valeurs ni son rêve. Il n'était pas question qu'elle devienne une femme au foyer, aille lui chercher sa bière et regarde des films à la télévision avec lui.

Ce genre d'existence ne l'intéressait pas du tout et elle le lui fit clairement comprendre. Ils se querellèrent. « Joe est un gentil garçon, mais nous n'avons pas grand-chose en commun », déclara Marilyn. Le temps passant, les choses tournèrent au vinaigre. Elle évoquait « la froideur et l'indifférence » de Joe. Elle était incapable de se considérer comme appartenant à un seul homme et, au bout de neuf mois, huit petites minutes suffirent à rompre leur relation qui aurait pu s'avérer magique. Inez Melson, qui gérait les affaires de la star, déclara lors de l'audience en divorce que « M. DiMaggio était très indifférent et ne se souciait pas beaucoup du bonheur de Mme DiMaggio. Je l'ai vu la repousser et lui dire de ne pas le déranger ». En réalité, ils s'étaient séparés à la fin de septembre 1954, un mois environ avant la prononciation officielle de leur divorce.

Cela n'empêchait pourtant pas DiMaggio de continuer à aimer Marilyn, si bien que sa jalousie persista après leur rupture. Quelques semaines avant leur divorce – en octobre – Joe engagea un privé, Barney Ruditsky, parce qu'il voulait avoir la preuve de l'infidélité de Marilyn. Le 5 novembre, plusieurs jours par conséquent après le divorce, Philip Irwin, qui travaillait pour Ruditsky, rapporta qu'il avait vu Marilyn entrer dans l'immeuble où demeurait l'une de ses amies, Sheila Stewart. Les détectives soupçonnaient Marilyn d'avoir rendez-vous avec un homme. Ils ne se trompaient pas, puisque Sheila Stewart recevait au même moment Hal Schaefer, le professeur de chant de Marilyn, qui était aussi son amant du moment. Irwin prévint Ruditsky qui prévint DiMaggio. Ce dernier demanda de l'aide à son ami Frank Sinatra et les deux hommes se rendirent en hâte à l'immeuble de Kilkea Drive. DiMaggio n'avait pas l'intention de s'en prendre violemment à quiconque serait en compagnie de Marilyn : il espérait seulement que son intrusion déboucherait sur une réconciliation. Ruditsky, Irwin et un acolyte de Ruditsky prirent les devants et, Joe DiMaggio sur les talons, se précipitèrent à l'intérieur de l'immeuble, repérèrent une porte et la brisèrent.

Ils tombèrent nez à nez avec une dénommée Florence Kotz, voisine de Sheila Stewart, qui était déjà couchée au moment de leur effraction, puisqu'il était 23 h 15. Ils s'étaient trompés de porte ! Marilyn profita de tout ce cirque pour s'esquiver en douce. Les détectives, tout comme Joe DiMaggio qui attendait sur le pas de la porte, se retrouvèrent le visage maculé de jaune d'œuf. Cette incursion devint célèbre sous le nom de « descente sur la mauvaise porte », et il fallut des années pour régler l'affaire. Florence Kotz, blessée, finit par obtenir 7 500 dollars, somme fort lointaine des 200 000 dollars qu'elle réclamait, mais qui suffit à la calmer.

Alors que Sinatra, pendant cette opération commando, faisait le pied de grue dans une voiture garée un pâté de maisons plus loin, un témoin l'identifia parmi les intrus. Le scoop fut vendu – probablement par un enquêteur – au magazine *Confidential* qui en fit ses choux gras dans son numéro de septembre, sans que le soufflé ne retombe pour autant tout de suite. Deux ans plus tard, la commission Kraft, chargée d'effectuer une enquête auprès des magazines à sensation, mit le nez dans les affaires de *Confidential*. La « descente sur la mauvaise porte » refit la une et cette fois donna lieu à une enquête publique. Cette affaire faisait de plus en plus de tort à la réputation du chanteur, qui chargea le détective privé Fred Otash de le sortir de ce bourbier. Otash, qui écrivit dans son livre, *Investigation Hollywood*[1], que « la résurrection fut plus sensationnelle que l'enterrement », commença par refuser cette mission. Comme il effectuait également des enquêtes pour *Confidential*, il craignait que ses deux casquettes ne se fissent du tort. Il finit par se laisser convaincre et, à l'aide de plusieurs arguments, parvint à tirer l'épine du pied du chanteur : il était douteux que le témoin de départ ait pu reconnaître qui que ce soit sur les lieux par une nuit sans lune, la personne ayant fourni le scoop au magazine était loin d'être fiable, et un autre témoin avait vu par ailleurs Sinatra, sans le moindre doute, dans sa propre voiture.

Peu après cette affaire de la mauvaise porte, DiMaggio et Sinatra se brouillèrent sérieusement. Celui-ci reprochait au chanteur d'exposer Marilyn à des influences dont elle aurait bien pu se passer. Ils en étaient là au moment du décès de

---

1. Fred Otash, *Investigation Hollywood*, Chicago, 1976.

Marilyn. DiMaggio, qui organisa les funérailles, interdit à Sinatra d'y assister.

Après son divorce d'avec Marilyn, DiMaggio passa quelques semaines au domicile du Dr Leon Krohn, un gynécologue avec lequel le couple s'était lié d'amitié. Pendant qu'il vivait là, Marilyn prenait de ses nouvelles tous les matins au téléphone. Le lendemain de la « descente sur la mauvaise porte », il se rendit à l'appartement de Marilyn et passa plusieurs heures en sa compagnie. Leur réconciliation vint sur le tapis. Mais ce soir-là, Marilyn avait la tête ailleurs. Elle était préoccupée par un temps fort de sa carrière.

Il s'agissait d'une grande soirée en son honneur. En temps normal, elle ne passait jamais inaperçue quand elle pénétrait dans une pièce. Toutes les têtes se tournaient systématiquement vers elle. L'événement n'allait certainement pas faire exception. Radieuse dans une robe de mousseline rouge, elle assista à une sauterie donnée au célèbre restaurant Romanov pour fêter le bouclage de son dernier film, *Sept ans de réflexion*, où elle avait pour partenaire Tom Ewell. A son arrivée, tardive comme à l'accoutumée, elle fut accueillie par les producteurs Darryl Zanuck, Sam Goldwyn et Jack Warner, ainsi que par son metteur en scène, Billy Wilder. La liste des invités n'était pas moins prestigieuse, puisque y figuraient James Stewart, Humphrey Bogart, Gary Cooper, Doris Day, Susan Hayward, Claudette Colbert, Lauren Bacall, William Holden, Clifton Webb et Loretta Young. Sans oublier celui dont elle allait oser imaginer qu'il était son père de substitution, Clark Gable. L'accueil triomphal qu'elle reçut à cette réception fut le signe que ses pairs l'acceptaient définitivement dans le giron d'Hollywood. « Je n'aurais pas pensé qu'ils viendraient tous. Parole d'honneur », avoua Marilyn, enchantée, à son vieil ami Sydney Skolsky.

Après avoir dansé jusqu'à 3 heures du matin, Marilyn se rendit dans la matinée au Cedars of Lebanon Hospital pour subir, selon l'expression de son médecin, une intervention destinée à « rectifier un vieux problème gynécologique dont [elle] souffrait depuis des années ». Ce fut Joe qui l'y conduisit. Pendant la nuit, qu'elle passa sur place, on vit Joe somnoler dans une salle d'attente quand il n'arpentait pas les couloirs.

Peu avant la mort de Marilyn, Joe fit une apparition. Une semaine avant le fatal samedi, Sinatra invita Marilyn à passer le week-end dans son hôtel en compagnie de Peter et Pat Lawford. Le Cal-Neva Lodge tenait son nom du fait qu'il chevauchait la frontière entre la Californie et le Nevada. Les lois du Nevada autorisant le jeu, contrairement à celles de Californie, les tables de jeu étaient disposées dans les pièces situées dans la partie du bâtiment construite sur le sol du Nevada. Comme nous l'avons déjà signalé, Sinatra eut pendant un certain temps Sam Giancana comme copropriétaire de cet hôtel. Giancana était présent ce week-end-là, ainsi que, pense-t-on, un autre ponte de la mafia, son acolyte Johnny Rosselli. Il y avait également le partenaire de Marilyn dans *Something's Got to Give*, Dean Martin, qui devait aussi jouer dans le film suivant de la star, *I Love Luisa*. Joe DiMaggio n'était pour sa part pas convié, du fait de sa brouille avec Sinatra. De toute façon, il n'aurait pas accepté ce genre d'invitation en temps normal, vu son dégoût pour les raouts hollywoodiens. Mais apparemment, il se faisait de plus en plus de souci pour le bien-être de Marilyn, d'où sa venue au lac Tahoe. Sans doute savait-il également que son ex-femme et Sinatra avaient repris leur liaison.

A son arrivée au lac Tahoe le vendredi dans la soirée, le Cal-Neva était complet et il descendit au Silver Crest Motor Hotel, non loin de là. Toujours jaloux de tous les autres hommes de la vie de Marilyn, il bouillonnait de rage lorsque Sinatra la conviait à ce genre de réjouissances au cours desquelles l'alcool coulait à flots et la drogue et le sexe étaient omniprésents. Il s'avéra par la suite que Robert Kennedy avait prévu de se rendre à Los Angeles ce week-end-là et que, soucieux de ne pas voir Marilyn, il avait demandé à sa sœur, Pat Lawford, de s'arranger pour que la star soit absente, d'où cette invitation au Cal-Neva. Lorsque Marilyn découvrit ce qui s'était tramé dans son dos, elle fut scandalisée et se sentit abandonnée par ses amis qui avaient pris part à cette supercherie. Ce week-end fut pour elle une véritable catastrophe. Elle occupait le bungalow 52, que Sinatra réservait à ses invités les plus prestigieux, et on ne la vit pas beaucoup.

Plus tard, de nombreuses rumeurs laissèrent entendre que Marilyn avait pris trop de barbituriques, qu'on avait dû lui faire avaler du café et la traîner dans sa chambre pour la ranimer. On raconta également qu'elle avait une mine épouvantable lors de ses rares apparitions, détail qui tendrait à corroborer cette rumeur. Harry Hall, un vieil ami de DiMaggio, était-il perspicace, détenait-il des renseignements en béton armé ou se contentait-il de jouer aux devinettes lorsqu'il déclara : « Elle s'est rendue là-bas et ils l'ont obligée à avaler ses pilules » ? Le week-end suivant, Marilyn mourait. Peter Lawford saisit au vol l'occasion de tirer profit des commérages pour fabriquer une version selon laquelle, après avoir tenté de se suicider au Cal-Neva, Marilyn était parvenue à ses fins huit jours plus tard.

Une anecdote émouvante circule à propos de l'une des rares apparitions de Marilyn durant ce week-end au Cal-Neva Lodge. Tôt le dimanche matin on l'aperçut, en peignoir blanc, plonger un orteil dans l'eau de la piscine. Le témoin, membre du personnel de l'hôtel, déclara qu'elle levait les yeux vers une allée qui serpentait en surplomb de l'établissement. Il fit de même et aperçut, dans la légère brume matinale, la silhouette de Joe qui l'observait d'en haut. Ce moment fut peut-être déterminant pour DiMaggio. Il repartit sur la côte Est, afin de démissionner de son poste de vice-président de VH Monette Incorporated, fournisseur des magasins de l'armée, qui lui rapportait 100 000 dollars par an. Il déclara à Valmore Monette qu'il aimait toujours Marilyn et qu'il avait l'impression qu'elle était peut-être prête à quitter Hollywood pour se remarier avec lui. Il donna sa démission le 1er août, cinq jours avant le décès de Marilyn. Ils auraient projeté de se remarier la semaine qui suivit sa mort. Le mercredi, très exactement. Mais ce jour-là, ce fut à son enterrement que se rendit DiMaggio.

Parmi les affaires de Marilyn, on trouva une lettre qu'elle

avait commencée, mais pas achevée. Cette missive peut également laisser entendre qu'elle et Joe s'étaient réconciliés et avaient jeté les bases d'un remariage.

> *Cher Joe,*
> *Si je parviens simplement à te rendre heureux, j'aurai réussi la chose la plus importante et la plus difficile au monde — à savoir rendre un seul être totalement heureux.*
> *Ton bonheur signifie mon bonheur, et*

La lettre s'arrêtait là.

Chapitre 29

L'Ombre

Il est impossible de procéder à une analyse de la période ayant précédé la mort de Marilyn Monroe sans tenir compte de l'influence exercée sur elle par son psychiatre, Ralph Greenson. Ce dernier devint si proche d'elle qu'il aurait pu tout aussi bien être son ombre. Homme d'exception à tous points de vue, Greenson, aux yeux de beaucoup, lui apporta une aide inestimable. D'autres considèrent à l'inverse qu'il lui fit du tort et qu'il contribua même à la détruire.

Ralph Greenson, d'origine russe, naquit à Brooklyn en 1910, dans une famille de quatre enfants. On le prénomma Romeo Samuel Greenschpoon. Après des études à l'université de Columbia et à celle de Berne, en Suisse, il obtint son diplôme de médecin en 1935. Ce fut en Suisse qu'il rencontra et qu'il épousa Hildegard Troesch. Ils s'établirent à Los Angeles, en Californie. Greenschpoon devint Ralph. La modification de Greenschpoon en Greenson se fit plus tard. Peu avant que la guerre n'éclate en Europe il étudia la psychologie freudienne à Vienne où il se lia avec Sigmund Freud. Après avoir servi dans l'armée américaine pendant la Seconde Guerre mondiale, il revint à Los Angeles où il commença à pratiquer la psychanalyse, discipline alors en plein essor. Il fut nommé professeur de psychiatrie clinique à l'université de Californie.

Dans le Los Angeles aisé des années quarante et cinquante, il devint à la mode d'avoir son propre « psy ». Dans un domaine où les problèmes étaient aussi bien réels qu'imaginaires, le traitement, à besoin égal, pouvait être fort différent et aller d'une thérapie tout à fait profitable à de dangereux bricolages. Les points de vue des praticiens de cette science nouvelle et controversée variaient en fonction de leurs tempéraments et opinions. Du coup, Ralph Greenson devint pour certains « la colonne vertébrale de la psychanalyse dans l'Ouest des Etats-Unis », tandis que d'autres le tenaient pour un camelot de psychologie populaire.

Au cours des années où elle élut domicile à New York Marilyn fut suivie là-bas par une psychanalyste, Marianne Kris. Ce fut cette dernière qui lui recommanda Ralph Greenson lorsqu'elle retourna à Los Angeles et sombra dans la déprime pendant le tournage du *Milliardaire*. Greenson accepta sur-le-champ de lui venir en aide, sans pour autant être prêt à la suivre de façon permanente. Mais Marilyn parvint à l'en persuader. Il analysa ses symptômes et se prononça contre une psychanalyse en profondeur. La première fois qu'il la vit, il la trouva très désorientée, incapable d'articuler normalement et manifestement sous l'emprise de sédatifs. Il décida qu'elle avait besoin d'un soutien thérapeutique et l'écouta patiemment se plaindre de son entourage. Elle lui avoua qu'un de ses problèmes provenait du fait que son rôle ne lui plaisait pas. Elle lui fit part de ses insomnies chroniques et lui apprit qu'elle se reposait sur un arsenal de médicaments qui lui avaient été prescrits par divers médecins. Greenson en fut épouvanté et mit en cause lesdits médecins.

Il lui recommanda le Dr Hyman Engelberg et insista sur le fait qu'elle ne devait voir qu'un seul médecin. Greenson comprit rapidement que le mariage de Marilyn avec Arthur Miller était en passe de se désintégrer. Elle déclarait que Miller était froid, indifférent, dur avec son père et ses enfants que, pour sa part, elle aimait beaucoup. Greenson découvrit qu'à la base ils avaient des problèmes d'ordre sexuel. Marilyn pensait être devenue frigide. Miller, tout en se faisant du souci pour elle, ne semblait plus savoir par quel bout s'y prendre pour lui venir en aide. Greenson préconisa un amour sans condition, ce qui, vu les circonstances, était beaucoup demander. Il vit en Marilyn une orpheline, une enfant fragile et abandonnée. Ce portrait, envisagé sous l'angle du moi intérieur, représentait bien son équilibre instable. Marilyn, tout comme Miller, se reposa sur Greenson pendant le tournage de son film suivant, *Les Désaxés*. Ce fut durant ce tournage que son mariage avec l'écrivain s'effondra totalement. Aux yeux de Marilyn, le meilleur côté des *Désaxés* était l'occasion d'avoir Clark Gable pour partenaire. Elle en considérait avec mépris le scénario, signé de son mari.

Marilyn commença à se faire traiter par Greenson au début de 1960 et il semble que le psychanalyste obtint très vite de bons résultats. Il parvint rapidement à lui faire baisser sa consommation de médicaments. Ses progrès s'accentuèrent au cours des mois suivants jusqu'au jour où, juste avant sa mort, Marilyn indique sur ses bandes qu'elle a eu la force de les faire tous disparaître dans les toilettes. Mais « l'Ombre » la dominait de plus en plus. S'il obtint un grand succès en parvenant à la libérer en partie de l'influence des médicaments, il créa une autre dépendance, dangereuse, à son propre égard.

Ralph Greenson a fait l'objet de vives critiques de ceux qui ont écrit sur Marilyn à propos de la manière dont il conduisit sa thérapie. Il la voyait de plus en plus souvent, quotidiennement, voire davantage. Il la traitait chez elle et la recevait chez lui, attitude considérée comme allant à l'encontre de la déontologie. Comme ses enregistrements l'indiquent, Marilyn le considérait comme un père et voulait s'intégrer à sa famille. Elle tenait beaucoup à lui plaire, et on est allé jusqu'à suggérer qu'elle avait inventé des réactions à sa thérapie, même si on ignore si elle le faisait justement dans le but de lui plaire ou simplement de lui donner satisfaction.

Greenson était un conférencier populaire, tant auprès de ses collègues que de tous ceux qui s'intéressaient à sa discipline. Sa femme Hildi, entièrement à sa dévotion, admirait son charisme, même si ses tentatives de faire de l'humour paraissaient trop triviales aux yeux de certains. On l'a décrit un jour comme un « homme rigide, à l'enthousiasme passionné, voire même flamboyant, [pour lequel] la psychanalyse était [...] un mode de vie ». Alors qu'il se rendait régulièrement au bungalow 21 du Beverley Hills Hotel où vivait Marilyn quand il commença à la traiter, Greenson ne se contenta pas d'aller souvent dans la maison de la star, Fifth Helena Drive, mais y installa Mme Murray comme gouvernante, en la chargeant de lui rapporter les faits et gestes de la star.

Greenson exerçait une influence de plus en plus prenante sur Marilyn, dont la dépendance à son égard ne cessait d'augmenter. Il ne lui fallut pas longtemps pour s'immiscer aussi dans sa vie professionnelle. Aidé de son beau-frère, Milton Rudin, le nouvel avocat que Marilyn venait d'engager, il endossa le rôle de manager, promettant même à la Fox de « livrer » Marilyn sur le plateau du studio à l'heure dite, garantissant ses interprétations et organisant d'autres négociations en son nom. Ce comportement stupéfiant allait totalement à l'encontre de la déontologie. De plus, Greenson se mêlait d'un domaine qui échappait à sa compréhension. A l'époque de ses négociations avec la Fox, le psychiatre comprit bien qu'il devait se tourner vers les cadres du studio. Une personne assistant à une réunion clé écrivit dans des notes : « Le psychiatre ne voulait pas que nous le prenions pour son Pygmalion mais, dans le même souffle, il reconnaissait que lui, en fait, était capable de la persuader de faire tout ce qu'il voulait. J'ai observé qu'apparemment, poursuit l'auteur des notes, c'était donc lui qui déciderait [...] des scènes qu'elle tournerait ou ne tournerait pas, des bonnes ou des mauvaises prises, et de toutes les autres décisions d'ordre créatif qui devaient être prises... Le Dr Greenson semblait prêt à assumer la responsabilité de l'ensemble du domaine artistique. » De fait, le psychiatre proposa même d'aller en salle de montage, si cela s'avérait nécessaire.

Lorsque Marilyn fut licenciée parce qu'elle s'était rendue à la célébration de l'anniversaire du président Kennedy au Madison Square Garden, force lui fut d'admettre l'inefficacité du Dr Greenson. A l'inverse, ce dernier ne put manquer de constater qu'elle était une négociatrice des plus douée, lorsqu'elle parvint par la suite à obtenir un contrat beaucoup plus lucratif pour reprendre le tournage. Marilyn s'était organisée bien à l'avance pour s'absenter en vue de cet événement. Les difficultés survinrent du fait que le film avait pris beaucoup de retard à cause de ses divers bobos, et que, de plus, elle était censée être souffrante le jour où elle s'envola pour New York. Sous tous ces problèmes superficiels, il y en avait un autre, fondamental : le studio, au bord de la faillite, hésitait, ne sachant s'il avait intérêt, financièrement parlant, à finir le film ou à utiliser ce prétexte pour arrêter là les frais. Lorsque la décision fut prise de continuer, le différend se régla vite, non sans inclure dans l'accord que le Dr Greenson cesserait de tenir son rôle de « négociateur ». Pat Newcomb serait, elle aussi, renvoyée du tournage.

N'oublions pas qu'au point où nous en sommes, Paula Strasberg aussi allait être remerciée. Le professeur d'art dramatique de Marilyn mettait son nez partout sur le plateau. Parfois, à la fin d'une prise, Marilyn cherchait l'approbation, non de son metteur en scène, mais de Paula. Pour aggraver les choses, Newcomb, Strasberg et Greenson en étaient arrivés à ne plus s'adresser la parole. Coincée entre Greenson et Paula Strasberg, l'équipe de production était sans doute à bout de nerfs. Dans cette ambiance irrespirable, les limites avaient été dépassées et leur renvoi, qui allait faire cesser leur perpétuelle ingérence dans la vie professionnelle de Marilyn, arracha sans doute un soupir de soulagement à toute l'équipe de production, sans compter Marilyn elle-même. Le coup de balai donné par la Fox comprenait également George Cukor, qui serait remplacé par Jean Negulesco, un metteur en scène apprécié de Marilyn. La décision de la star de balayer encore plus large pour réorganiser sa vie privée n'incluait cependant pas la rupture de ses relations avec Ralph Greenson. Résultat, bien évidemment, de la dépendance qu'il avait instaurée.

Plusieurs semaines avant sa mort, Marilyn fut conduite en douce par Ralph Greenson à Beverley Hills dans la clinique du Dr Michael Gurdin, un chirurgien plastique célèbre et très discret. Cette visite, selon les avis, aurait eu lieu le 7 ou le 14 juin. Marilyn, la tête enveloppée d'un foulard, s'était déguisée avec un tailleur, une perruque et des lunettes noires. Lorsqu'elle ôta son foulard Gurdin s'aperçut qu'elle avait des hématomes sur la joue et le nez. Ses paupières étaient également meurtries. Greenson déclara qu'elle avait eu un accident en prenant sa douche. Elle avait glissé sur le carrelage.

Gurdin ne prit pas de radio de ses blessures mais, après un examen minutieux, put leur assurer qu'elle n'avait aucune fracture. Il remarqua au passage que Marilyn semblait sous l'influence de sédatifs mais ne fit aucun commentaire, laissant à son analyste le soin de parler. Marilyn et Greenson repartirent aussi furtivement qu'ils étaient arrivés. Curieusement, il n'y avait pas de carrelage autour de la baignoire de Marilyn et elle prenait rarement des douches. Une chute aurait facilement pu expliquer ses bleus, mais ils pouvaient tout aussi bien avoir été provoqués par des coups. Mais qui l'aurait battue ? Ce mystère, si mystère il y a, ne fut jamais éclairci. Aucun élément en la matière ne vint plus tard au grand jour.

Il ne fait absolument aucun doute que le Dr Greenson fut pris au piège de la conspiration montée pour cacher les véritables circonstances de la mort de Marilyn. Ce fut lui qui informa la police qu'elle s'était suicidée et qui fit remarquer, comme preuves de son suicide, que ses flacons de médicaments étaient vides. Il servit de porte-parole au moment de l'interrogatoire de police et se conforma de plein gré à ce qui apparut comme la version convenue des événements de la nuit et de l'aube. Quelques jours lui suffirent néanmoins pour reprendre ses esprits et revenir sur sa déclaration selon laquelle Marilyn avait mis fin à ses jours. Cependant, le délai qu'il lui fallut pour changer d'avis noya sa version révisée dans le tumulte médiatique provoqué par celle du suicide. Pendant ce temps-là, ceux qui avaient conspiré pour cacher la vérité et attribuer à Marilyn un suicide dégradant avaient presque atteint leur but. On peut néanmoins affirmer que Greenson dut faire preuve de courage pour s'extirper de cette conspiration. Mais lorsqu'il se positionna clairement contre les conspirateurs, plus personne ne lui prêta l'oreille.

A la décharge de Greenson, on peut dire qu'il était un homme à la fois doué et capable, dont le brio, dans le domaine de la psychanalyse, lui valut une réputation qui dépassait de loin les frontières des Etats-Unis. D'une intégrité sans faille, il entretint sans aucun doute avec Marilyn des rapports toujours empreints d'honnêteté et de louables intentions. Objet de très vives critiques à propos de son approche thérapeutique antiprofessionnelle de Marilyn, en particulier parce qu'il s'était lié avec elle dans la vie privée, il ne se laissa pas pour autant démonter. Il avait réfléchi très profondément au type de traitement qu'il devait utiliser pour cette patiente vulnérable et emprunté le chemin qui, à ses yeux, était le plus apte à lui venir en aide. Il est évident qu'il prit certaines décisions mal avisées – en particulier lorsqu'il se mêla de sa vie professionnelle. Avec le recul, on peut aussi se dire qu'il commit l'erreur catastrophique de la laisser devenir beaucoup trop dépendante de lui. Il faillit perdre son intégrité en acceptant de prendre part à la conspiration destinée à cacher la vérité sur son décès. Bien que des commérages aient laissé entendre que Greenson s'était épris de sa patiente et dissimulait donc des mobiles cachés derrière certains de ses actes, aucune preuve n'est jamais venue étayer cette théorie. Rien ne vient contredire l'honnêteté et la droiture de l'ensemble de ses relations avec Marilyn. Après le décès de la star, il souffrit, autant sur le plan professionnel que privé, et il ne le méritait pas.

Chapitre 30

Montage

De nombreux auteurs sont parvenus à la conclusion que deux personnes coexistaient en Marilyn. D'un côté, il y avait la plupart du temps Norma Jean – ou plutôt Norma Jeane comme elle avait fini par se faire appeler ; de l'autre, ce personnage très différent, Marilyn Monroe, créé pour le monde du cinéma et pour ses légions de fans. A défaut d'être erronée, cette observation apparaît singulièrement limitée : elle ne tient pas compte des broderies infinies que Marilyn pouvait apporter à ses deux personnalités. Il est évident qu'elle n'était pas constamment la sublime icône de Celluloïd. Il fallait beaucoup de temps, doublé d'immenses efforts, à la « fille banale » pour se transformer en idole de l'écran sophistiquée.

En 1953, Marilyn devait tourner *La Rivière sans retour* avec Robert Mitchum. Lorsqu'elle quitta Los Angeles pour la région reculée du Canada où allait être réalisé le film, elle n'était pas au meilleur de sa forme. Le journaliste Jim Bacon en fut témoin. Après l'avoir interviewée, il écrivit : « Elle avait les cheveux complètement emmêlés, le visage recouvert d'une couche de crème de beauté et les sourcils charbonneux... on aurait dit la fille de Dracula. J'ai pris mes jambes à mon cou. » Marilyn se cachait derrière un masque qui aurait fait horreur à Norma Jean. Il épouvanta égale-

ment son maquilleur, Allan (Whitey) Snyder. « Débar-
bouille-toi le visage, lui dit-il, tu fais vraiment peur. » En
fait, cette couche de crème symbolisait la dépression de
Marilyn qui avait tendance à se transformer en ce qu'elle
croyait être.

Marilyn dut affronter un certain nombre de problèmes
sur le tournage de *La Rivière sans retour*. A commencer
par la stature dominatrice de son metteur en scène, Otto
Preminger, néanmoins amplement compensée par la
compagnie sympathique de son partenaire, Robert Mitchum, ainsi que par les visites de Shelley Winters qui tournait un film dans les environs. Mitchum et Winters
comptaient au nombre de ses vieux amis. Lui l'avait rencontrée à l'époque où il travaillait pour Lockheed avec son premier mari, Jim Dougherty. Elle était alors véritablement
Norma Jean. Quant à Shelley Winters, elle avait roulé sa
bosse avec elle à l'époque des vaches maigres, avant que
Marilyn n'atteigne le sommet du vedettariat. Pourtant, la
présence de ses amis ne l'empêcha pas de se mettre dans le
pétrin. Robert Mitchum m'a raconté qu'en sortant de la
rivière il lui avait dit : « Fais attention, ces rochers sont
glissants, tu risques de te blesser. » Il poursuivait : « Elle
ne m'a pas écouté, elle s'est précipitée dans l'eau et, bien
évidemment, elle s'est fracturé une jambe. » Si les journaux
titrèrent MLLE MONROE SE BLESSE A LA JAMBE AU CANADA, Shelley Winters raconta plus tard qu'elle n'était pas convaincue
de la gravité de cette blessure. L'équipe de médecins qui
effectua le déplacement de Los Angeles déclara, après avoir
pris des radios, que la jambe de Marilyn n'était pas vraiment
cassée. Ils évoquèrent « une possible foulure », verdict qui
fit rire sous cape Shelley Winters. Marilyn prenait plaisir à
ce que l'on soit aux petits soins pour elle et tira profit de
son « martyre ». Winters en conclut qu'elle avait trouvé là
un moyen de prendre le dessus sur son metteur en scène.

L'actrice Terry Moore connaissait bien Marilyn. Elle
raconta que cette dernière était capable de se métamorpho-
ser en se contentant de se démaquiller et d'enduire son

visage d'une fine couche de Vaseline. Elle redevenait Norma Jean, toujours très belle, mais plus douce. On ne la reconnaissait plus dans la rue. Elle pouvait se promener incognito, en toute liberté, lorsqu'elle souhaitait ne pas être dérangée. Mais cet anonymat présentait aussi parfois des désavantages. Un jour où le véhicule qui devait l'emmener de Beverley Hills au studio n'arrivait pas, elle partit à sa rencontre et dut accomplir pratiquement tout le chemin à pied, parce que, avec son visage luisant de crème, personne ne la reconnut et ne lui offrit de la prendre en stop. Elle faisait une fixation sur la crème de beauté, convaincue qu'elle aiderait sa peau à ne pas vieillir.

Terry Moore décrivit également le processus inverse, la métamorphose inouïe qui se produisait lorsque le maquillage la transformait en Marilyn Monroe. Personne n'en était davantage conscient que Whitey Snyder. Au fur et à mesure qu'il appliquait les huiles et poudres spécialement créées pour elle par Max Factor, il voyait émerger sous ses doigts l'étoile vibrante et lumineuse. Cette métamorphose ne se produisait cependant pas aisément. Loin de là. En général, elle nécessitait deux heures de travail. Le record fut battu le jour où elle prit presque neuf heures. Mais une fois la chose faite, elle devenait Marilyn Monroe, unique, radieuse, impeccable jusqu'au bout des ongles.

Tout le monde était au courant de la dévotion que Whitey portait à Marilyn. Il connaissait ses faiblesses, ses forces et ses besoins, à tout instant. On savait qu'il lui arrivait fréquemment, lors de ces matins où l'on ne parvenait pas à l'éveiller et où elle était brisée, de la maquiller alors qu'elle était encore au lit. Sur le tournage des *Désaxés*, le film qui l'épuisa sans doute le plus, Withey, qui avait depuis longtemps ajouté à son titre de maquilleur les rôles de mentor et d'assistant personnel, responsable plus particulièrement de la faire pénétrer sur le plateau et d'affronter la caméra, jour après jour, savait où et quand commencer sa tâche.

Les histoires d'overdose de Marilyn faisaient l'objet de multiples interprétations. D'un côté, elle semblait avoir une

connaissance très approfondie des mélanges de médicaments qu'elle pouvait effectuer sans danger ; de l'autre, les
états critiques dans lesquels elle se retrouvait parfois pouvaient être attribués à des cocktails dangereux de médicaments obtenus sur ordonnance et de drogues euphorisantes.
Ses amis Charlie Chaplin Jr et Edward G. Robinson Jr, tous
les deux toxicomanes endurcis, semblent lui avoir fait
connaître des drogues que ses médecins ne lui prescrivaient
pas, qui ajoutèrent une dimension nouvelle et dangereuse à
ses concoctions. Ces deux hommes étaient suicidaires et
alors qu'ils essayaient l'un et l'autre d'aider Marilyn, il semblerait plutôt que c'était elle, plus solide, qui leur apportait
un soutien et leur permettait de ne pas s'effondrer. La triste
culture de l'usage des stupéfiants qui allait trouver des
émules dans le monde entier était malheureusement profondément enracinée à Hollywood. A l'époque où Marilyn était
au sommet, l'abus de drogues sévissait dans la capitale du
cinéma.

Le costumier Billy Travilla eut souvent l'occasion de travailler avec Marilyn dont il garda des souvenirs très vifs. A
Anthony Summers[1], il confia : « J'ai habillé beaucoup de
femmes dans ma vie, mais aucune comme celle-là. A mes
yeux, elle avait une double personnalité. Malgré son
manque de véritable éducation, elle possédait une intelligence très brillante et avait des lubies enfantines... Elle
entrait dans le bureau, comme tout le monde, pour se
plaindre de quelque chose. Mais Marilyn avait toujours une
petite larme, une vraie larme, au coin de l'œil, et les lèvres
qui tremblaient. Ces lèvres ! Un homme ne peut pas résister
à ça. Il ne peut pas laisser ce bébé pleurer. » Billy Travilla
vécut néanmoins un moment pénible le jour où il se heurta
à une Marilyn, non pas droguée, mais avinée. Cet incident
que j'ai déjà évoqué se produisit la veille de la mort de la
star. Il tomba sur elle dans un restaurant – de Sunset Boule-

---

1. Anthony Summers, *Les Vies secrètes de Marilyn Monroe*, Presses
de la Renaissance, 1986.

vard, d'après ses souvenirs – où elle se trouvait en compagnie de Pat Newcomb et de Peter Lawford. Cette rencontre survint apparemment alors que Robert Kennedy, qui avait dîné avec eux à La Scala, était déjà parti.

Travilla lui dit bonsoir mais elle sembla ne pas le reconnaître. Elle posa sur lui des yeux inexpressifs, qui trahissaient un excès de boisson. Il insista et la salua de nouveau. Cela n'y changea rien. « Qui êtes-vous ? » lui demanda-t-elle à son grand embarras. Billy Travilla, profondément blessé, se contenta de s'éloigner.

Si la transformation de Norma Jean en Marilyn, quasi quotidienne, était douloureuse par certains côtés, elle n'avait cependant rien de désagréable. Pas davantage que la procédure inverse, hormis les cas où, en raison d'une appréhension, y était introduit un élément à la Dr Jekyll et Mr Hyde. Cela se produisit par exemple pendant la convalescence de Marilyn, après son opération de la vésicule biliaire. La crainte de garder une cicatrice après l'intervention, fort douloureuse, la fit sombrer dans la déprime. C'était dans ce genre de circonstances qu'elle déplorait le plus de ne pas être entourée d'une famille qui l'aurait aidée à s'en sortir et avec laquelle elle aurait pu parler de ses problèmes. Elle adopta pendant un certain temps un comportement désagréable. Elle se montrait de mauvaise humeur et négligée. Ce portrait lui ressemble néanmoins si peu qu'on a du mal à y croire.

Soyons cependant réalistes : Marilyn n'a pas attiré que des compliments, verbaux ou écrits. Dans sa biographie de Peter Lawford, *The Man Who Kept the Secrets*[1], James Spada la décrit tour à tour « capable d'être charmante, généreuse et attentionnée puis méchante et blessante ». Si elle n'avait aucun scrupule à exiger le renvoi d'une figurante d'un plateau, au simple prétexte qu'elle avait les cheveux blond platine comme elle – Marilyn ne supportait pas la concurrence ,– on ne compte plus par ailleurs les anecdotes

---

1. James Spada, *The Man Who Kept the Secrets*, New York, 1991.

à propos de sa gentillesse, de sa compassion, de son profond amour pour les enfants handicapés – de sa générosité à leur égard – et de celui qu'elle portait également aux animaux. Tout cela ne fait en réalité que confirmer ce que nous savions déjà : Marilyn était un être humain comme nous tous.

Jeanne Carmen, son amie, savait elle aussi que son apparence ne correspondait pas toujours à la réalité : « Lorsqu'elle rentrait chez elle, elle devenait Norma Jean. Une personne tout simplement gentille, mais terriblement peu sûre d'elle. Du seuil de la porte à l'intérieur, une grande partie de son bonheur disparaissait. Lorsqu'elle était Norma Jean, elle manquait d'assurance, mais lorsqu'elle était Marilyn Monroe, le monde lui appartenait. Cependant, on avait du mal à lui faire franchir le seuil. Elle était effrayée. Elle rentrait vérifier son maquillage. "Est-ce que ça va ?" demandait-elle. Vous savez, elle était vraiment belle. » A l'époque où elle tourna – en 1953 – *Les hommes préfèrent les blondes* avec Jane Russell, son manque d'assurance atteignit cependant des sommets. Marilyn était tout simplement terrifiée par la caméra. Jane conspira avec Whitey Snyder afin de « passer la voir » dans sa loge le matin et de s'y attarder un temps considérable, pour l'accompagner ensuite sur le plateau.

Pour Jeanne Carmen, ce problème général d'insécurité provenait du manque d'éducation de Marilyn. « Elle craignait de se voir reprocher son ignorance dans certains domaines, m'a-t-elle dit. Et puis il y a autre chose : une fille a besoin d'un papa qui lui dit qu'elle est merveilleuse, et Marilyn n'en avait pas. » Jeanne raconte, sous forme de compliment, que lorsque Marilyn devenait Norma Jean, elle était drôle, simple, gentille. Lorsqu'elle se métamorphosait en Marilyn, elle rayonnait. « Lorsqu'elle saluait de la main les gens derrière la vitre de sa voiture, c'était une reine », affirme-t-elle.

Dans *Les Vies secrètes de Marilyn Monroe*, Anthony Summers évoque l'effet que produisit Marilyn, alors au début de sa carrière, sur l'actrice allemande Hildegard Knef, qui la rencontra dans une loge du studio. « Cette fille à l'air endormi, avec un petit bonnet de douche en plastique transparent sur ses cheveux blond-blanc et son visage pâle recouvert d'une épaisse couche de crème, s'assoit à côté de moi. Elle fouille dans un sac dont elle sort un sandwich, une boîte de pilules, un livre... "Salut, je m'appelle Marilyn Monroe. Et vous ?" » Knef vit « une enfant avec des jambes courtes et un gros derrière »... Et cependant, « une heure et demie plus tard, on ne reconnaît plus que les yeux. Elle semble avoir grandi avec le maquillage. Ses jambes ont l'air plus longues, son corps plus souple, son visage irradie comme s'il était éclairé par des bougies »...

Dans *Le Démon s'éveille la nuit*, film tourné en 1951, Marilyn partage le haut de l'affiche avec Barbara Stanwyck, Robert Ryan et Paul Douglas. De quoi s'interroger après coup sur le rôle qu'elle jouait, puisqu'elle parvint à voler la vedette à ses partenaires dont certains en furent dépités. Si le critique du *New York Times* déclara qu'elle ne savait pas jouer, l'une de ses célèbres partenaires ne partageait pas cet avis : « Cette fille ira loin, très loin, et deviendra une grande star », affirma en effet Barbara Stanwyck.

Marilyn portait assez d'estime à W.J. Weatherby, journaliste au *Manchester Guardian*, pour lui accorder souvent des interviews. Il devint d'ailleurs plus tard l'un de ses amis et confidents. Il voyait en elle « des humeurs de caméléon qui permettaient à son corps de traduire tout ce qu'elle voulait... Ceux qui la sous-estimaient en la prenant pour une blonde idiote étaient vraiment stupides ! Ce que j'ignorais alors et ne parvenais pas à deviner, c'était la part de naturel – dans la mesure où un être humain peut l'être – et celle qui relevait de la performance calculée ». Weatherby était un homme intelligent et un bon journaliste. Il parvint vraiment à en connaître un bout sur Marilyn et, ce faisant, fut assez perspicace pour se rendre compte de tout ce qu'il ignorait sur elle, et ignorerait toujours. Mais le courant qui passait entre eux faisait des étincelles et ils déteignaient l'un sur l'autre. « Il se peut que nous ayons tous un millier de moi, déclara-t-il en citant Virginia Woolf. Quelle que soit la manière dont elle mourut, il y eut toujours des assassins dans sa vie, qui essayaient de tuer 999 de ses moi et de ne garder que la blonde idiote. Ils font la même chose aujourd'hui avec sa mémoire. »

Chapitre 31

En quête d'une famille

Nous avons déjà fait la connaissance, dans les chapitres précédents, de certaines des personnes qui occupèrent une place capitale dans la vie de Marilyn : ses maris Joe DiMaggio et Arthur Miller, le Dr Ralph Greenson, Eunice Murray, Peter Lawford et sa femme, Pat Kennedy-Lawford, Frank Sinatra et bien évidemment le président John F. Kennedy et son frère Robert Kennedy, le ministre de la Justice. D'autres ont été simplement mentionnés au passage, mais cela ne les a pas empêchés de jouer un rôle important dans la vie de la star et, tout particulièrement, pendant ses derniers jours. Dans de nombreux cas, ils formèrent une espèce de famille pour elle, et c'était d'une famille dont elle avait le plus besoin.

Agnes M. Flanagan faisait partie des personnes dont Marilyn appréciait la compagnie. La coiffeuse de la Fox se chargeait de laver ses cheveux et de créer ses coiffures, et ne s'éloignait jamais d'elle sur le plateau. Ce fut Agnes qui la coiffa pour la réunion importante qu'elle eut le 12 juillet avec les dirigeants de la Fox, au cours de laquelle furent décidés la reprise du tournage de *Something's Got to Give* et son réengagement, pour un salaire qui avait été très largement augmenté. L'accomplissement de cet exploit relevant de la magie représentait le quotidien de Flanagan. Marilyn était tout autant attachée à sa coiffeuse qu'aux deux enfants de cette dernière. Après avoir entendu Agnes évoquer avec admiration une balançoire de jardin, elle lui fit cadeau d'un modèle identique. Agnes racontait qu'elle devait faire attention, lorsqu'elle regardait des vêtements pour enfants en présence de Marilyn, car elle risquait de les recevoir le lendemain. Marilyn faisait également appel à d'autres coiffeurs comme le célèbre Sidney Guilaroff, qui comptait Greta Garbo parmi ses autres clientes. Il la coiffait pour des événements particuliers, telle sa rencontre du 25 juillet en tête à tête avec le directeur du studio, Peter Levathes, qui allait décider de la nouvelle direction de sa carrière. Pearl Porterfield, spécialiste de la couleur, créatrice du « platine sexy » de Jean Harlow et des superbes cheveux blancs de Mae West, fut celle qui inventa pour Marilyn l'époustouflante teinte pâle qui deviendrait célèbre sous le qualificatif de « blanc taie d'oreiller ». Quant à Mickey Song, qui coiffa par la suite Raquel Welch, entre autres célébrités, il lui fut présenté par Robert Kennedy. Pour en revenir à Agnes Flanagan, elle était bien davantage qu'une coiffeuse pour Marilyn, elle était une amie.

Le maquilleur de Marilyn, Allan (Whitey) Snyder, grand autre ami, confirmait en tous points les propos de Flanagan. Il devait faire attention de ne pas trop manifester son penchant pour, disons, telle ou telle chemise, sinon il la recevait en cadeau. Whitey maquilla Marilyn du début à la fin de sa carrière à l'écran. Mais le rôle qu'il tenait auprès d'elle allait bien, bien au-delà. Pendant le tournage de *Niagara* où Marilyn était tourmentée par toutes ses peurs habituelles face à la caméra, Whitey fut chargé par le metteur en scène de la réconforter et de l'aider à se dominer. Dès lors, ce rôle lui revint autant que celui de la maquiller. Whitey épousa une autre amie proche de Marilyn, Marjorie Pletcher, qui était costumière.

Whitey connaissait fort bien Marilyn et se faisait beaucoup de souci pour elle. Il était conscient de l'influence qu'exerçait sur elle son entourage et n'appréciait pas tous ceux qui le composaient. Il s'entendait bien avec Joe DiMaggio, par exemple, et l'avait encouragée à l'épouser, mais il n'aimait pas le Dr Ralph Greenson et ne s'en cachait pas. Il estimait que le psychiatre ne lui faisait aucun bien et il lui reprochait de lui soutirer beaucoup d'argent. Précisons au passage que Greenson lui rendait la pareille. Le psychiatre n'aimait d'ailleurs pas davantage Ralph Roberts, Paula Strasberg ou Pat Newcomb et il essayait de persuader Marilyn de s'en débarrasser. De tous les membres de son entourage, Whitey Snyder ne risquait pas d'être celui que Marilyn laisserait tomber. En fait, le jeudi précédant sa mort, ce fut lui et Marge qu'elle invita à venir fêter l'accord extrêmement juteux qu'elle venait de concrétiser avec la Fox. Autour d'une coupe de champagne et de petits fours ils apprirent que Jean Negulesco allait remplacer George Cukor et son équipe. Au grand ravissement de Marilyn, Negulesco avait accompli l'exploit – inouï – de négocier la reprise du script original de Nunnally Johnson. En définitive, ce changement de metteur en scène s'avéra également des plus profitable à George Cukor. Son contrat avec la Fox rempli, il fut engagé par Warner Brothers qui lui confia enfin la réalisation de *My Fair Lady*. Cerise sur le gâteau, il remporta l'Oscar de la mise en scène pour ce film.

Whitey travaillait beaucoup pour Marilyn. Pas seulement sur le plateau de ses films, mais pour ses engagements privés importants. Ce fut lui qui la maquilla pour la réception donnée le 26 juin par Lawford en l'honneur de Robert Kennedy. Mais les choses évoluaient alors rapidement et des changements spectaculaires intervinrent au cours des semaines qui suivirent cette soirée, les dernières semaines de sa vie.

Le premier professeur d'art dramatique de Marilyn fut Natacha Lytess, qui avait fui le régime nazi en compagnie de son mari avant la Seconde Guerre mondiale. La Columbia lui confia la tâche de coacher, parmi d'autres débutantes, la jeune Marilyn. Cette rencontre déboucha sur une association de six ans, au cours de laquelle toutes les deux s'épanouirent dans le cadre d'une relation déchirée par des crises qui, apparemment, leur furent mutuellement bénéfiques. Natacha était une brune aux cheveux courts, grande et mince. Personnage audacieux et aristocratique, elle attirait le respect de Marilyn en dépit de sa causticité et lui apportait la culture et la stimulation intellectuelle qu'elle recherchait. Natacha reconnut, beaucoup plus tard, qu'elle avait davantage besoin de Marilyn que Marilyn avait besoin d'elle. On ne s'étonnera pas que, comme bien d'autres femmes, elle soit devenue une figure de mère pour Marilyn. La star était contente de devenir la « fille » de Natacha, en même temps que sa protégée. Le choc fut d'autant plus grand lorsque Marilyn décida de mettre un terme à leur relation. La rupture fut subite et nette. Marilyn venait de découvrir la « Méthode », ainsi que Lee et Paula Strasberg.

Pendant peut-être trop longtemps, Marilyn se reposa sur Lee Strasberg et son épouse, Paula, ses professeurs d'art dramatique. Ils furent l'objet de maintes critiques à propos de l'enseignement qu'ils lui prodiguaient, mais on ne peut nier qu'elle accomplit des progrès pendant qu'elle travaillait sous leur direction et qu'elle semblait sur le point de s'épanouir en une véritable bonne actrice lorsqu'elle disparut. A son tableau de professeur Strasberg comptait James Dean, Marlon Brando, Paul Newman et Eli Wallach, pour ne citer que quelques noms célèbres.

C'était l'attitude dominatrice des Strasberg à l'égard de Marilyn qui leur attirait l'hostilité de ses amis. Paula, en se mêlant de tout sur les tournages, se transforma en énorme problème. Le professeur d'art dramatique vêtue de noir dirigeait tout, Marilyn considérait ses propos comme parole d'Evangile, mais elle finit par dépasser les bornes. Le studio, ulcéré, ne supportait plus son interventionnisme. Il semble qu'à cette époque Marilyn elle-même avait commencé à nourrir de sérieux doutes sur les bénéfices qu'elle était censée tirer de la présence constante de Paula à ses côtés. Lorsque le studio exigea son départ, elle accéda sagement à sa demande. Et elle n'intervint pas non plus pour qu'on autorise Paula à pénétrer de nouveau sur le plateau. Elle la raya complètement de sa vie.

Sa relation avec Lee était d'un tout autre ordre. Bien qu'il fût capable d'une froideur et d'une tyrannie qui lui valaient également des critiques, Marilyn sentait qu'elle avait encore besoin de lui. Ce fut le gourou qui lui conseilla de suivre une psychothérapie afin de trouver en elle-même ce dont elle avait besoin pour appliquer la « méthode Stanislavsky ». Connue par ailleurs sous le terme d'« immersion totale », elle exigeait des acteurs une exploration intense de leurs scènes et de leur moi intime. Ils devaient faire appel à leurs propres expériences pour jouer. Au-delà même de l'auto-analyse, ce système préconisait de suivre une psychanalyse.

A une certaine époque, Lee devint un père de substitution pour Marilyn et elle s'intégra à sa famille. Cette situation allait se reproduire par la suite avec le Dr Ralph Greenson auquel Marilyn s'attacha comme à un père, tandis qu'elle voyait une « mère » dans son épouse Hildi et des frères et sœurs dans leurs deux enfants. Lee Strasberg exerçait une énorme influence sur elle, elle avait confiance en lui et voulait progresser. Elle disait qu'on la faisait passer précipitamment d'un film à un autre, sans lui laisser le temps d'apprendre. Elle avait l'impression que le studio ne lui demandait que de répéter la même interprétation à l'infini, alors qu'elle voulait évoluer, donner davantage. Elle savait que, dans la famille Strasberg, Paula menait la danse. C'était elle qui dirigeait Lee et cela continua, même après la rupture de leur mariage.

Financièrement, les Strasberg gagnèrent beaucoup d'argent sur le dos de Marilyn. En dehors de ses honoraires pour services rendus, Paula, dont l'ingérence sur les plateaux attirait des ressentiments de plus en plus vifs, se faisait également payer par le studio qu'elle ulcérait. Marilyn avait couché Lee Strasberg sur son testament et fait de lui son principal héritier. Elle lui léguait de l'argent et des biens personnels qu'elle lui demandait de distribuer « à [ses] amis, collègues et à ceux auxquels je suis dévouée », ainsi que les droits de ses films qui continuèrent à être lucratifs. Strasberg se remaria après le décès de Paula et sa seconde épouse, Anna Mizrahi, puis par la suite la famille de cette dernière, héritèrent des droits de ce qui était devenu un « business Marilyn » rapportant des millions de dollars. On notera avec intérêt que le rendez-vous pris par la star avec son avocat, Milton Rudin, pour le lendemain qui suivit son décès, aurait pu tout changer. Elle voulait réviser son testament. Certains de ses proches pensaient qu'elle avait l'intention de modifier son legs aux Strasberg. Comme elle se sépara de Paula très peu de temps avant sa mort, on peut se dire que les amis en question ne formulaient pas là une hypothèse improbable.

L'attachée de presse Pat Newcomb, qui fit des études supérieures de psychologie, était la fille d'un juge. Pat comptait au nombre des meilleures amies de Marilyn et de ses confidentes les plus proches. Salariée par la grande agence de presse, l'Arthur P. Jacobs Company, elle travaillait spécifiquement pour Marilyn. Leur amitié avait mis du temps à s'épanouir. Lorsque Jacobs chargea Pat de s'occuper de Marilyn pour la première fois – sur le plateau de *Bus Stop* –, leur relation ne fit pas long feu. Les deux femmes ne s'entendirent pas et Jacobs eut la sagesse de les séparer. Apparemment, l'hostilité de Marilyn provenait du fait qu'elle pensait que Pat s'intéressait à un homme sur lequel elle-même avait des vues. Elle se trompait, mais entre elles l'ambiance s'était envenimée. Quatre années allaient se passer avant que les deux femmes renouent connaissance et se lient d'une amitié durable.

La nuit où Marilyn mourut, Robert Kennedy essaya de la convaincre de venir dîner chez Peter et Pat Lawford. Elle refusa, tandis que Pat Newcomb se rendait pour sa part à ce dîner. Nous avons vu que d'après l'un des autres invités, George Durgom, Pat annonça à son arrivée : « Marilyn ne vient pas, elle ne se sent pas bien. » Il était 21 h 30.

On n'a jamais compris le rôle qu'avait tenu Pat Newcomb au cours des quelques heures ayant précédé le décès de

Marilyn et dans la suite des événements. Elle refuse d'en parler. Une chose reste cependant sûre : elle soutenait ardemment Robert Kennedy, elle fit campagne pour lui et, après l'assassinat de l'homme politique, resta très proche de sa veuve, Ethel. Elle donna des réponses évasives à ceux qui enquêtaient sur la mort de Marilyn, de telle sorte qu'à ce jour il n'existe aucune déclaration intéressante de sa part à ce sujet. Elle n'a dit que des choses anodines. Il n'est évidemment pas impossible que John Dickie, l'enquêteur de Manley Bowler, le procureur adjoint du district, ait réussi à la faire parler mais, si tel est le cas – et j'en doute fortement –, la teneur de ses propos, tout comme la plus grosse partie du volumineux dossier de l'enquête, s'est évaporée. Et Mme Newcomb ne fait rien pour aider les enquêteurs.

Vu les circonstances exigeant que ne soit mentionnée en aucune façon la relation entre Marilyn et Robert Kennedy, il est surprenant que Pat Newcomb se soit envolée immédiatement pour Hyannis Port après la mort de Marilyn, où elle passa un certain temps comme invitée de la famille Kennedy. Plus étonnant encore, elle prit peu de temps après des vacances prolongées en Europe, puisqu'elles durèrent six mois. Elle se trouvait alors bien loin de ceux qui auraient absolument tenu à l'interroger, et elle le demeura à son retour aux Etats-Unis, puisqu'elle entra au service du gouvernement à Washington. Elle devint d'abord spécialiste de l'information à l'Agence de l'Information. Son travail consistait à promouvoir la coopération internationale et le prestige américain à l'étranger par le biais du cinéma. On a dit qu'à une certaine époque le bureau qu'elle occupait à Washington n'était pas loin de celui de Robert Kennedy.

Du contenu de certains livres sur Marilyn, on pourrait facilement conclure que la star n'entretenait avec Arthur Jacobs qu'une relation distante, d'ordre purement professionnel. Or cela était loin d'être le cas. Arthur Jacobs et sa femme, Natalie, étaient de vrais amis de Marilyn. Dans la confidence, ils connaissaient ses relations avec John et Robert Kennedy. Il leur arrivait souvent de rester des heures à ses côtés – toute la nuit parfois – pour lui parler et tenter de la convaincre de réduire ses doses de médicaments et de boire moins. Marilyn confia à Natalie : « J'aime Arthur. Il prendra soin de moi. Il sera toujours là quand j'aurai besoin de lui. » On ne peut accuser Arthur de ne pas avoir réussi à la sauver le jour fatal. Il laissa tout tomber pour se précipiter à son chevet dès qu'il apprit qu'elle était au plus mal, mais il ne put remédier aux choses affreuses qu'on lui avait fait subir avant son arrivée. Arthur Jacobs devint plus tard producteur. Son film le plus célèbre fut *La Planète des singes*. Lui aussi parvint avec succès à éviter d'être interrogé par la police à propos du rôle qu'il joua la nuit du décès de Marilyn.

Arthur Jacobs fut l'« architecte de la dissimulation », si l'on en croit Rupert Allan, un membre de son équipe. Rupert Allan et Marilyn étaient de bons amis depuis de nombreuses années. Bien que né à St Louis, il avait fait ses études supérieures à Oxford et s'était transformé en Anglais typique. Rédacteur à *Look*, il avait rencontré Marilyn à l'occasion d'un article qu'il écrivait pour ce magazine. Lorsqu'il entra dans l'équipe d'Arthur Jacobs, il fut nommé attaché de presse personnel de la star, poste qu'il garda jusqu'au moment où il commença à passer beaucoup de temps à Monaco, car il travaillait pour une autre des clientes de Jacobs, Grace Kelly. Une fois princesse, Grace lui proposa de devenir consul général de Monaco et il accepta. Ce fut à cette époque que Pat Newcomb le remplaça auprès de Marilyn.

Arthur James connaissait également Marilyn de longue date. Peu avant sa mort, cette dernière avait essayé de le joindre au téléphone. Il formait avec Charlie Chaplin Jr et Edward G. Robinson Jr un trio que Marilyn avait rencontré au début de sa carrière. De ces trois amis, c'était celui qui était devenu le plus proche d'elle. Il s'était lancé dans la promotion immobilière et y réussissait fort bien au milieu des années cinquante. Elle pouvait appeler Arthur à n'importe quelle heure de la nuit, sans crainte de le déranger. Il abandonnait toujours tout pour se précipiter à son secours.

Arthur raconta qu'il avait été un jour abordé par un proche, selon lui, de Hoffa ou d'un autre mafioso, qui lui avait demandé d'user de son influence sur Marilyn pour l'inviter quelques jours chez lui pendant qu'ils poseraient des micros dans sa nouvelle maison. Au courant de la liaison de la star avec Robert Kennedy, Arthur James pensa que c'était en fait l'homme politique qui était visé. Cela se passait en mars 1962. Il refusa et s'abstint d'en parler à Marilyn, car il estimait qu'elle avait déjà assez de soucis. Il savait cependant, à juste titre, que son refus ne les empêcherait pas d'installer leurs micros et écoutes. Comme des ouvriers ne cessaient d'entrer et de sortir de la maison dans laquelle Marilyn faisait effectuer des travaux, l'occasion de les poser se présenterait aisément. Ironiquement, Marilyn se sentait de moins en moins en sécurité et se mit à appeler Arthur, tout comme Robert Slatzer, de cabines publiques, afin de protéger son intimité.

Quelques semaines avant sa disparition, Marilyn passa un week-end dans la maison d'Arthur James sur la plage de Laguna. Charlie Chaplin Jr et Edward G. Robinson Jr avaient également été conviés. Arthur pensait que c'était Edward G. Robinson qui avait, bien longtemps auparavant, initié Marilyn aux drogues. De notoriété publique, Robinson était toxicomane. Cependant, il n'est pas du tout certain que ce soit sous son influence qu'elle le devint à son tour et que les stupéfiants exercèrent un tel effet sur sa courte existence. Selon une autre de ses amies, Marilyn avait commencé à prendre des drogues dès l'âge de dix-sept ou dix-huit ans. Arthur James est la seule personne à laquelle Marilyn annonça sa grossesse. Il avait cependant des doutes et se demandait si elle n'avait pas simplement fantasmé. Il pense que si elle disait vrai, elle perdit le bébé en raison d'une fausse couche, alors que d'autres estiment qu'elle se fit avorter.

Arthur James était absent quand Marilyn essaya de le joindre au téléphone le mercredi précédant sa mort. Lorsqu'on lui remit le message plus tard il la rappela, mais il raccrocha en entendant la voix d'une autre femme au bout du fil. La star essaya également de joindre Robert Mitchum, sans succès, peu de temps avant son décès. Mitchum m'a raconté que Pat Newcomb lui avait affirmé par la suite que Marilyn tenait vraiment à lui parler et qu'il s'était toujours senti coupable de ne pas l'avoir rappelée.

Le poète Norman Rosten et sa femme, Hedda, faisaient partie des bons amis de Marilyn. Rosten avait fait ses études à l'université du Michigan avec Arthur Miller, et ce fut lui qui présenta ce dernier à Marilyn. Résidant à Brooklyn, il avait souvent l'occasion de la rencontrer dans des cocktails new-yorkais. Il se souvenait de l'avoir observée un jour dans l'une de ces réceptions. Elle regardait par une fenêtre, plongée dans ses pensées. « Reviens », lui avait-il dit. Marilyn, très déprimée à cause de ses insomnies, lui avait répondu : « Si je m'écrasais en bas, qui s'en soucierait ? – Moi », avait répliqué Rosten, les yeux dans les siens.

Nous avons tous nos faiblesses. Celle d'Hedda était un penchant pour la boisson et cela n'aidait pas Marilyn, qui sortait parfois avec elle. Les Rosten constituaient néanmoins l'un des atouts de la star. Norman Rosten l'incita à s'essayer à la poésie et elle s'aperçut qu'elle y prenait plaisir. Avec eux, elle était sans fard et ils devinrent une partie d'elle-même.

Norman et Hedda étaient le genre d'êtres humains dont Marilyn appréciait la compagnie lorsqu'elle avait désespérément besoin de vrais amis, d'intimes, chaleureux et réconfortants, auxquels elle pouvait confier ses plus profonds secrets. Auprès d'eux, elle cessait d'être la création d'une machine publicitaire. Cette situation ne la soulageait cependant pas davantage de ses problèmes et de ses blessures qu'elle n'enlevait aux Rosten la responsabilité de connaître et d'aimer Marilyn Monroe. Un jour, Rosten et sa femme furent appelés en urgence chez la star à 3 heures du matin. Elle avait fait une overdose et véritablement manqué perdre la vie. Et ce n'était pas la première fois. Norman Rosten lui rendait visite lorsqu'elle était souffrante et déclara par la suite : « Elle souffrait, non seulement du corps et de l'esprit, mais de l'âme, l'instrument le plus intime du désir. La lumière ne brillait pas dans ses yeux. » Pourtant Marilyn rebondissait, encore et toujours.

Marilyn effectuait des séjours dans la maison du bord de mer des Rosten et, à l'époque où elle était mariée avec Arthur Miller – lorsqu'elle se rendait avec son mari dans cette campagne qu'il aimait tant –, laissait les clés de son appartement de Manhattan à Norman. Marilyn eut une conversation téléphonique avec Norman Rosten peu de temps avant sa mort. Hedda Rosten devint sa secrétaire à New York. Elle s'occupait de son courrier et d'autres affaires ayant trait à l'Est des Etats-Unis. Elle l'accompagna à Londres pour le tournage du *Prince et la Danseuse*. Là-bas, elle devint sa secrétaire personnelle.

Marilyn passait en priorité pour Ralph Roberts, son masseur, comme pour Ralph Greenson. Le grand et superbe Roberts – « Rafe », comme elle l'appelait à l'anglaise – s'était d'abord essayé à l'art dramatique et était monté sur les planches à Broadway. Il avait rencontré Marilyn chez Lee Strasberg au milieu des années cinquante. Lorsqu'il décida d'abandonner le théâtre pour devenir masseur, Marilyn eut sur-le-champ recours à ses services et n'eut pas à le regretter jusqu'à sa mort. Il devint un ami fidèle et un confident, le genre d'être, solide comme un roc, que Marilyn avait besoin de compter dans son entourage.

Ce géant, cultivé et doux, était bien davantage qu'un masseur pour elle. Il lui servait de chauffeur quand elle le lui demandait, la conduisait à ses séances d'analyse chez Greenson, alors qu'il avait une opinion peu favorable du psychiatre. Il compta parmi ceux – Whitey Snyder, Pat Newcomb et le publicitaire Arthur James – qui déclarèrent que plus Marilyn avançait dans sa psychothérapie, plus elle était malheureuse. Ralph Greenson n'aimait pas davantage le masseur qu'il n'aimait Whitey Snyder. Il en arriva même à poser un ultimatum à Marilyn : soit elle abandonnait

Roberts et Strasberg, soit il arrêtait son analyse. Marilyn sembla lui obéir pendant un certain temps. Cependant, comme Roberts venait la masser tard le soir, Mme Murray était déjà partie et ne pouvait raconter à Greenson qu'il était venu. Cet épisode nous éclaire sur le pouvoir exercé par Greenson sur la star. Ralph Roberts faisait partie de ceux qui pensaient que Marilyn était sur le point de laisser tomber Ralph Greenson, bien que rien ne vienne corroborer cette théorie dans ses enregistrements secrets. On peut cependant ajouter que si telle était son intention, elle n'allait pas le crier sur les toits avant d'être tout à fait prête à la mettre en pratique.

Ralph Roberts aida Marilyn à emménager dans sa nouvelle maison de Fifth Helena Drive. Il se chargea particulièrement d'obscurcir sa chambre. Comme il savait qu'elle ne suppportait pas la moindre source de lumière dans la pièce, qu'il lui faudrait du temps pour choisir le tissu des rideaux et davantage encore pour les faire confectionner – elle tenait à ce que la décoration soit entièrement à son goût –, sans compter celui nécessaire pour les mettre en place, il lui installa temporairement des tentures noires apportées de son appartement. Il s'agit là d'un détail d'importance, car il jette un sérieux doute sur la version de Mme Murray selon laquelle elle utilisa un tisonnier pour repousser les rideaux de l'extérieur de la fenêtre et apercevoir ainsi le corps de Marilyn. Le tissu noir n'était pas accroché de façon orthodoxe et il était difficile de l'ouvrir ou de l'écarter de l'extérieur.

Ralph Roberts resta en contact très proche avec Marilyn jusqu'au jour de sa mort. Le samedi matin, ils bavardèrent ensemble et évoquèrent l'éventualité de se retrouver le soir autour d'un barbecue, projet que Greenson s'empressa de faire échouer lorsque Roberts appela la star pour le confirmer. Roberts téléphona pendant que l'analyste se trouvait chez Marilyn et, sans même en référer à sa patiente, Greenson lui répondit qu'elle était absente. Roberts resta sans nul doute perplexe, tout comme Marilyn, qui essaya de contacter son masseur au cours de la soirée, pour constater qu'il avait changé d'avis et était sorti avec d'autres amis.

Robert Slatzer connaissait Marilyn depuis les années quarante. Il comptait au nombre de ses plus anciens amis. A l'époque où il était reporter dans l'Ohio, il bavardait avec elle au téléphone ou allait lui rendre visite, jusqu'au jour où il fut licencié pour avoir effectué un déplacement de trop. Il trouva un travail d'écriture à Hollywood et se lança dans la production. Marilyn se confiait à lui et sans vivre « l'un sur l'autre », ils restèrent mutuellement en contact jusqu'au jour où elle mourut. Je raconte ailleurs l'histoire de leur mariage « éclair » de l'autre côté de la frontière du Mexique, ainsi que de leur divorce, tout aussi éclair, organisé par le studio de la Fox. J'évoque aussi ce qu'il savait du journal rouge que Marilyn lui avait montré. Elle avait raconté à Robert Slatzer la raison pour laquelle elle le tenait et évoqué une partie de son contenu. Ce journal disparut au moment de sa mort.

Robert Slatzer est absolument convaincu que Marilyn a été assassinée. Vers la fin de sa vie, elle se mit à l'appeler de cabines publiques. On peut aisément en conclure qu'elle se doutait que son domicile était sur écoutes et que l'étau se refermait sur elle. Elle lui parla de sa relation avec les frères Kennedy et lui dit qu'elle pensait que Robert allait divorcer d'avec Ethel pour l'épouser. Son vieil ami se garda bien d'abonder en son sens.

Parfaitement au courant de toutes ses précédentes « tentatives » de suicide, Robert savait qu'il y avait toujours eu, dans ces moments-là, des personnes autour d'elle qui la « sauvaient ». Il comprenait pourquoi ses analystes qualifiaient ses actes de « syndrome de l'appel au secours », et savait donc que les événements du samedi soir fatal n'entraient pas dans cette catégorie. Il est convaincu qu'elle ne se serait pas tuée, ni intentionnellement, ni par accident. Il faisait partie des personnes sur lesquelles elle pouvait toujours compter. Il restait à sa disposition en permanence et il faut noter qu'il est l'un de ses rares vrais amis qu'elle n'employait pas à un titre quelconque.

D'autres personnes comptaient pour Marilyn, mais elles ne furent aucunement impliquées dans les événements des journées qui menèrent à son décès. May Reis, par exemple, qui avait travaillé pour Arthur Miller avant d'être engagée comme secrétaire par Marilyn. May était le genre de personne dévouée qui s'était occupée d'une mère et d'une grand-mère souffrantes et avait subvenu à leurs besoins, ainsi qu'à ceux d'un frère. Capable et fine, elle devint tout aussi dévouée à Marilyn. Elle travailla pour elle à New York et la suivit à Los Angeles. La cinquantaine bien entamée, elle abandonna son poste le jour où la tâche s'avéra trop lourde. Inez Melson se chargea de gérer les affaires de la star. Marilyn lui confia également le rôle de tutrice de sa mère, Gladys, ce qui revenait à effectuer la liaison avec la direction du Sanatorium de Rockhaven dont cette dernière était pensionnaire et à s'occuper de régler régulièrement ses frais d'hospitalisation.

Hormis ses secrétaires d'un genre ou d'un autre, il y avait aussi sa doublure de longue date, Evelyn Moriarty, sa femme de ménage new-yorkaise, Lena Pepitone, et celle du studio, Hazel Washington, qui tenaient toutes un rôle bien précis auprès d'elle. Sidney Skolsky, le journaliste de Hollywood qui devint producteur, comptait au nombre de ses amis proches et on aurait du mal à dresser la longue liste des acteurs, actrices et membres des équipes de production avec lesquels elle noua des liens amicaux.

On notera avec intérêt, parmi les amis de Marilyn, un schéma curieux et répétitif. Elle avait conclu un pacte avec Norman Rosten : si l'un d'eux était attiré par l'idée du suicide, il contacterait l'autre, afin que ce dernier puisse le convaincre de ne plus y songer. Marilyn avait conclu un pacte identique avec son professeur d'art dramatique, Lee Strasberg, et avec le publicitaire Rupert Allan. Avec ce dernier, elle s'était mise d'accord sur un mot codé s'appliquant

à tout message ayant trait à l'idée de suicide. Ce mot était
« *Truckee River* ». A la lumière de toutes ces informations,
on peut douter de ses supposées « tentatives » de suicide.
Comme nous l'avons déjà noté, Marilyn avait des besoins
réels et profonds. Les psychiatres connaissent bien ces prétendues tentatives de suicide, effectuées par des personnes
n'ayant aucune intention d'abandonner la vie mais qui
essaient avec frénésie de trouver un moyen d'exprimer un
besoin désespéré.

Je le répète, rares étaient les amis de Marilyn qu'elle
n'employait pas à un titre ou un autre. Les membres de son
entourage sur lesquels elle en venait à compter prenaient un
autre statut. Ils se retrouvaient impliqués dans une relation
personnelle avec elle. Après leur avoir fait don de son amitié, Marilyn leur restait le plus souvent fidèle. Elle connaissait beaucoup de monde, mais en dehors du petit cercle
constitué par ceux avec lesquels elle entretenait des contacts
quotidiens, elle avait peu de vrais amis et voyait rarement
les membres de sa famille. A bien des égards, elle était seule.

Chapitre 32

La patiente

L'une des pires expériences vécues par Marilyn – sinon la pire – fut son admission au Cornell Medical Center de l'hôpital de New York au début de l'année 1961. Sa psychiatre new-yorkaise, le Dr Marianne Kris, l'ayant pressée d'y entrer pour se faire traiter de sa dépression et de sa dépendance de plus en plus grande aux barbituriques, Marilyn avait accepté. A sa grande horreur cependant, on ne l'installa pas dans une chambre privée comme elle s'y attendait. Le Dr Kris l'avait fait admettre dans le pavillon psychiatrique Payne-Whitney.

Marilyn se vit attribuer une chambre située à un étage réservé aux patients « moyennement perturbés » et comprit qu'elle venait d'entrer dans un asile de fous. Son pire cauchemar se réalisait. Elle découvrit également qu'elle ne pouvait pas en sortir de son plein gré. Le Dr Kris devait d'abord signer une décharge. On lui prit ses vêtements. On l'enferma à clé dans cette pièce semblable à une cellule. Plus tard, aux dires de tous, on la transféra dans une cellule capitonnée d'un autre étage, réservé aux malades mentaux graves. Ce déménagement fut sans nul doute provoqué par le fait qu'elle avait réagi à sa situation d'une manière parfaitement normale : elle avait réclamé de sortir en pleurant, en criant et en cognant des poings sur la porte capitonnée. Il semble même, d'après ce qu'elle raconta, qu'on lui passa une camisole de force. Elle était dans un état de choc absolu et parmi les membres du personnel, complètement insensibles aux protestations des malades, aucun ne lui manifesta le moindre intérêt. « J'avais l'impression d'être... emprisonnée pour un crime que je n'avais pas commis », écrivit-elle par la suite dans une lettre.

Ce fut un aide-infirmier qui finit par lui apporter une feuille de papier sur laquelle elle put griffonner une lettre qu'elle parvint à envoyer à Lee et Paula Strasberg.

> *Chers Lee et Paula,*
> *Le Dr Kris m'a fait interner dans le département psychiatrique de l'Hôpital de New York où je dépends de deux médecins imbéciles. Ils ne devraient me soigner ni l'un ni l'autre. Je suis enfermée avec tous ces pauvres dingues. Si je reste dans ce lieu cauchemardesque, je vais finir cinglée. Je vous en supplie, aidez-moi. C'est le dernier endroit où je devrais être. Peut-être que si vous appeliez le Dr Kris et la convainquiez de mon désespoir... Lee, j'essaie de me souvenir que vous avez dit un jour en classe que « l'art dépasse de loin la science »... et j'aimerais oublier les souvenirs de la science qui m'environnent – comme ces femmes qui hurlent. Aidez-moi, je vous en supplie, et si le Dr Kris vous assure que je vais bien, vous pouvez lui affirmer que c'est faux. Ma place n'est pas ici.*
>
> *Je vous aime tous les deux.*
> *Marilyn.*

Dans un post-scriptum, elle leur présente ses excuses pour ses fautes d'orthographe et leur explique que l'aspect grossier de son écriture est dû au fait qu'elle ne peut s'appuyer sur rien pour écrire. « [...] Ils m'ont menti en disant qu'ils appelaient mon médecin et Joe, et ils ont fait fermer ma salle de bains à clé alors j'ai cassé la vitre (pour utiliser la salle de bains) et en dehors de ça je n'ai rien fait pour ne pas coopérer. »

Mais les Strasberg ne vinrent pas à son secours, en cette heure où elle en avait désespérément besoin. Quelles que furent leurs éventuelles tentatives, elles n'aboutirent à rien. Marilyn continua à essayer – malgré les restrictions imposées pour ses appels téléphoniques – de joindre plusieurs personnes susceptibles de l'aider, mais elles n'étaient pas chez elles. Elle n'obtint aucune réponse. Ce fut en définitive DiMaggio, pourtant éloigné de plusieurs milliers de kilomètres, puisqu'il entraînait des joueurs en Floride, qu'elle parvint à contacter. Joe sauta sur-le-champ dans un avion pour se précipiter à son secours. Dès son arrivée à New York il exigea que Marilyn lui soit tout de suite confiée, mais on lui répondit que l'autorisation de Marianne Kris était nécessaire. Joe appela Kris et la menaça, si elle n'acceptait pas, de « détruire l'hôpital, brique après brique ».

Marilyn put enfin sortir. Terriblement affectée, elle emprunta une porte dérobée du sous-sol avec Ralph Roberts pour échapper aux journalistes. Elle se rendit d'abord dans son appartement. Marianne Kris les accompagnait, mais apparemment ce n'était pas Marilyn qui l'en avait priée. Elle n'était sans doute là que pour signer officiellement sa décharge. L'analyste aurait déclaré : « J'ai fait une chose terrible, terrible, une chose terrible. » Marilyn la vit assez longtemps pour lui déverser ce qu'elle avait sur le cœur et ne la revit jamais. A partir de là, elle devint la patiente de Ralph Greenson à Los Angeles, qui lui avait été recommandé quelque temps auparavant par Kris pour des consultations intermittentes.

Comme elle avait besoin d'être entourée d'attention et de soins chaleureux après son internement traumatisant à Payne-Whitney, la star accepta d'entrer au centre médical presbytérien de l'Institut de neurologie de l'université de Columbia, à condition que Joe puisse l'accompagner et rester près d'elle.

Tout bien considéré, il semble que les psychanalystes de Marilyn commirent des bavures inouïes. Marianne Kris ne pouvait ignorer la terreur que lui inspirait la folie, puisque Marilyn avait la ferme conviction, si infondée fût-elle, qu'elle affectait sa famille. Faire entrer par la ruse sa patiente – car il est clair que Marilyn avait accepté une chose dont elle n'avait aucune idée – dans l'équivalent d'un asile de fous relevait de la pure bêtise. A première vue, le psychiatre vers lequel elle se tourna par la suite, Ralph Greenson, ne fit pas preuve de davantage de perspicacité. Alors que Marilyn avait clairement besoin de la présence et du soutien d'un entourage de confiance, le Dr Greenson, qui n'appréciait pas certains de ses amis, à commencer par Ralph Roberts, lui lança un ultimatum : si elle ne se séparait pas d'eux, il cesserait d'être son thérapeute. Désinvolte, à tout le moins, cet ultimatum sciait à la base l'aide censée être apportée par un praticien bienveillant. Cette attitude se poursuivit jusqu'au jour de la mort de Marilyn où Ralph Greenson, présent chez la star, répondit à sa place à l'appel téléphonique de Ralph Roberts qui voulait lui confirmer leur rendez-vous pour le dîner, et répondit sèchement « elle n'est pas là » en lui raccrochant au nez. Ce geste la priva d'une présence amicale le dernier soir de sa vie et l'amena à déclarer : « Me voici, je suis la plus belle femme du monde et je n'ai pas d'homme en compagnie duquel passer mon samedi soir. »

Il ne faut pas s'étonner des rumeurs qui, lorsque Joe se précipita si spectaculairement au secours de Marilyn, laissèrent entendre qu'ils allaient se réconcilier. Mais elle était trop épuisée et vidée émotionnellement pour prendre ce genre de décision. En outre, elle allait encore être hospitalisée à deux reprises dans les mois qui suivirent. La première fois à Los Angeles, afin de subir une opération gynécologique destinée à réparer les dégâts causés par une intervention précédente, relative, semble-t-il, à une fausse couche ou à un avortement.

Après cette opération, elle se trouvait depuis quelques semaines à New York lorsqu'on la transporta en urgence à la Polyclinique de Manhattan, en raison d'un problème de vésicule biliaire. Elle avait des calculs rénaux enkystés. Une fois de plus, Joe DiMaggio lui tint la main. Le 29 juin elle fut opérée avec succès, mais elle resta dix jours à l'hôpital.

1961 ne fut pas une bonne année pour Marilyn. Après son opération de la vésicule biliaire, elle se laissa aller, aux dires de certains, pendant des semaines. Elle avait l'air vide, ailleurs, surtout au début lorsqu'on devait encore lui changer ses pansements, opération qui n'avait absolument rien d'agréable. D'après son entourage, elle employait un langage grossier et vulgaire, et n'avait plus rien de la créature à la voix douce qu'ils connaissaient.

Pendant le tournage des *Désaxés* dans le désert, seul un lavage d'estomac aurait permis de sauver Marilyn de la mort. On connaît mal la raison et la gravité de cette mésaventure, mais certains virent dans cette tentative de suicide un appel au secours de plus, conséquence probable de la tension extrême qu'elle subissait, à la fois dans son travail et hors du plateau. Sous cette canicule, ses perpétuels retards lui valaient l'antagonisme de ses partenaires et de l'équipe, et son mariage avec Arthur Miller se désintégrait à une vitesse foudroyante. Une agence de presse téléphona tôt le matin, afin d'obtenir la confirmation que Marilyn avait véritablement essayé de mettre fin à ses jours. Un attaché de presse du studio répliqua vertement : « Mais c'est impossible ! Elle doit être sur le plateau depuis 7 h 30 ! En outre, Paula Strasberg ne le supporterait jamais ! » Humour noir – voulu ou accidentel – mis à part, cette réaction apporte plus ou moins un commentaire sur l'état des choses. On ramena Marilyn par avion à Los Angeles où elle resta dix jours à l'hôpital de Westbrook – soignée par les Drs Engelberg et Greenson – puis on la ramena à Reno pour la fin du tournage.

Toute sa vie, Marilyn souffrit de règles anormalement abondantes. On les attribuait à une endiométrose chronique et ses dossiers médicaux fourmillaient de détails d'opérations qu'elle avait subies sur les côtes Est et Ouest en raison de cette affection. Ses chirurgiens, le Dr Mortimer Rodgers à New York et le Dr Leon Krohn à Los Angeles, ne parvinrent jamais à « résoudre un désordre féminin », comme Krohn qualifiait ce problème, lors de ses hospitalisations dans ces deux villes. De plus, elle fut admise au Doctors

Hospital de Manhattan après s'être évanouie à la suite de la perte d'un bébé qui la laissa anéantie, car cet enfant était d'Arthur Miller.

On a beaucoup parlé des avortements que Marilyn aurait reconnu avoir subis. Lors de son autopsie, des prélèvements essentiels qui auraient permis de le confirmer disparurent avant que l'on puisse en acquérir la certitude. Le Dr Noguchi ne put donc rien affirmer, dans un sens ou dans l'autre. Certains de ses amis déclarèrent cependant tenir de sa propre bouche qu'elle s'était fait avorter à plusieurs reprises. Par ailleurs, les commérages allaient bon train au moment du tournage de *Something's Got to Give*. Elle aurait fait une fausse couche le 21 juillet, un peu plus de deux semaines avant sa mort, à la suite de laquelle elle aurait eu très mauvaise mine. Plusieurs de ses proches évoquèrent un avortement. Agnes Flanagan déclara que Marilyn lui en avait parlé, tandis que les publicitaires Rupert Allan et Michael Selsman affirmèrent tous les deux être au courant. Cet « avortement » coïncidait avec l'époque de sa liaison avec le ministre de la Justice, Robert Kennedy. On peut s'interroger sur le fait que ce fut à ce moment-là que Kennedy la laissa tomber du jour au lendemain.

Il est stupéfiant qu'on n'ait accordé pratiquement aucune attention ou presque au fait que le médecin du studio de la Fox, Lee Siegal, avait déclaré que Marilyn manifestait de nets symptômes d'hypoglycémie. Cet état, trahissant en général un déficit de glucose dans le flux sanguin, est fortement influencé par le régime alimentaire – ou le manque de régime alimentaire. De nos jours, on prescrit à ceux qui en souffrent un régime extrêmement strict. Par exemple, de petits repas à prendre toutes les deux heures. Le sucre, le pain, les pommes de terre et l'alcool sont interdits. Lorsqu'on ne tient pas compte de ce problème, les conséquences peuvent être graves. Par exemple, on est sans énergie et fatigué, on a du mal à surmonter les problèmes quotidiens et, dans les cas extrêmes, on tombe dans une espèce de coma dont on a beaucoup de mal à sortir. A première vue les problèmes dont souffrait Marilyn correspondaient tout à fait à cet état, qui devait être sérieusement ruiné par ses excès d'alcool et le fait qu'elle ne suivait pas un régime strict. Ses prises de barbituriques ne pouvaient par ailleurs qu'aggraver les choses.

On dispose également de quelques indications qui font penser que Marilyn souffrait de dyslexie. Elle avait tendance à intervertir des mots de son scénario et, parfois, à faire un blocage et à ne pas les prononcer dans l'ordre adéquat. A cela se mêlait la maladie de Menière[1] qui, l'amenant de temps en temps à ne pas bien entendre ce qu'on lui disait, pouvait la mettre en difficulté sur un plateau et lui donnait un air absent. De plus, la présence de personnes prêtes à déduire le pire des problèmes qu'elle rencontrait sur un tournage ne l'aidait en rien. Le terme « confusion » laissait entendre que Marilyn n'était plus capable de se souvenir de son texte, tandis que la maladie de Menière lui donnait l'air ailleurs, quand elle n'avait pas entendu correctement ce qu'on lui disait.

Marilyn passait pour une hypocondriaque, mais lors-qu'on additionne les difficultés qu'elle devait affronter, je m'élève contre cette théorie. Elle souffrait le martyre à cause de ses règles et d'autres soucis gynécologiques, elle avait des attaques périodiques de la maladie de Menière et une dys-lexie partielle, susceptible de lui poser des problèmes lors-qu'elle lisait ses scripts. De plus, elle était tourmentée par le trac avant d'oser affronter la caméra. Les effets dépri-mants de ses abus de médicaments et l'état pitoyable pro-voqué par ses gueules de bois alourdissaient encore son fardeau, même s'il est aujourd'hui difficile, sachant qu'elle souffrait de dyslexie, de faire le distinguo entre tout ce qui précède et sa déficience sanguine éprouvante. A tout prendre, Marilyn avait véritablement de quoi se plaindre et se sentir mal.

En outre, le manque apparent d'amélioration de tous ses

---

1. Prosper Menière, physicien français (1799-1862). Syndrome de cause inconnue affectant la membrane de l'oreille et débouchant sur une surdité progressive, des vertiges, bourdonnements, etc. (*N.d.T.*)

soucis de santé est inouï, quand on pense aux fortunes dépensées par Marilyn, pourtant peu encline à négliger ses divers problèmes psychologiques et médicaux (attitude d'ailleurs susceptible d'être à la source de son image d'hypocondriaque), dans sa quête pour les résoudre, grâce aux services de personnes à la pointe de leurs professions respectives. Je ne serai pas le premier à faire remarquer le côté ridicule d'une situation dans laquelle des médecins comme Hyman Engelberg et d'autres lui prescrivaient des médicaments, tandis que Ralph Greenson essayait pour sa part – avec succès vers la fin de sa vie – de les lui faire abandonner.

Mais en dehors de toutes les maladies dont souffrait Marilyn, c'était ses insomnies qui la tracassaient le plus. Elles l'avaient amenée à augmenter ses doses de barbituriques, si bien que des problèmes plus profonds avaient surgi, qui la hantèrent jusqu'à sa mort. Toutes les personnes de son entourage et tous ceux avec lesquels elle travaillait étaient parfaitement au courant. Lorsque John Huston, le metteur en scène des *Désaxés*, apprit sa mort et le verdict de suicide, il déclara : « Ce n'est pas Hollywood qui l'a tuée. Ce sont les médecins. Ce sont eux qui ont fait d'elle une droguée des médicaments. »

Chapitre 33

Marilyn et la mafia

Marilyn a beau, dans ses enregistrements secrets, défendre Frank Sinatra d'entretenir des relations avec la mafia, il ne fait aucun doute qu'elle connut plusieurs mafiosi par son intermédiaire. En soi, cela n'avait rien de grave. Elle rencontrait des personnes de tous horizons et on ne peut pas prétendre que ces membres de la mafia jouèrent un rôle décisif dans sa vie. Elle sortit à plusieurs reprises avec Johnny Rosselli, le beau et ténébreux lieutenant de Giancana, et elle voyait à l'occasion George Piscitelle et Sam LoCigno, deux des hommes de main de Mickey Cohen. Beaucoup de gens se sont néanmoins demandé si ces personnages louches de la mafia avaient joué un rôle quelconque dans sa mort.

Marilyn n'aimait pas Sam Giancana. Aurait-elle été au courant de ses faits et gestes – et elle ne l'était très probablement pas –, son seul instinct ne l'aurait pas trompée. On racontait que Giancana, patron de la mafia de Chicago, avait donné l'ordre de torturer et d'assassiner environ deux cents personnes qui le dérangeaient pour une raison ou une autre. Il était censé contrôler la plupart des bookmakers, usuriers et extorqueurs de Chicago, et le proxénétisme faisait partie des autres activités peu recommandables qu'il exerçait dans cette cité. Il avait fait de la prison pour meurtre et autres délits et on ne s'étonnera pas que Frank

Sinatra refusât d'afficher l'amitié qu'il lui portait. En dépit de ses protestations, le chanteur avait évidemment des accointances avec les membres de la mafia. « Momo » ou « Mooney », comme on surnommait Giancana, fut à une certaine époque le partenaire de Sinatra dans le Cal-Neva Lodge et le casino du lac Tahoe et son association avec le crooner ne s'arrêtait sans doute pas là. Sinatra, si l'on en croit les racontars, terminait son show par la chanson *Chicago* pour plaire au gangster.

Avant sa mort, Marilyn commença à poser des problèmes à certains des pontes de la mafia, et notoirement à Giancana. Non pas pour ce qu'elle était mais à cause de ce qu'elle savait. Pendant sa liaison avec Robert Kennedy elle trouvait commode de noter ce que son amant lui avait dit pour pouvoir converser de manière plus intelligente avec lui. Elle rédigeait sans doute ses notes dans des carnets, qui étaient assez nombreux ou, comme beaucoup le pensaient, dans le journal rouge qui disparut au moment de son décès. Elle le faisait d'ailleurs peut-être dans les deux : des notes griffonnées à la hâte dans des carnets et recopiées ensuite au propre dans le journal rouge.

Robert Kennedy lui parlait apparemment de ce qui se passait au plus haut niveau et lui confiait des secrets d'Etat dont le gouvernement n'était pas fier. Le souci principal que causait à ce dernier le crime organisé était sans doute l'alliance formée par des chefs mafiosi et la CIA pour assassiner Fidel Castro, le dirigeant communiste de Cuba, dont Robert Kennedy avait parlé à Marilyn sur l'oreiller. Cette alliance, qui devint de notoriété publique lorsque les médias en firent leurs titres outrés, relevait en 1962 du plus grand secret. La CIA ne voulait pas que l'information soit divulguée, et les chefs de la mafia encore moins. La mafia aurait tiré d'énormes bénéfices du renversement de Castro, car la révolution lui avait fait perdre tous ses intérêts dans les jeux d'argent à La Havane. La CIA plaçait quant à elle le renversement de Castro en tête de ses objectifs. Ils avaient donc conclu un accord qui scandalisa le monde le jour où il fut révélé au grand public.

La CIA avait mis en œuvre l'« opération Mongoose ». Il s'agissait d'un plan destiné à saper le régime communiste de Cuba par la propagande, l'incitation des opposants à la guérilla, le sabotage et la provocation à la dissension interne. Le meurtre n'était pas censé faire partie de ce plan, si bien que l'Amérique apprit avec stupeur que, non seulement il était « politique » d'y recourir, mais qu'un accord sordide entre des agents du gouvernement et des membres du crime organisé cherchait à le mettre en œuvre. Robert Kennedy aurait évidemment dû s'abstenir d'aborder ce genre de sujet avec Marilyn Monroe. Il ne fait pas de doute que les écoutes placées chez la star apprirent à Sam Giancana et Jimmy Hoffa qu'il avait commis cette erreur. On doit cependant noter que les agents de la CIA le surent également de leur côté par le même biais.

Certains, en apprenant que Robert Kennedy avait parlé à Marilyn de l'accord CIA-mafia, crurent avoir découvert la raison du meurtre de Marilyn et pensèrent que ses assassins étaient tout désignés. D'ailleurs, lorsque j'ai mené mon enquête pour cet ouvrage, j'ai trouvé deux comptes rendus de son meurtre, selon lesquels il avait été perpétré par des mafiosi. Ils fournissaient les noms de ses meurtriers, ainsi que tous les détails nécessaires. Malheureusement, il s'agissait de deux comptes rendus différents, évoquant deux groupes de personnes différentes utilisant des moyens différents pour la tuer. Après le décès de la star, un troisième compte rendu vint au grand jour par le biais d'un biographe de Frank Sinatra. On peut dire qu'on ne manqua pas de tentatives d'attribuer la mort de Marilyn à la mafia.

Je dirais aux lecteurs de *Double Cross* de Sam et Chuck Giancana, publié en 1992, qu'ils n'ont lu que des spéculations de deux parents du gangster qui se faisaient de l'argent sur leur célèbre nom. Sam et Chuck, respectivement neveu et demi-frère de « Mooney », narrent l'implication de la mafia dans les assassinats de Marilyn Monroe, John F. Kennedy et Robert Kennedy. J'ai interrogé Antoinette Giancana, la fille de Sam, à propos de ce livre, et elle l'a rejeté en bloc. Elle m'a dit que son père en aurait méprisé le contenu, calomnieux en ce qui la concerne. Elle m'a affirmé qu'il n'était pas impliqué dans la mort de Marilyn et qu'il n'aimait pas Chuck qu'il avait renié car il avait changé son nom en Cain. Chuck n'avait, semble-t-il, repris le nom de Giancana qu'en raison de sa notoriété, dans l'espoir qu'il lui permettrait de vendre son livre.

Ceux qui attribuent le meurtre de Marilyn à la mafia précisent que cette dernière fut contrainte d'agir en hâte lorsque la star menaça de « faire sauter le couvercle de cette foutue affaire ». A savoir au moment où elle se fâcha avec Robert Kennedy, juste avant sa mort. Elle avait évoqué avec Robert Slatzer la tenue d'une conférence de presse le lundi suivant. Solution « urgente » aux yeux de la volatile et instable Marilyn. Ce scénario présente un certain intérêt mais il ne résiste pas à une analyse un peu fouillée.

Pour commencer, Marilyn tenait des conférences de presse mensuelles, si bien qu'une conférence de plus n'aurait rien représenté d'extraordinaire. Aurait-elle dénoncé John Kennedy ? Comme nous l'avons vu dans ses enregistements secrets, elle vouait une admiration fervente au Président et il est douteux qu'elle ait été capable de jamais le compromettre, y compris pour se venger de Robert. Est-il nécessaire de rappeler que Marilyn, malgré les rôles qu'on lui faisait tenir à l'écran, n'avait rien d'une blonde idiote et qu'elle ne se serait pas lancée dans un genre de publicité qui ne pouvait que se retourner contre elle ? Femme d'affaires très avisée, elle savait ce qu'elle faisait. Aurait-elle été capable de mettre sa menace à exécution ? Si tel était le cas, si elle décidait de « faire sauter le couvercle de cette foutue affaire », elle n'avait aucune garantie que ses révélations feraient la une. Or, dans ce domaine-là aussi, Marilyn était consciente de ses actes. Comme nous l'avons précisé, de nombreux journalistes savaient que John Kennedy était un chaud lapin, mais ils ne se faisaient pas l'écho de ses passades amoureuses – et ne pouvaient pas le faire – dans leurs articles. Le récit d'une liaison de Robert Kennedy, ajouté à la liste de celles de son frère, aurait évidemment été autre chose, mais il avait tout aussi peu de chances de venir au grand jour dans la presse.

Ezra Goodman nous apporte la preuve solide de la censure exercée sur des articles qui auraient présenté les Kennedy sous un mauvais jour. Goodman était le correspondant à Hollywood du magazine *Time*. Après la mort de Marilyn, il écrivit un article dans lequel il évoquait les liens de la star avec les Kennedy. La direction de *Time* refusa de le publier et veilla à ce que tous ses exemplaires fussent détruits. Goodman écrivit alors un livre que Macmillan accepta de publier. Malgré le bel à-valoir qu'il avait touché sur ses droits d'auteur, la maison d'édition revint sur sa décision et Goodman ne parvint jamais à trouver un autre éditeur new-yorkais prêt à assurer la publication de l'ouvrage.

Si Marilyn avait eu le moindre succès avec ses révélations, elles auraient probablement abouti dans une colonne obscure en milieu du journal sous le titre « Eclat de colère d'une star », par conséquent elles auraient été enterrées en bonne et due forme. Marilyn ne pouvait qu'en avoir conscience et elle n'allait pas amorcer un pétard mouillé. Elle avait tout à perdre dans cette histoire, d'autant que les journalistes qui ne la croyaient pas seraient probablement ceux qui accorderaient quelques lignes à ce sujet dans un coin de leur journal.

De plus, il ne lui était plus nécessaire de dénoncer quoi que ce soit. Elle avait déjà atteint son objectif puisque le vendredi soir Robert Kennedy l'écoutait avec attention, même si son attitude suscitait davantage de problèmes qu'elle n'en résolvait.

S'il faut avancer une thèse, il est tout à fait inconcevable que Marilyn ait pu nourrir l'idée de mettre à exécution sa menace de « faire sauter le couvercle » pour se venger. « Imaginer que Marilyn Monroe allait donner une conférence de presse pour divulguer ses griefs contre quiconque ne peut que faire rire tant cela ne lui ressemble pas », affirma son maquilleur et confident, Whitey Snyder.

Le *modus operandi* de l'assassinat de Marilyn ne permet

pas d'ajouter foi à l'hypothèse selon laquelle il aurait été accompli par la mafia. Il est vrai que la mafia avait parfois recours à l'empoisonnement et que dans ces cas-là elle utilisait le plus souvent l'hydrate de chloral. Cependant la dose d'hydrate de chloral découverte dans le sang de Marilyn, bien qu'importante, n'était pas fatale, et ce n'était pas le genre de la mafia de se tromper dans les doses. Lorsqu'elle tuait, elle tuait. De toute façon, cela n'aurait pas expliqué l'énorme volume de Nembutal découvert dans son sang et son foie, et la mafia n'était pas connue pour utiliser ce type de poison. Elle tuait beaucoup de monde, mais par des moyens moins subtils qu'un empoisonnement aux barbituriques introduits par le biais d'un lavement. Du moment qu'elle ne se trouvait pas sur le lieu d'un crime au moment où ce dernier était commis, elle se moquait des questions qu'il allait soulever. Elle privilégiait plutôt une balle rapide, voire une volée de balles. La perspective d'impliquer le ministre de la Justice en maquillant un crime en suicide ne tient pas non plus le coup. On n'a pas cherché au bon endroit. Ce meurtre ne se situe pas à la rubrique « M comme Mafia ».

Robert Kennedy donnait déjà du fil à retordre à la mafia. Il la poursuivait dans de nombreuses régions des Etats-Unis, avec un taux de réussite sans précédent jusque-là. Ses succès poussaient des hommes de loi – qui auraient auparavant laissé glisser des affaires en raison de la faible chance de mettre de célèbres mafiosi derrière les barreaux – à s'attaquer aux membres locaux de la mafia et à parvenir également à coffrer ses criminels. Giancana et ses associés avaient conscience que le ministre de la Justice avait le vent en poupe. Ils devaient à tout prix le contrôler mais le projet tordu de commettre un meurtre dont on ferait retomber la responsabilité sur Robert Kennedy n'était pas du tout dans leur style. D'autant que si le moindre plan destiné à discréditer le ministre de la Justice venait au grand jour, ils seraient les premiers pointés du doigt. Ils n'étaient pas du genre à prendre ce genre de risque, bien trop « aléatoire ». En outre, un échec aurait débouché sur des problèmes plus graves ; le retournement d'un complot de ce genre était de l'étoffe dont sont tissées les campagnes montées contre le crime organisé. La population – les électeurs – aurait applaudi encore plus fort qu'elle n'applaudissait l'iniative en cours de Robert Kennedy en voyant la situation s'enflammer davantage.

Si la mafia avait voulu se débarrasser du ministre de la Justice, elle l'aurait assassiné depuis longtemps. A tout peser, un plan qui lui permettait d'exercer un contrôle sur Robert Kennedy la plaçait en meilleure position, et chaque bobine de bandes enregistrées chez Marilyn Monroe la rapprochait de ce but.

Quelques années plus tard, des échos intéressants de cette collaboration entre la mafia et la CIA vinrent au grand jour. En 1975 Sam Giancana avait déjà eu à répondre à des questions de la Commission des renseignements du Sénat qui voulait de nouveau l'interroger. Cette fois, elle voulait en savoir davantage sur des complots destinés à assassiner Fidel Castro. On le trouva mort. Il avait reçu une balle dans la nuque et six autres, en cercle, autour de la bouche. Il ne répondrait plus à aucune question. Le même sort avait été réservé à son lieutenant, Johnny Rosselli. Ce dernier avait, lui aussi, déjà répondu à un interrogatoire de la Commission et devait de nouveau être interrogé. Après avoir été garrotté, poignardé et démembré, ses restes furent fourrés dans un tonneau d'essence. Le tonneau, jeté à la mer, fut rejeté par la marée sur une plage de Floride. On trouva Charles Nicolletti, un autre des acolytes de Giancana, dans une voiture en flammes, le corps criblé de balles. Apparemment, d'autres membres haut placés de la mafia avaient décidé que personne ne parlerait du lien notoire entre la CIA et le crime. Des pressions étaient exercées de l'intérieur sur l'intérieur, avec pour objectif de réduire au silence ceux en possession de tous les renseignements, et non d'étouffer les propos débridés d'une personne extérieure aux faits, une femme, qui ne connaissait qu'une partie de l'histoire et dont on mettrait probablement en doute la parole.

Mais ce post-scriptum ne s'arrête pas là. Jimmy Hoffa

faisait partie des premiers négociateurs de l'association CIA-mafia. Robert Kennedy ne parvint jamais à l'envoyer derrière les barreaux, contrairement au ministre de la Justice qui lui succéda. Hoffa n'accomplit pourtant pas toute sa peine de prison. Ce fut le président Richard Nixon en personne qui vint à sa rescousse, alors que son appel avait été rejeté à trois reprises par le Comité de libération conditionnelle. Dans son introduction à *The Fall and Rise of Jimmy Hoffa* de Walter Sheridan, Budd Schilberg écrivit : « George Jackson a pourri en prison pendant presque dix ans pour avoir volé 70 dollars. Jimmy Hoffa fauche des millions, achète des jurys, s'acoquine avec les plus dangereux gangsters d'Amérique et, grâce à l'intervention de son bon ami, Dick Nixon, s'en tire tranquillement avec cinq ans. »

Lorsque Hoffa fut relâché, il ne savait plus où il en était. Le syndicat des camionneurs ne voulait plus de lui. Le 30 juillet 1975, quelques semaines avant l'assassinat de Sam Giancana, il disparut et on ne le revit plus jamais. On peut en conclure, sans craindre de s'avancer, qu'il avait été inclus dans la liste de ceux qui devaient mourir en gardant leurs secrets sur les liens entre la CIA et la mafia.

J'ai montré ailleurs que la CIA est à mes yeux le candidat le plus susceptible d'avoir voulu tuer Marilyn, afin de discréditer le ministre de la Justice et son frère, le Président. Une idée intéressante qui a été enterrée, selon laquelle la CIA a peut-être demandé à la mafia de lui rendre le service d'assassiner Marilyn, n'est sans doute rien d'autre que cela : une idée intéressante. Etant donné ce que nous avons relaté dans ce chapitre, on a du mal à voir les mafiosi tout risquer pour leurs « amis » de la CIA. De plus, ceux qui croient en la véracité de cette hypothèse pensent-ils aussi que la CIA, capable des plus basses manœuvres, eût besoin d'aide pour commettre un meurtre ?

Chapitre 34

Marilyn et le FBI

Dans les années cinquante, les soupçons suscités par le communisme se manifestèrent aux Etats-Unis par une chasse aux sorcières, menée à l'instigation de la Commission du Sénat sur les activités anti-américaines qui était présidée par un fanatique, le sénateur Joseph McCarthy. Il suffisait d'un rien pour se retrouver sur la liste de ceux sur lesquels McCarthy estimait nécessaire de mener une enquête, et une fois placé sous surveillance, on avait du mal à résister aux conséquences de l'implacable machine investigatrice. Un simple lien avec le communisme ou des penchants communistes suffisaient à ruiner des réputations et à isoler les personnes les plus célèbres et les plus talentueuses dans un désert où elles devenaient inemployables – « intouchables ». Le moindre relent de communisme déclenchait une série de procédures qui plaçait ceux ayant avec lui des liens anodins ou naturels sous une chape où ils devaient lutter, et lutter dur, pour échapper aux rigueurs du maccarthysme.

Des auteurs de droite comme Frank Capell se sont plu à attirer l'attention sur le fait que nombre des membres de l'entourage de Marilyn avaient des liens d'un genre ou d'un autre avec la gauche. Si Capell était au courant des couleurs politiques de l'entourage de Marilyn, il est évident que le chef du FBI, J. Edgar Hoover, ne les ignorait pas non plus. Le mari de Mme Murray avait été un syndicaliste actif et ne s'en cachait pas. Il tenait ouvertement des réunions à leur domicile. Le Dr Ralph Greenson avait des opinions de gauche et le Dr Hyman Engelberg des liens directs avec des communistes.

Les Strasberg, Lee et Paula, étaient tous les deux associés de loin à des activités communistes et Paula était même membre du Parti sous le nom de Paula Miller. Norman Rosten, l'ami poète de Marilyn, et sa femme Hedda étaient également surveillés de près. Rosten avait de nombreux intérêts qualifiés de « liens avec le communisme » – il faut savoir qu'un abonnement au *Daily Worker*, par exemple, était considéré comme tel – et avait autrefois fait partie de la Ligue des Jeunes Communistes.

Marilyn s'était liée d'amitié avec Fred Vanderbilt Field lors d'une visite au Mexique. Field, quoique membre de la riche famille Vanderbilt, était un communiste bien connu qui avait fui l'Amérique pour vivre en paix. Il avait épousé une Mexicaine, Nieves, et le couple s'entendait bien avec Marilyn et appréciait beaucoup sa compagnie. Marilyn eut également une liaison avec un Mexicain de gauche, Jose Bolanos. Mais elle ne fut pas mêlée aux dissensions de ce dernier avec les Field, lesquels ne croyaient pas en sa profession de foi gauchiste.

Arthur Miller, dont Marilyn fut la femme pendant quatre ans, fut accusé d'appartenir au parti communiste et eut maille à partir avec la Commission du Sénat sur les activités anti-américaines. On considérait non seulement Miller comme membre à part entière du Parti mais comme activement engagé à soutenir les ennemis de l'Amérique, depuis qu'il s'était courageusement élevé en faveur d'un homme qui était considéré comme un espion, Gerhard Eister, victime à ses yeux de persécutions. Il se porta aussi au secours de douze personnes accusées d'être des leaders communistes. C'était ce genre de courage qui le rendait si cher aux yeux de Marilyn, laquelle, sans doute pour plaire à son mari plus que toute autre chose, s'intéressa aux opinions des intellectuels de gauche. En 1956 Arthur Miller fut convoqué à un interrogatoire de la Commission des activités anti-américaines. Il reconnut avoir signé une « espèce de formulaire » en 1939, tout en niant s'être inscrit en toute connaissance de cause au parti communiste. Mais les registres montrent qu'il signa néanmoins un formulaire d'adhésion, sous le numéro 23345.

Au cours de cet interrogatoire, il se débrouilla bien, jusqu'au moment où il refusa de donner les noms des personnes qu'il rencontrait aux réunions communistes. « Je ne pouvais pas divulguer le nom d'une autre personne et lui causer des ennuis », raconta-t-il. Il fut condamné pour mépris à l'égard du Congrès, ce qui entraînait une peine de prison. Il fit appel et finit par être acquitté, après avoir passé deux ans sous la chape du maccarthysme. Il eut la grande chance de bénéficier de la loyauté et du dévouement de Marilyn qui prit sa défense, malgré ceux qui tentaient de l'en dissuader. Elle déclara au journaliste anglais W.J. Weatherby : « Certains de ces s... d'Hollywood voulaient que je laisse tomber Arthur. [Ils] disaient que ça ruinerait ma carrière. Ce sont des poltrons-nés et ils veulent qu'on soit comme eux. » Apparemment, le soutien que Marilyn apporta à Miller eut un effet positif sur le traitement que réservait la Commission du Sénat à l'écrivain. Après quoi, comme il n'avait pas de quoi régler ses frais de justice, Marilyn le fit pour lui.

On ne peut pas dire que Marilyn avait des opinions précises en matière politique. Elle éprouvait toujours de la sympathie pour les opprimés de tout poil, attitude qui, traduite en termes politiques, la placerait plutôt à gauche. Elle se montrait généreuse de son argent et bonne à l'égard d'inconnus. Jimmie Haspiel, par exemple, un adolescent new-yorkais de seize ans, qui lui demanda un autographe alors qu'il n'avait pas de stylo, puis un baiser, obtint davantage qu'il ne pouvait l'espérer dans ses rêves les plus fous : outre le baiser, il devint un ami personnel de Marilyn. La star, visitant un jour un orphelinat auquel elle avait l'intention de faire une donation de 1 000 dollars, déchira son chèque sur une impulsion pour en rédiger un autre, dix fois plus élevé. Le spectacle d'un Noir auquel on interdisait d'entrer dans un endroit public la bouleversait. Dans son livre *Conversations With Marilyn*, qu'il ne publia qu'après la mort de la star pour respecter la promesse qu'il lui avait faite, W.J. Weatherby écrivit qu'elle était « la célèbre actrice de l'écran qui éprouvait un intérêt sincère et humain pour un poivrot dans la rue, se souciait d'un moineau au milieu des pigeons. J'ai connu beaucoup de gens célèbres, mais personne comme elle ».

Rien de tout cela ne peut cependant expliquer l'intérêt que lui portait le FBI. Des documents sur Marilyn, difficilement extirpés des griffes du FBI en faisant appel à la loi sur la liberté de l'information, ne le furent qu'une fois généreusement censurés. Ils étaient classés dans la catégorie B1 de la censure. On prétendait par là protéger les intérêts du pays, au titre de la sécurité nationale. Cet intérêt du FBI concernait beaucoup plus probablement des amis et contacts de Marilyn, dans le climat torride du maccarthysme. Mais dans une catégorie bien à part, ses liaisons avec John Kennedy et, plus tard, Robert Kennedy ne pouvaient qu'attirer l'attention de J. Edgar Hoover. Bien évidemment, on considérait que les frères Kennedy avaient des opinions de gauche, lesquelles, aux yeux d'hommes de droite aussi fervents que Capell, les rapprochaient du communisme. De plus, un grand nombre d'hommes de droite étaient alarmés par ce qu'ils prenaient pour les « affinités avec le communisme » des Kennedy. En tout cas, le directeur du FBI trouva le dossier de Marilyn assez chaud pour en faire faire une copie à l'intention de la CIA.

La Commission parlementaire sur les activités anti-américaines piétina sans vergogne les libertés d'un grand nombre d'Américains loyaux, avant de devenir elle-même l'instrument le plus important de l'anti-américanisme. Hollywood était l'une des cibles principales du sénateur Joe McCarthy, qui soupçonnait le communisme d'infiltrer la conscience américaine par le biais des scénarios et de la popularité d'acteurs célèbres. On arrachait donc sans le moindre ménagement les mauvaises herbes, à savoir celles teintées de communisme, sans se soucier de briser leur carrière ou de les mettre en difficulté. Les talentueuses victimes de la chasse aux sorcières se retrouvaient réduites, pour subsister, à effectuer des travaux subalternes, car personne n'osait plus les employer.

On en arriva à des situations ridicules. Le légendaire Charlie Chaplin, par exemple, qui s'était rendu en visite en Angleterre, fut interdit de retour aux Etats-Unis à moins d'accepter de se soumettre à un interrogatoire portant sur ses penchants communistes. On alla jusqu'à lui demander d'expliquer pourquoi il avait utilisé le terme « camarades » dans une conférence. Des Américains sincères, conscients de ce que la législation tentait de faire et l'approuvant à la base, allaient par la suite également souffrir de s'être pliés aux exigences du maccarthysme. Presque trente ans après la fin des persécutions la Commission parlementaire sur les activités anti-américaines, une équipe de télévision s'attachant à détruire la réputation de célébrités qui n'étaient plus de ce monde, et donc incapables de répondre, essaya d'appliquer ses méthodes à Walt Disney. Ce dernier lui donna cependant du fil à retordre et elle ne parvint, en tout et pour tout, qu'à l'accuser d'avoir obéi, comme bien d'autres, aux diktats de McCarthy.

Les amis de Marilyn étant ce qu'ils étaient, la star fut classée dans la même catégorie qu'eux et le FBI « s'intéressa » à elle au titre de la « sécurité nationale ». Bien qu'absurde, cette position fournit au sénateur J. Edgar Hoover l'occasion de la surveiller, ainsi que ceux qu'elle recevait chez elle. De la même manière et en invoquant le même prétexte, la CIA saisit cette occasion de placer le domicile de Marilyn sur écoutes. Selon l'Agence, elle représentait un « risque pour la sécurité ». En réalité, c'était aux Kennedy que s'intéressaient à la fois le FBI et la CIA.

Chapitre 35

Coups et coups durs

Robert Kennedy avait trouvé un prétexte pratique pour les fréquents déplacements qu'il effectuait à Los Angeles afin de voir Marilyn : une proposition d'adaptation de son livre, *The Enemy Within*. Il y décrivait son ennemi mortel, Jimmy Hoffa, et le crime organisé de manière percutante et sans complaisance. « Un exposé qui dépasse en tous points la plus sensationnelle des fictions... écrivait le critique du *Baltimore Sun*. Une histoire de meurtres, d'incendies criminels, d'aveuglements à l'acide, de passages à tabac impitoyables, de vols à grande échelle, de fraudes, de détournements de fonds et d'extorsions, révélés par un travail de détective exhaustif... et fournissant des exemples de courage personnel héroïque et de honte scandaleuse. » Lord Beaverbrook, le baron de la presse britannique, porta l'ouvrage aux nues. Selon lui, il s'agissait « d'une histoire policière à placer sur la même étagère que les meilleurs thrillers de l'époque... J'ai l'impression d'être quelqu'un qui vient de recevoir un compte rendu des Croisades rédigé par Richard Cœur de Lion en personne ».

En 1961 la Twentieth Century Fox avait fait part de son désir de porter à l'écran l'ouvrage, publié l'année précédente. A peine la nouvelle venait-elle d'être divulguée que le producteur, Jerry Wald, reçut la première d'une série de menaces anonymes qui allaient lui parvenir par téléphone ou courrier. Au début, il n'en tint pas compte et poursuivit son projet. Mais la mafia avait décidé qu'elle ne voulait pas que ce film fût réalisé. Les studios, qui lui versaient de l'argent depuis des années pour qu'elle les laisse tranquilles, incitaient à présent lourdement la Fox à abandonner ce sujet « choquant ». *The Enemy Within* fut l'un des combats que Robert Kennedy perdit contre Hoffa, lequel parvint, par l'intermédiaire de son avocat, à en arrêter la production.

Kennedy n'était pas homme à rester les bras ballants devant une si cuisante défaite infligée par la mafia. Bien longtemps avant d'être nommé au poste de ministre de la Justice, il n'aimait déjà pas Jimmy Hoffa, sentiment qui s'était transformé en animosité dévorante. Hoffa lui rendait la pareille et la description de leurs rencontres en tête à tête, agrémentée de leurs circonstances et implications, fournirait amplement matière à un best-seller. Arthur Schlesinger écrivit que chacun était l'incarnation de ce que l'autre avait le plus en horreur. Les deux hommes avaient néanmoins beaucoup à apprendre l'un sur l'autre. Kennedy reconnaissait qu'il devait prendre garde à ne pas sortir de ses gonds et Hoffa le savait parfaitement.

D'après Robert Kennedy, « les gangsters d'aujourd'hui travaillent de façon extrêmement organisée et beaucoup plus efficace qu'à aucune autre époque de l'histoire de ce pays. Ils contrôlent des personnages politiques et menacent des communautés entières. Ils ont déployé leurs tentacules de corruption et de peur à l'intérieur d'industries de petite et de grande tailles. Ils deviennent chaque jour plus puissants ». Il découvrit avec stupéfaction que le FBI de J. Edgar Hoover n'avait pas conscience de la menace représentée par le crime organisé. Le patron du FBI refusait de l'admettre. Dans sa ligne de mire, il avait avant tout le communisme et les communistes. On était à l'époque du maccarthysme et de l'infâme chasse aux sorcières qui ruina un si grand nombre de vies. Kennedy savait que le FBI n'exerçait aucune surveillance sur la pègre. « Ils surveillent ceux soupçonnés d'être des espions, mais pas les gangsters et les racketteurs. »

« Si nous [...] n'attaquons pas les criminels organisés avec des armes et des techniques aussi efficaces que les leurs, ils nous détruiront », déclarait Robert Kennedy. Il se référait à l'époque à son implication dans la commission sur les rackets, mais son accession au poste de ministre de la Justice lui permit presque d'accomplir son ambition de jeter Hoffa en prison. Ce dernier, entouré d'un cercle protecteur, parvenait à lui glisser entre les doigts de manière inouïe. Le truand se vantait de savoir tellement bien s'y prendre avec les jurys qu'il obtenait des enquêtes à propos de « jurys soudoyés ». Il déclara un jour à Kennedy, ulcéré qu'il l'appelle par son prénom : « Ecoutez, Bobby, vous dirigez vos affaires, et moi les miennes. » On notera néanmoins que, par certains côtés, les deux hommes se ressemblaient. Dans un article du *Saturday Evening Post*, John Bartlow Martin notait qu'ils étaient tous les deux « agressifs, dotés d'un esprit de compétition très développé, impérieux, autoritaires, soupçonneux, sobres, par moments sympathiques et à d'autres secs ». Lors d'une rencontre détendue dans une salle d'attente, ils plaisantèrent à propos de celui qui serait capable d'effectuer le plus grand nombre de pompes. Hoffa admit que ce n'était pas lui, du fait que Kennedy n'avait aucun mal à soulever un poids plume. Ni Kennedy ni Hoffa ne fumaient, Kennedy ne buvait que modestement et Hoffa pas du tout. Les deux hommes n'hésitaient pas à prendre des risques et se conduisaient tous les deux comme des négriers. A côté de ce qui les opposait totalement, on aurait pu leur trouver d'autres points communs.

Dans la guerre des écoutes dont ils étaient tous les deux adeptes, Kennedy et Hoffa, disposant des techniques les plus élaborées, n'y allaient pas par quatre chemins. Hoffa avait fait placer des micros au ministère de la Justice et Kennedy dans les bureaux de Hoffa. Ce dernier, qui avait l'avantage d'utiliser les services de l'as de la surveillance Bernard Spindel, chargea ce dernier de débrancher les micros de Kennedy, tandis que le ministre se déplaçait avec une mallette contenant un matériel de brouillage de transmission des écoutes. Ils ne se laissaient aucun répit. Hoffa alla jusqu'à placer des écoutes chez le frère de Robert, le Président. Et pourtant, aucun des frères Kennedy ne semblait s'être aperçu que Hoffa avait fait de même dans la maison de la plage de Lawford où ils séjournaient tous les deux et où ils voyaient souvent Marilyn. Ni l'un ni l'autre ne semblaient davantage s'être rendu compte que Hoffa avait mis l'appartement de Marilyn sous surveillance, de même que sa maison lorsqu'elle emménagea Fifth Helena Drive.

On n'exagérera pas en affirmant qu'« épingler Hoffa » s'était transformé en obsession pour Kennedy. En revanche, il serait inexact de prétendre l'inverse, car Hoffa voulait simplement ne plus avoir le ministre de la Justice sur le dos. Robert Kennedy, à défaut de l'obséder, faisait partie de ses préoccupations essentielles.

Kennedy n'appréciait pas que l'on fît état dans la presse de ses ressemblances avec le patron du syndicat des camionneurs. A ses yeux, c'était tout simplement la lutte entre le bien et le mal qui se livrait dans leur affrontement. Kennedy ne parvint jamais à mettre Hoffa sous les verrous mais son successeur dans l'administration de Lyndon Johnson, Nicholas Katzenbach, le fit. Comme nous l'avons mentionné par ailleurs, Hoffa fut élargi grâce à l'intervention du président Richard Nixon, alors qu'il n'avait accompli que cinq de ses treize années d'incarcération. A sa sortie de prison il essaya de reprendre sa place mais constata qu'on l'avait éjecté du syndicat. Il disparut à tout jamais, sans laisser de traces.

Au premier regard, la raison pour laquelle Hoffa ne se servit pas du résultat des écoutes qu'il avait placées chez Marilyn et Lawford demeure une énigme. Il est évident qu'il avait entre les mains *matière* à exercer un chantage d'une grande efficacité. Et si tel était le cas il en allait de même de son « collègue » et ami Sam Giancana, le gangster de Chicago. A moins que le réseau d'espionnage de Hoffa – ou de Giancana – n'ait découvert les mesures prises par la CIA pour se débarrasser des Kennedy par le biais de l'assassinat de Marilyn Monroe ? Et que ses membres, lorsque ce plan échoua, n'aient appris celui de rechange, rapidement mis en place, pour tirer sur le président Kennedy dans les rues de Dallas l'année suivante ? Une fois John Kennedy éliminé, son frère n'aurait plus aucun pouvoir. Quelqu'un d'autre qu'eux allait se charger d'accomplir leur travail. Au bout du compte, ils n'avaient plus besoin de se mouiller.

Lorsqu'il effectuait un déplacement à Hollywood pour négocier la production du film, Robert Kennedy ne faisait pas toujours preuve de discrétion pour rencontrer Marilyn. La star alla jusqu'à l'accompagner à une réunion avec le producteur Jerry Wald. Cette attitude risquée tendrait à suggérer que le ministre de la Justice avait d'autres intentions que de faire la cour à la star lorsqu'il commença à se rendre à Los Angeles pour la voir.

Chapitre 36

Le journal rouge

Dans le mystère qui entoura la mort de Marilyn, rien n'a soulevé de plus grandes spéculations que le journal rouge qu'elle était censée tenir. L'existence de ce journal présente une grande importance, car il figure en très bonne place dans les divers scénarios bâtis autour du pourquoi et du comment de son assassinat. Certains considèrent ce journal comme la raison même pour laquelle on la tua, d'autres caressent l'idée qu'il n'a pas été détruit, qu'il resurgira un jour et nous éclairera sur le sort qui fut réservé à Marilyn.

Trois sources au moins confirment que ce journal existait bel et bien. Robert Slatzer a déclaré que Marilyn le lui avait montré et lui avait parlé de son contenu. Jeanne Carmen m'a raconté avoir vu Robert Kennedy l'ouvrir et, après avoir pris connaissance de son contenu, le jeter de l'autre côté de la pièce en criant : « Débarrasse-toi de ça ! » Lionel Grandison, en affirmant qu'il avait été placé dans un coffre-fort de la morgue où il avait été volé, a en partie provoqué l'ouverture de l'enquête sur la mort de Marilyn en 1982.

Marilyn ne se sentait pas toujours à la hauteur dans ses conversations avec Robert Kennedy. Si la politique et les affaires du gouvernement ne faisaient pas partie de ses domaines de prédilection, elle n'était pas ignare et ne souhaitait pas en avoir l'air. Robert Kennedy se référait à des sujets qu'il avait évoqués lors de rencontres précédentes et elle avait du mal à se souvenir de détails concernant des données qui lui étaient peu familières. Cela l'amena, après leurs rencontres, à prendre des notes sur la teneur de leurs conversations. Elle utilisait probablement pour ce faire de simples carnets et, par la suite, peaufinait sans doute ses notes dans une espèce de journal qu'elle avait décidé de tenir. Elle détruisait probablement les pages de ses carnets au fur et à mesure qu'elle les recopiait, mais son journal rouge s'était sans doute transformé en objet de valeur. On a dit que les membres de son entourage ne se rappelaient pas l'avoir vu, mais n'oublions pas qu'un journal est un objet intime, et que le contenu de celui-ci en particulier n'était pas du genre à être partagé avec quiconque. Tout au plus, il arriva, peu de temps avant la mort de Marilyn, que Robert Slatzer pose les yeux dessus. Elle lui confia alors de quoi il s'agissait, pourquoi elle le tenait et évoqua brièvement son contenu.

Si Lionel Grandison disait vrai, il lut véritablement certaines parties du journal. Grandison, employé dans le bureau du coroner, mit en doute le certificat de décès dressé après l'autopsie de Marilyn. Il spécifia qu'il en avait vu trois versions, chacune légèrement différente des autres. L'une attribuait sa mort à un « suicide », l'autre à un « suicide possible » et la troisième à un « suicide probable ». Il évoqua la disparition du premier certificat et le remplacement du deuxième par le troisième. Il ne devait le signer que par routine, mais il refusa de le faire, s'attirant le courroux du Dr Theodore Curphey, le coroner. Sur ces entrefaites, il signa quand même.

L'une des tâches de Grandison consistait à identifier les parents proches du défunt. Lorsqu'il s'avérait que ce dernier n'en avait pas, il était incinéré, et, comme personne n'était venu réclamer le corps de Marilyn, il entreprit ses recherches habituelles. Il demanda à un membre de l'équipe du coroner de se rendre au domicile de la star, afin d'y trouver un carnet d'adresses susceptible de lui permettre d'accomplir son travail. Parmi les objets qu'on lui rapporta figurait un journal à la couverture rouge. Il pensa qu'il pouvait contenir des noms et des adresses, mais il se trompait. Il y trouva des notes qui faisaient allusion à la mafia et à la CIA. Grandison fit observer qu'en 1962 il était rare de se référer à ces deux organisations. Il se rendit donc compte qu'il avait entre les mains un matériel au contenu politique détonnant et en conclut qu'il devait être rendu à son nouveau propriétaire. Dans cette attente, il plaça le journal dans un coffre-fort. Lorsqu'il rouvrit le coffre-fort, le journal avait disparu. Peu de personnes y avaient accès, mais personne n'admit s'en être emparé.

Grandison eut l'occasion d'insister pour qu'une investigation soit menée à ce sujet lors de l'ouverture de la nouvelle enquête John K. Van de Kamp en 1982, mais comme nous l'avons raconté dans un précédent chapitre, le coroner n'avait pas envie de voir remuer les vieilles affaires. Grandison fut discrédité et on essaya de faire croire que cette histoire de journal rouge ne relevait que de son imagination. Ce fut un affront considérable pour Robert Slatzer, qui soutint avec Grandison avoir vu le journal, mais les enquêteurs prétendirent que sa parole ne suffisait pas et qu'ils n'avaient trouvé personne d'autre venant corroborer l'existence dudit journal.

Les enquêteurs n'avaient pas poussé bien loin leurs recherches. Lors des miennes, je me suis entretenu avec Jeanne Carmen, voisine à une certaine époque et amie de Marilyn, qui m'a déclaré sans la moindre hésitation qu'elle avait vu ce journal rouge : « Cela se passait un jour où je me trouvais chez Marilyn. Robert Kennedy était également présent. J'ai eu l'occasion de les voir ensemble à quatre reprises. Cette fois-là il lisait le journal dont le contenu ne lui plaisait pas du tout. Il l'a jeté de l'autre côté de la pièce en lançant d'un ton coupant à Marilyn : "Débarrasse-toi de ça !" Il lui a même dit que "Mademoiselle Carmen" ne devait pas être autorisée à le lire. En fait, je ne l'avais pas lu. Tant pis. » Si j'ai trouvé utile de m'entretenir avec Jeanne Carmen – en sa qualité d'amie de Marilyn – comment se fait-il que les personnes menant une nouvelle enquête n'aient pas également eu l'idée, tout simplement sensée, de lui poser des questions ?

Je vois dans cette négligence une preuve du manque de sérieux de cette nouvelle enquête.

On a dit que c'était du journal rouge dont parlait Robert Kennedy, le dernier jour de la vie de Marilyn, lorsqu'il fouillait le domicile de la star en hurlant, « Il est où ? » A une certaine époque, je l'ai aussi pensé, mais je crois à présent qu'il se référait plutôt aux documents constituant un dossier qu'il devait absolument récupérer pour son frère. Il est tout à fait improbable que Peter Lawford ou les hommes de Fred Otash aient pu passer à côté du journal rouge lorsqu'ils fouillèrent la chambre où Marilyn gisait, morte, même s'ils purent, comme les hommes du coroner censés l'avoir apporté à Lionel Grandison, le confondre avec un simple carnet d'adresses.

Il existe néanmoins une espèce de suite à cette histoire de journal rouge. En 1999 une vente se tint chez Christie's à New York. Parmi d'autres objets souvenirs de Marilyn Monroe y figurait un « livre rouge », présenté comme une « écritoire énorme en cuir rouge » et censé lui avoir appartenu. Dans leur catalogue, Smythson de New Bond Street l'estimaient dans une fourchette de prix située entre 2 000 et 2 500 dollars. Il ne contenait cependant pas les notes de journal qui rendaient celui de Marilyn tellement explosif, politiquement parlant. Il n'y avait dedans que du papier buvard et dix-huit feuilles de papier à lettres crème estampillées *Marilyn Monroe*. Il était accompagné de six enveloppes également gravées à son nom. L'existence de ce livre rouge n'a jamais suscité de questions alors qu'aucun de ses amis ni connaissances ne l'a jamais mentionné. Dans ce cas, existe-t-il une raison pour qu'ils aient su qu'elle possédait un journal rouge ? L'existence, jamais mentionnée, de ce livre rouge mis aux enchères sape clairement la théorie de l'enquête de 1982, qui se basait sur le fait qu'aucun des amis de Marilyn n'avait vu le journal rouge pour affirmer qu'il n'existait pas. Quand on pense à la publicité faite autour de ce « journal rouge » disparu, il est vraiment inouï que personne n'ait jamais signalé l'existence d'une écritoire rouge aux enquêteurs.

Chapitre 37

Conséquences

Le groupe d'agents rebelles de la CIA qui, selon moi, fut responsable de l'assassinat de Marilyn Monroe ne parvint pas à remplir son objectif. Il avait l'intention d'impliquer le ministre de la Justice, dernier visiteur de la star, dans un scandale qui le ferait apparaître comme son meurtrier – ou comme le commanditaire de son meurtre – et comme l'organisateur d'une grossière couverture destinée à faire passer ce meurtre pour un suicide. Même si – à leurs yeux – le pire se produisait et que Robert Kennedy ne fût pas accusé de meurtre, le scandale de son implication dans un homicide – surtout d'une femme avec laquelle il avait eu des rapports sexuels – le placerait dans l'incapacité de garder son poste de premier homme de loi du pays et le contraindrait à démissionner.

Les conséquences d'une pareille ignominie ne s'arrêteraient pas là. Il avait été nommé par népotisme et ne devait son poste qu'à son frère, le Président. Les retombées du scandale ne manqueraient pas d'aboutir à la demande de destitution de John F. Kennedy. Même en imaginant que sa propre liaison avec Marilyn ne fût pas divulguée, le Président serait quand même renversé. Plus probable encore, les patrons de presse qui étouffaient les histoires relatives aux aventures féminines de John Kennedy – y compris celle avec Marilyn Monroe – les claironneraient en première page de

leurs journaux et feraient sauter le Président. Autre conséquence, l'ensemble de la famille Kennedy serait déchue et
Edward se retrouverait dans l'impossiblité de développer sa
carrière politique. Une autre des ondes de choc, et non des
moindres, serait un sérieux effet boomerang sur les intérêts
des Kennedy et la perte d'une partie de leur fortune.

Les rebelles de la CIA misaient par conséquent très gros.
Ils vengeraient de la sorte le sang qui avait coulé à flots à la
Baie des Cochons, sang en partie américain. La haine qui
fermentait en eux depuis ce jour de l'année précédente où
John et Robert Kennedy – dans leur esprit tout au moins –
avaient tourné le dos à la courageuse initiative de la CIA,
aboutirait à la concrétisation de leur plus cher désir. Mais
leur plan échoua. Une chape de secret, parfaitement
étanche, fut déployée sur les circonstances du décès de
Marilyn avec une efficacité spectaculaire et l'idée même des
assassins, consistant à faire passer sa mort pour un suicide,
fut mise en avant afin d'empêcher quiconque d'aller fouiller
plus loin.

Ce contre-plan demeura longtemps un succès, mais la
détermination des rebelles à se débarrasser des Kennedy
survécut et prit une forme différente. Des arguments solides
nous permettent de penser qu'ils s'unirent à une autre force
qui voulait avec un zèle identique voir les Kennedy disparaître de la scène politique américaine : l'*establishment*. Le
milieu des affaires observait avec désarroi le Président. Le
« souffle d'air frais » qu'il faisait circuler dans le gouvernement avait apporté un changement de direction impliquant
l'érosion de la priorité que détenait l'*establishment* sur tout
le reste. C'était le peuple et ses besoins que l'administration
Kennedy faisait passer au premier plan. Du coup, l'*establishment* passait au second. En outre, le Président opposait
son veto à toute suggestion du Pentagone d'entrer en guerre
avec d'autres pays. Le Pentagone représentait la plus puissante force militaire de la planète, et le Président ne l'autori-
sait pas à faire étalage de sa force.

En dehors de la machine de guerre frustrée, le complexe
militaro-industriel se retrouvait dans une impasse. La pro-

duction d'armes, l'industrie de l'acier, les entreprises pétro-
lières et les autres ressentaient les effets de la quête pacifiste
du Président. Ses dernières mesures concernaient la situation au Viêt-nam, où le Président ne voulait pas d'une
guerre totale. Il ne l'avait jamais voulue. L'Histoire démon-
trerait qu'il avait l'intention de désamorcer la situation là-
bas et de se retirer. Furieux, les membres haut placés de
l'*establishment* avaient d'amples raisons de chercher à
débarrasser le pays de John F. Kennedy. Pour couronner le
tout, comme si cela ne suffisait pas, Kennedy manifestait
des signes évidents de vouloir infléchir le gouvernement
vers le socialisme. Or au début des années soixante, dix ans
après le maccarthysme, le socialisme – n'en serait-ce qu'une
version très édulcorée – était considéré aux États-Unis
comme tout proche du communisme, et durant les années
de la guerre froide le communisme représentait l'ennemi
numéro un.

Il est difficile de dire si ce furent les agents rebelles de
la CIA qui entrèrent en contact avec des représentants de
l'*establishment* ou si ce fut l'inverse. Mais un complot, destiné à assassiner le Président lors de sa visite à Dallas en
1963, fut ourdi. On dispose d'indices précis à propos de
l'implication de la CIA dans le meurtre du Président, et il
existe d'amples indications selon lesquelles l'*establishment*
y participa aussi. A la question de savoir à qui ce meurtre
profita, on peut répondre que deux domaines en bénéficiè-
rent clairement. Le premier se situe du côté de la CIA et
des agents rebelles qui avaient vilipendé le Président et son
frère. L'autre peut être illustré par les événements qui se
produisirent immédiatement après l'assassinat de John F.
Kennedy.

Le Président avait déjà envoyé l'ordre de rapatrier les
premiers mille membres du personnel américain du Viêt-
nam et nous disposons de certaines indications selon lesquelles il allait rapatrier tout le monde avant que la guerre
totale ne fût engagée. Il fut assassiné le vendredi
22 novembre 1963 et enterré le lundi d'après, 25 novembre.
Le dimanche suivant sa mort et la veille de ses funérailles,

le nouveau président, Lyndon B. Johnson, tint une réunion
à Washington au cours de laquelle la politique de Kennedy
au Viêt-nam fut inversée. Les faucons ne pouvaient apparemment pas attendre. Dans la guerre sanglante qui suivit,
50 000 Américains perdirent la vie, tandis que du côté viet-
namien les morts se comptèrent en millions. Cette guerre
généra cependant, selon les estimations, deux cents mil-
liards de dollars d'affaires pour le complexe militaro-industriel, les industries de l'armement, de l'acier, du pétrole et
de l'aviation entre autres : l'*establishment*.

Mais la vendetta des agents rebelles de la CIA ne s'arrêta
pas là. En 1968, cinq ans après l'assassinat du président
John F. Kennedy, son frère Robert Kennedy surfait sur la
crête d'une gigantesque vague de popularité et disposait de
soutiens solides, clairement institués pour lui permettre
d'entrer à la Maison-Blanche. Robert Kennedy obtint la vic-
toire qu'il escomptait dans les primaires californiennes. Il
se dirigeait vers la nomination du parti démocrate et vers
la présidence. Mais parmi les 1 800 personnes fêtant son
succès aux primaires dans les salons de l'hôtel Ambassador
de Los Angeles rôdaient ceux bien décidés à ce qu'aucun
autre Kennedy ne mette les pieds à la Maison-Blanche. Là
encore, le feu d'une arme décida de qui gouvernerait les
Etats-Unis et le 6 juin, à 1 h 44 du matin, après avoir lutté
pendant trois heures pour tenter de lui sauver la vie, les
médecins déclarèrent que Robert Kennedy avait succombé
à ses blessures sur la table d'opération.

Le Dr Thomas Noguchi pratiqua une nouvelle fois l'autopsie, et là encore le chef de la police, William Parker,
essaya de déployer une chape de silence sur les faits, laissant
un malheureux réfugié palestinien de vingt-cinq ans, Sirhan
Bishara Sirhan, endosser le crime, tout comme Lee Harvey
Oswald avait été accusé du meurtre de John F. Kennedy.
Une fois de plus, des faits indiquent clairement l'implication
de la CIA dans cet assassinat.

La marée montante en faveur de Robert Kennedy dans
la période précédant les primaires californiennes n'avait pas
du tout reflué l'année suivante, lorsque les supporters des

Kennedy envisagèrent de faire entrer en scène le cadet des frères, Edward, pour qu'il comble le vide et réponde à cette vague de sentiment populaire. Bien qu'il ne fût pas prêt pour la présidence, ils voulurent faire de lui le candidat du parti démocrate à la vice-présidence.

Survint alors un drame. On apprit qu'Edward Kennedy, en vacances à Chappaquiddick, îlot minuscule proche de Martha's Vineyard, île elle-même située au large du Massachusetts, se trouvait en compagnie d'une jeune femme qui s'était noyée. Mary Jo Kopechne avait milité en faveur de Robert Kennedy. Elle avait activement travaillé à sa campagne et s'était par la suite jointe à l'équipe d'Edward. Elle faisait partie des six jeunes femmes et d'un certain nombre de jeunes gens qu'Edward Kennedy avait invités à séjourner à Chappaquiddick, pour les remercier de leur collaboration.

Edward Kennedy s'était déjà taillé une réputation de coureur de jupons, et on considéra sous ce jour sa relation avec l'une de ses jeunes supportrices. Mais cette fois, la tragédie frappa quand la voiture du sénateur tomba d'un pont de bois sans garde-fou et s'enfonça dans les eaux profondes de Poucha Pond. Edward Kennedy échappa miraculeusement à la noyade, contrairement à Mary Jo. Sa carrière se retrouva sérieusement ébranlée mais il parvint néanmoins à survivre. Depuis lors il s'est présenté à deux reprises à la présidence mais il a échoué chaque fois. La raison principale de cet échec est bien entendu le souvenir de l'accident de Chappaquiddick. C'est ainsi que le troisième Kennedy se vit interdire l'entrée à la Maison-Blanche. Après le meurtre de son second frère, Edward s'attendait à être pris à son tour pour cible : « Je sais qu'on va me flinguer, exactement comme Bobby », déclara-t-il un jour. Mais après l'assassinat par balles de deux frères, un troisième recours à la même méthode aurait clairement désigné les auteurs de ces meurtres. Ces derniers devaient utiliser un *modus operandi* différent, mais qui s'avérerait tout aussi efficace. Après avoir procédé à une analyse minutieuse des événements relatifs à la tragédie de Chappaquiddick, j'ai décelé, une fois de plus, l'intervention des agents rebelles de la CIA qui s'assurèrent qu'Edward ne puisse jamais devenir président des Etats-Unis.

Mes recherches sur les assassinats de John Kennedy et de son frère Robert et sur les circonstances bizarres entourant la mort de Mary Jo Kopechne me procurent toutes les raisons d'établir un lien entre ces trois décès. De plus, s'est présenté à moi un autre motif de les relier, il y a quelques années, à la suite d'un coup de téléphone que j'ai reçu des Etats-Unis. La personne qui m'appelait avait entendu parler de moi après un voyage que j'avais effectué à Dallas pour obtenir des renseignements sur un homme ayant travaillé à l'aéroport Red Bird. Cet individu, apparemment satisfait des informations qu'il avait eues sur moi, m'avait choisi pour se décharger du fardeau des preuves qu'il gardait secrètes depuis l'assassinat de JFK en 1963. Son récit était saisissant. Quoique vivant désormais à Phoenix, dans l'Arizona, lui aussi avait travaillé à l'aéroport Red Bird. Une compagnie vendant un Douglas DC3 l'avait rappelé là-bas. Elle avait besoin de ses connaissances de spécialiste pour l'aider à « préparer » le transfert de propriété de l'appareil.

Il était donc retourné à Dallas où il avait assuré, pendant quelques jours, la vérification de l'appareil en compagnie d'un pilote qui représentait l'acheteur. Rien d'anormal dans cette situation. Mon correspondant, Hank Gordon, avait appris à bien connaître son compagnon de travail durant ces quelques jours. Cet homme était cubain de naissance et, quoique encore jeune, avait une grande expérience du pilotage.

Un DC3 était un gros appareil pour l'aéroport Red Bird, qui accueillait plutôt des petits avions comme les Piper ou les Cessna. Celui-là était le dernier d'une flotte aérienne qui avait été vendue. Hank Gordon ne rencontra qu'une seule fois l'acheteur, un individu qui avait tout l'air d'un militaire, à l'occasion de la signature des documents. Le pilote cubain se conduisait quant à lui de manière bizarre. Il ne se rendait jamais au restaurant pendant les poses, préférant confier à Hank le soin de lui rapporter des sandwiches. Ils lièrent davantage connaissance. Le jeudi, il stupéfia Hank en lui confiant qu'il avait été recruté peu de temps auparavant par la CIA et avait travaillé pour elle à la Baie des Cochons. « Il y a eu beaucoup, beaucoup de morts. Bien plus qu'on ne l'a dit. Je ne suis pas au courant de tout ce qui s'est passé, mais je sais que les hommes impliqués dans cette opération ont éprouvé une blessure, une colère et une gêne inouïes... J'étais sur place avec nombre de mes amis et je les ai vus mourir... »

Il parla à Hank de la haine que vouaient les hommes de la CIA aux Kennedy et lui confia que le Président allait être assassiné au cours de sa visite à Dallas le lendemain, 22 novembre : « Ils ne se contenteront pas de tuer le Président, ils tueront Robert Kennedy et tout autre Kennedy qui accédera à ce poste. » Le pilote cubain précisa alors à Hank que cette haine provenait du fait que Kennedy ne leur avait pas fourni une couverture aérienne : « Robert Kennedy a dissuadé son frère d'envoyer la couverture aérienne qu'il avait promise. Il a annulé le soutien aérien après le lancement de l'opération. » Ces renseignements embarrassèrent Hank Gordon, aux oreilles duquel ils avaient tout l'air de pures inepties. « Que devais-je faire ? m'a-t-il confié. Si je les avais communiqués aux autorités et qu'ils s'étaient révélés erronés, je serais passé pour un cinglé. Or vous savez qu'ils interdisent aux fous de piloter des avions. » Hank Gordon était un pilote qualifié, très expérimenté.

Le lendemain, John F. Kennedy fut assassiné, et cinq ans plus tard, alors qu'il menait la course pour la Maison-Blanche, Robert Kennedy le fut à son tour. L'année suivante, en 1969, les perspectives d'Edward Kennedy de conquérir le poste suprême furent irrévocablement anéanties par le drame qui le frappa dans la petite île du nom de Chappaquiddick.

J'ai pu vérifier de nombreux détails que m'avait fournis Hank Gordon et constater qu'ils étaient exacts. C'était un témoin fiable. Bien évidemment, Hank Gordon n'est pas son vrai nom. Il ne m'a communiqué ces renseignements qu'à la condition que son nom ne soit pas divulgué, car il craignait pour sa propre vie, ainsi que pour celle de sa femme et des membres de sa famille. Il a accepté de réitérer ses confidences à une personne de mon choix, afin que son récit puisse être validé. Pour ce faire, j'ai demandé à un éminent chercheur américain de le rencontrer. Par la suite, ce dernier m'a envoyé un compte rendu me confirmant l'entière fiabilité des propos de Gordon.

Chapitre 38

Réactions

Ce fut au Sanatorium de Rockhaven où elle résidait que Gladys Baker, la mère de Marilyn, apprit la nouvelle de sa mort. Elle écrivit à Inez Melson, chargée par la star de veiller sur elle : « Elle est à présent en paix et en repos. Que Notre Seigneur la bénisse et l'aide à jamais... »

En téléphonant la nouvelle du décès de Marilyn à son premier mari, Jim Dougherty, le sergent Jack Clemmons réveilla ce dernier, qui se tourna vers sa femme et lui dit : « Dis une prière pour Norma Jean, elle est morte. » Des journalistes demandèrent à Dougherty, à l'époque agent de police, de bien vouloir leur donner son opinion sur la mort de Marilyn. « Je suis désolé » fut tout ce qu'il répondit. Plus tard, il ajouta : « Je m'y attendais. » Un commentaire malheureux, dont la répétition facilita la promotion de la version du suicide par la machine publicitaire.

Arthur Miller, son autre ex-mari, ne fut pas beaucoup plus loquace : « Cela devait arriver... c'était inévitable. » Entendait-il par là qu'il s'attendait qu'elle se suicide ou qu'il n'était pas étonné que l'une de ses overdoses ait fini par l'emporter ? Ou suggérait-il que ses précédents appels à l'aide finiraient par ne pas trouver de répondant et que personne ne serait là pour la sauver ? « Cela aurait été facile si elle avait été simple, on aurait pu l'aider », commenta-t-il.

Ni Jim Dougherty ni Arthur Miller n'assistèrent aux funérailles de Marilyn.

Lorsque Joe DiMaggio apprit la mort de Marilyn, il fon-
dit en larmes.

Robert Kennedy se trouvait à quelques centaines de kilomètres au nord de Los Angeles lorsque son attaché de
presse lui annonça la nouvelle. Il aurait dit : « Bah, c'est
vraiment dommage. » A Hyannis Port où se situait la maison de famille du clan Kennedy, le patriarche, Joseph
P. Kennedy, qui se remettait d'une attaque, était en train
d'effectuer des exercices de rééducation dans sa piscine.
Lorsqu'on lui apprit que Marilyn Monroe était morte, le
vieil homme dit « Non, non... » et ceux qui l'entouraient en
restèrent bouche bée. Tout le monde sortit de la piscine et
un silence de plomb s'abattit sur eux.

Lorsque Withey Snyder apprit la nouvelle par son fils, à
son réveil le dimanche matin, il comprit que quelque chose
était arrivé à Marilyn avant même que ce dernier n'ouvre la
bouche. Il s'effondra sous le choc.

Frank Sinatra se déclara pour sa part « profondément
attristé ». Kay Gable, la veuve de Clark, se rendit à la messe
où elle pria pour Marilyn. Paula Strasberg pleura et se
répandit en compliments sur les dons d'actrice de Marilyn.
Pat Newcomb raconta qu'elle s'était précipitée chez Marilyn dès l'annonce de sa mort. Elle sanglotait et se conduisait
d'une manière tellement hystérique qu'un agent de police
fut obligé de la maîtriser. « Si j'avais été là-bas, ça ne serait
pas arrivé », affirma-t-elle. Une déclaration énigmatique
dont la signification ne nous a jamais été révélée.

George Cukor, le metteur en scène de *Something's Got
to Give*, le dernier film inachevé de Marilyn, finit, d'une
manière ou d'une autre, par comprendre ce qui troublait
tant la star peu de temps avant sa mort. En 1979, il confia
à Peter Harry Brown, co-auteur avec Patte Barham de *Marilyn Monroe : Histoire d'un assassinat* : « A l'époque, je ne
me rendais pas compte de l'état de bouleversement émo-
tionnel qui était le sien et de la manière dont les Kennedy
la détruisaient. Si je l'avais su, j'aurais pu l'aider. » Anthony

Summers, l'auteur des *Vies secrètes de Marilyn Monroe*, raconta que le jour de sa mort, en 1983, Cukor avait dit : « C'est une histoire sordide, son pire rejet. Le pouvoir et l'argent. En fin de compte, elle était trop innocente. »

Cukor fut très contrarié quand il apprit à quel endroit Marilyn avait été inhumée. Il aurait, selon Anthony Summers, confié à un tiers : « Vous savez où la pauvre chérie est enterrée ? On passe devant un revendeur d'automobiles et une banque pour entrer dans ce cimetière et elle gît là, juste entre Wilshire Boulevard et Westwood Boulevard, au beau milieu de la circulation. » Il est question, depuis quelque temps, d'agrandir le petit cimetière de Westwood.

C'est le journaliste anglais W.J. Weatherby qui a sans doute fourni le commentaire le plus proche de celui qu'aurait fait Marilyn sur sa propre mort, dans son ouvrage *Conversations With Marilyn*. En effet, il la cite : « Parfois, je me dis qu'il serait plus simple d'éviter la vieillesse, de mourir jeune, mais dans ce cas, on ne complète pas vraiment sa vie. On ne se connaît pas vraiment entièrement... » Je me ferai plus tard l'écho de cette déclaration : Marilyn a été volée.

Chapitre 39

Persona non grata

Nous avons une autre raison de croire que Marilyn projetait de se remarier avec Joe DiMaggio : l'empressement de son avocat, Milton Rudin, à confier à l'ex-joueur de base-ball l'organisation de ses funérailles. Arthur Miller, contacté, avait refusé de le faire. Gladys, la mère de Marilyn, ne fut pas jugée apte à s'en charger et Bernice Miracle, sa demi-sœur, qui n'aurait pu en assumer les frais, ne fut que trop contente de s'en remettre à Joe. Ce dernier s'en chargea donc, de concert avec Bernice et Inez Melson. Il s'occupa de tout, comme s'il était encore le mari de Marilyn. Elle allait être enterrée dans une crypte du Westwood Memorial Park Cemetery, où une plaque de bronze porterait l'inscription « Marilyn Monroe – 1926-1962 ». « Ce sera un enterrement simple, pour qu'elle puisse se rendre dans son lieu de repos ultime dans le calme qu'elle a toujours cherché », déclara DiMaggio.

La préparation du corps fut confiée à ses amis, son maquilleur, Allan (Whitey) Snyder, et sa costumière, Marjorie Plecher, épouse de ce dernier. Snyder n'avait encore jamais maquillé de cadavre et il trouva cette tâche d'une difficulté extrême, mais il ne faillit pas à la promesse (« pendant que je suis encore chaude ») qu'il avait faite à Marilyn. Marjorie parla avec Inez Melson de la robe dont elle revêtirait la star et elles tombèrent d'accord sur du vert, et sur un bouquet de roses jaunes entre ses mains. Comme ses cheveux avaient été très abîmés par les décolorations, elles firent venir le célèbre Sydney Guilaroff pour qu'il essaie de minimiser les dégâts. Il s'évanouit à la vue du cadavre.

Les funérailles furent très bizarres, à l'image des conflits qui entouraient Marilyn vivante. Ses avocats, Milton Rudin et Martin Gang, y assistèrent. Lee et Paula Strasberg, ses professeurs d'art dramatique, Arthur Jacobs et Pat Newcomb, ses agents de publicité, Eunice Murray, May Reis, son ancienne secrétaire, Ralph Greenson, son analyste, et la famille de ce dernier, étaient également présents. Son masseur, Ralph Roberts, et sa coiffeuse, Agnes Flanagan, Whitey et Marjorie furent inclus, de même que Sydney Guillarof, le coiffeur, le fils de Joe, Joe Jr, et l'ami de Joe, George Solotaire. Seuls quelques privilégiés furent autorisés à prendre part à la cérémonie. L'événement ne fut cependant pas marqué par la présence de certains, mais par l'absence de beaucoup.

Peter et Pat Lawford ne reçurent pas plus d'invitation que Frank Sinatra, de même que son partenaire, Dean Martin, et son épouse. Robert Slatzer, son ami de longue date, ne fut pas non plus convié, ni aucune des stars avec lesquelles Marilyn avait travaillé. Il n'y avait pas de dirigeants du studio ni de journalistes. Arthur Miller déclina l'invitation et Jim Dougherty, le M. Tout-le-Monde qui avait été le premier mari de Marilyn, également, sous prétexte qu'il était de service ce jour-là. Pat Lawford, qui avait pris l'avion pour la côte Ouest afin d'y assister en compagnie de son mari, se vit refuser l'entrée. Joe avait donné l'ordre de « faire en sorte qu'aucun de ces foutus Kennedy n'assiste aux funérailles ». Pat, en dépit de sa véritable amitié pour Marilyn, était une Kennedy. Elle était en larmes. Frank Sinatra se présenta mais se vit opposer porte close, tout comme Sammy Davis Jr. On fit remarquer que parmi les personnes présentes, dont certaines comptaient parmi les amis de Marilyn, presque toutes étaient employées par elle. Ella Fitzgerald aurait bien voulu assister à l'enterrement mais n'y eut pas davantage droit. Ella gardait de bons souvenirs de Marilyn, qui remontaient à l'époque où elle se voyait refuser l'accès de night-clubs qui ne voulaient pas engager des personnes de couleur. Marilyn avait appris que l'agent d'Ella avait essayé le Mocambo Club sans succès. Elle avait appelé la direction : s'ils engageaient Ella, elle viendrait tous les soirs et s'installerait à une table du premier rang pour que tout le monde puisse la voir. Le night-club n'avait pas pu résister à son offre et avait engagé Ella.

L'organiste joua un court extrait de la *Sixième Symphonie* de Tchaïkovski et comme Marilyn était une fan de Judy Garland, *Over the Rainbow*. Le révérend A.J. Soldan, pasteur luthérien, officiait, et Lee Strasberg se chargea de prononcer l'oraison funèbre. Joe DiMaggio, en larmes, se pencha au-dessus du cercueil et embrassa Marilyn en disant : « Je t'aime, ma chérie, je t'aime. » Le cœur brisé, Joe avait passé la nuit précédente agenouillé près du cercueil. Lorsque le cortège s'ébranla, il fut suivi par la foule qui s'était amassée et par une multitude de journalistes et de photographes. Des centaines de bouquets furent envoyés.

Trois fois par semaine, au cours des vingt années suivantes, Joe DiMagggio fit déposer deux roses rouges sur la tombe de Marilyn. Il ne se remaria jamais.

Chapitre 40

Cursum Perficio

Dès sa plus tendre enfance, Marilyn souffrit d'un oppressant sentiment d'insécurité et de l'absence d'un père. On la confia à une famille d'accueil, les Bolender, car sa mère, Gladys, ne se sentait pas capable d'élever un enfant. Les Bolender étaient des personnes responsables, qui appliquaient un code moral issu de leurs convictions religieuses. Norma Jean, comme elle avait été baptisée, fréquentait le catéchisme et était élevée strictement comme les autres enfants du couple. Mais Norma Jean ne garda de cette période que des souvenirs d'insécurité.

Puis Gladys revint sur sa décision et décida de créer un foyer pour sa fille. De plus, comme une des amies de sa mère, Grace McKee, s'intéressait à elle, la vie de Norma Jean devint moins rigide et moins embrigadée. Norma Jean avait été embarquée dans une existence où on jouait à « se passer le paquet ». Mais il s'agissait d'une entreprise sérieuse, et le paquet, c'était elle. On l'expédiait ici et là, on la déposait quelque part, on la récupérait quand cela était commode, et on la renvoyait ailleurs dans le cas contraire. La valse entre un mode de vie et un autre faisait partie intégrante de son histoire et de son éducation. Ballottée pendant des années entre l'ordre et le désordre selon les personnes chez qui elle résidait ou l'orphelinat auquel on la confiait, il n'est pas étonnant qu'elle ait développé un bégaiement à la suite de l'un de ces changements de cadre de vie.

Ce sentiment d'insécurité était à la fois inné et nourri par cette éducation. La mère de Norma Jean, Gladys, avait eu une expérience à peu près similaire. Elle avait survécu à une vie familiale dramatique et à la rupture de plusieurs mariages. Elle croyait que son père était mort fou. Sa mère avait fini quant à elle par mourir d'une affection du cœur dans l'hôpital où on l'avait fait entrer, même si on avait attribué à ses sautes d'humeur, cataloguées comme « psychose maniaco-dépressive », un rôle dans son décès. Apprenant que son grand-père s'était pendu à l'âge de quatre-vingt-deux ans, Gladys s'était effondrée. Elle croyait distinguer un schéma de folie très clair chez ses ancêtres qui la tracassait beaucoup. Après s'être d'abord réfugiée dans la religion, elle s'était retirée dans un enfer dont elle ne ressortit jamais. Cette peur de la folie se transmit, on ne s'en étonnera pas, à la jeune Norma Jean, même s'il fut par ailleurs prouvé qu'elles n'avaient en fait, ni l'une ni l'autre, aucune véritable raison de s'inquiéter en la matière. Le père de Gladys, Otis, avait attrapé une forme de syphilis alors qu'il travaillait au Mexique, laquelle ne se transmettait pas sexuellement. Elle n'avait rien d'une rareté dans ce pays d'Amérique centrale, mais provenait des conditions de vie extrêmement dures qui y régnaient à cette époque. La maladie cérébrale d'Otis avait donc une cause organique. Il n'était pas fou. Quant à Della, la mère de Gladys, elle souffrait peut-être de graves périodes de dépression, mais elle n'était pas folle non plus.

Le grand-père de Marilyn, Tilford Holgan, se suicida parce qu'il était terriblement affecté, désespéré même, par le krach de Wall Street de 1929 et par la dépression économique qui s'ensuivit. Métayer, de santé très précaire, il vit ses maigres possessions fondre comme neige au soleil, au point qu'il n'était plus en mesure de subvenir aux besoins de sa femme. Tilford Holgan, dont on pourrait dire qu'il « se suicida dans un moment où l'équilibre de son esprit était perturbé », était certainement névrosé, sans être fou pour autant. Mais lorsque Norma Jean devint Marilyn Monroe, elle fut incapable d'échapper aux cauchemars de sa mère.

Norma Jean n'avait pas seize ans quand on la poussa à épouser Jim Dougherty. A l'époque, elle vivait avec « tante » Grace, l'amie de sa mère qui s'était intéressée à elle de manière possessive depuis l'époque où elle était venue vivre avec Gladys et qui devint par la suite sa tutrice légale. Ce fut Grace qui jeta les bases de sa carrière au cinéma. Jean Harlow était son idole et sa passion pour la « bombe platine » se communiqua vite à Norma Jean. Norma Jean voulait « devenir » Jean Harlow et Grace ne manquait jamais la moindre occasion de soutenir son ambition. Grace apprit à Norma Jean à se maquiller, sans aller jusqu'à lui faire teindre ses cheveux en blond-blanc, la fameuse couleur qui distinguait Jean Harlow des autres blondes de l'écran de l'époque. Ce fut cependant Pearl Poterfield, créatrice du « platine sexy » de Jean Harlow, qui conçut la couleur « plus pâle que blanc » pour Norma Jean, le jour où elle devint Marilyn Monroe.

Lorsque « Doc » Goddard, le mari de Grace, fut muté en Virginie de l'Ouest, la famille dut de nouveau être transplantée. En arrivant là-bas, Grace et « Doc » constatèrent qu'ils seraient en mesure de subvenir aux besoins de Bebe, fille du premier lit de Goddard, mais pas à ceux de Norma Jean. Une fois de plus, cette dernière fut transformée en paquet à passer à la ronde. Grace continua à la pousser à se marier avec Jim Dougherty. Norma Jean n'avait nulle part où aller, hormis l'orphelinat où elle pourrait rester jusqu'à l'âge de dix-huit ans. Ce fut la mère de Dougherty qui prit en fait conscience de la situation et qui demanda à son fils s'il voulait bien épouser la jeune fille.

On était juste après Pearl Harbor et Dougherty s'attendait à être bientôt appelé sur le front, même s'il ne partit en définitive qu'en 1944. Il épousa Norma Jean un dimanche de 1942, une semaine après son seizième anniversaire, sachant qu'en son absence elle serait toujours entourée d'une famille aimante, et l'adolescente s'épanouit rapidement. Robert Mitchum m'a raconté comment il avait fait la connaissance de Norma Jean avant de se lancer dans le cinéma, à l'époque où il travaillait avec Dougherthy pour Lockheed Aircraft à Burbank. Un soir, dans la salle de bal du Palladium où se produisait l'orchestre des Dorsey Brothers, Norma Jean lui avoua que le jeune chanteur qui accompagnait l'orchestre lui plaisait bien, et Mitchum les présenta l'un à l'autre. Ce jeune chanteur était Frank Sinatra.

Pendant que Jim Dougherty combattait de l'autre côté de l'Atlantique, Norma Jean prit des mesures pour se lancer dans le métier de modèle et le succès qu'elle obtint lui fit franchir les premiers pas en direction d'une carrière à l'écran et de la création de Marilyn Monroe. Son ambition eut raison de son mariage avec Jim Dougherty. Mais on peut en dire autant de celui avec Joe DiMaggio et, dans une certaine mesure, de celui avec Arthur Miller. Malgré ses antécédents et son éducation, Marilyn se battit pour atteindre un statut « à la Jean Harlow », son indépendance et la sécurité. Mais si elle parvint à devenir une star, à gagner beaucoup d'argent et à se faire aduler, elle n'obtint jamais une véritable indépendance, et la sécurité qu'elle cherchait par-dessus tout ne fit que lui échapper. Elle déclara un jour : « Je n'aime pas parler de mon propre passé, c'est une expérience désagréable que j'essaie d'oublier. »

Comme nous le constatons en écoutant ses enregistrements secrets, il lui en fallait fort peu pour être de nouveau hantée par la folie qu'elle fuyait. Elle pensait que sa mère était démente et ignorait l'identité de son père. Elle accepta de porter le nom de jeune fille de Mortenson, tout en ignorant si ce dernier était vraiment son père. Elle manifesta à plusieurs reprises, au cours de son éducation, un besoin profond d'un père ou d'un homme qui en tiendrait lieu, et ce besoin n'avait pas encore été assouvi à l'époque où elle tourna son dernier film, *Les Désaxés*, puisqu'elle attribua alors ce rôle à Clark Gable. Vers la fin de sa brève existence, elle chercha à acquérir une certaine dose d'indépendance grâce à Ralph Greenson et à la psychanalyse, qui représentait à ses yeux un moyen de se défendre contre cette folie qu'elle redoutait tellement. Ses enregistrements révèlent que, jusqu'au bout, elle resta à la recherche d'un père, d'une famille et de la sécurité.

Dans les journées qui précédèrent sa mort, Marilyn remit de l'ordre dans son organisation domestique et affirma son autorité. La question de savoir si son nouveau mode de vie lui aurait apporté davantage de liberté et l'indépendance qu'elle cherchait restera à jamais sans réponse. On a laissé entendre, comme je l'ai déjà dit, que cette réorganisation préludait peut-être à un remariage avec Joe DiMaggio, mais cela reste entièrement du domaine de la conjecture. Nous ignorons si elle se serait remariée avec Joe – même si nous disposons de certaines indications en ce sens – et si, ce faisant, elle aurait enfin trouvé la sécurité auprès de cet homme qui l'adorait. Son ambition, qu'elle exprime dans ses enregistrements, était de s'investir dans une longue période de travail intensif, afin de se montrer à la hauteur des exigences nécessaires pour devenir une bonne interprète de Shakespeare. Nous ne pouvons évidemment pas savoir où ses efforts l'auraient menée, mais il n'en reste pas moins que nous entendons s'exprimer une femme pleine de talent et très décidée.

Toute sa vie, Marilyn fut incapable d'oublier qu'elle était une enfant illégitime. Elle fut marquée par cette honte à sa naissance, comme elle fut marquée par celle du suicide à sa mort. Elle ne pouvait rien faire à propos de la première et dut se résoudre à l'accepter avec dignité, même si elle s'y résigna à contrecœur. C'est la malhonnêteté et le manque de bonté de son entourage qui l'ont marquée de la seconde, contre laquelle elle n'a eu aucun recours.

Une inscription latine, *Cursum Perficio*, était gravée sur la maison que Marilyn acheta Fifth Helena Drive. Elle était extraite du Nouveau Testament. De la seconde Epître de saint Paul à Timothée, chapitre 4, verset 7, pour être exact. Elle se traduit par « J'ai fini le cours » ou « J'achève le cours », ce qui revient au même. Certains auront la sagesse

de trouver un élément prophétique dans cette phrase. Pas
moi. Marilyn n'a pas fini le cours. On lui a volé sa vie avant
qu'elle en ait eu la possibilité. Et nous n'avons qu'une seule
réponse, face à un saccage si monstrueux. Comme le disait
Voltaire : « Aux vivants, on doit la considération ; aux
morts, uniquement la vérité. »

Bibliographie sélective

Brown, Peter Harry, et Barham Patte B., *Marilyn, The Last Take*, New York, 1992 ; traduction française, *Marilyn Monroe : Histoire d'un assassinat*, Plon, 1992.

Capell, Frank A., *The Strange Death of Marilyn Monroe*, Indianapolis, 1964.

Carpozi, George Jr., *The Agony of Marilyn Monroe*, Londres, 1962.

Dunleavy, Stephen, et Peter Brennan, *Those Wild, Wild Kennedy Boys !*, New York, 1976.

Freeman, Lucy, *Why Norma Jean Killed Marilyn Monroe*, Chicago, 1992 ; traduction française, *Pourquoi Norma Jean a tué Marilyn Monroe*, Editions Zélie, 1993.

Giancana, Sam et Chuck, *Double Cross*, New York, 1992.

Gregory, Adela, et Speriglio Milo, *Crypt 33, The Saga of Marilyn Monroe : The Final Word*, New York, 1993.

Guiles, Fred Lawrence, *Norma Jeane : The Life and Death of Marilyn Monroe*, Londres, 1986.

Israel, Lee, *Kilgallen*, New York, 1979.

Jordan, Ted, *Norma Jean, My Secret Life with Marilyn Monroe*, New York, 1989.

Kennedy, Robert F., *The Enemy Within*, New York, 1960.

Lawford, Pat Seaton, avec Ted Schwarz, *Peter Lawford Mixing With Monroe : The Kennedys, The Rat Pack and The Whole Damn Crowd*, Londres, 1990.

Mailer, Norman, *Marilyn, A Biography*, New York, 1975 ; traduction française, *Marilyn*, Ramsay, 1985.

Manchester, William, *Death of a President*, Londres, 1967.

Manchester, William, *One Brief Shining Moment : Remembering Kennedy*, Boston, 1983.

Melanson, Philip H., PhD, *The Robert F. Kennedy Assassination*, New York, 1991.

Murray, Eunice, avec Rose Shade, *The Last Months*, New York, 1975.

Noguchi, Thomas T., avec Joseph DiMona, *Coroner*, New York, 1983 ; traduction française, *Les Dossiers secrets du médecin légiste de Hollywood*, Editions France-Loisirs.

Otash, Fred, *Investigation Hollywood*, Chicago, 1976.

Pepitone, Lena, et Stadiem William, *Marilyn Monroe Confidential,* New York 1980 ; traduction française, *Marilyn secrète*, Pygmalion, 1986.

Scheim, David E., *The Mafia Killed President Kennedy*, Londres, 1988.

Schlesinger, Arthur M. Jr., *Robert Kennedy and His Times*, Londres, 1978.

Sciacca, Tony, *Kennedy and His Women*, New York, 1976.

Shevey, Sandra, *The Marilyn Scandal*, Londres, 1989 ; traduction française, *Le Scandale Marilyn*, Presses de la Renaissance, 1989.

Slatzer, Robert F., *The Life and Curious Death of Marilyn Monroe*, Los Angeles, 1975.

Slatzer, Robert F., *The Marilyn Files*, New York, réimp. 1992 ; traduction française, *Enquête sur une mort suspecte : Marilyn Monroe*, Julliard, 1974.

Smith, Matthew, *JFK : The Second Plot*, Londres et Edimbourg, 1992.

Smith, Matthew, *Say Goodbye to America*, Londres et Edimbourg, 2001.

Smith, Matthew, *Vendetta : The Kennedys*, Londres et Edimbourg, 1993.

Sorensen, Theodore C., *Kennedy*, New York, 1965.

Speriglio, Milo, *Marilyn Monroe : Murder Cover-Up*, New York, 1982.

Speriglio, Milo, avec Steven Chain, *The Marilyn Conspiracy*, Londres, 1986.

Spindel, Bernard B., *The Ominous Ear*, New York, 1968.

Spoto, Donald, *Marilyn Monroe, The Biography*, Londres, 1994 ; traduction française, *Marilyn Monroe, la biographie*, Presses de la Cité, 1993.

Steinem, Gloria, et Barris George, *Marilyn*, Londres, 1987.

Strasberg, Susan, *Marilyn and Me*, Londres, 1992 ; traduction française, *Marilyn et moi*, J'ai Lu, 1993.

Summers, Anthony, *Goddess, The Secret Lives of Marilyn Monroe*, Londres, 1985 ; traduction française, *Les Vies secrètes de Marilyn Monroe*, Presses de la Renaissance, 1986.

Weatherby, W.J., *Conversations With Marilyn Monroe*, Londres, 1976.

Remerciements

Nombreux sont ceux qui m'ont aidé dans mes recherches pour ce livre. Je dois les remercier de leur collaboration et de leur gentillesse. Merci en particulier à Donald O'Connor qui en a rédigé l'avant-propos. Il connaissait Marilyn Monroe et avait tourné *La Joyeuse Parade* avec elle, et m'a aimablement fait part des souvenirs qu'il gardait de cette période. Je sais que mes lecteurs apprécieront sa contribution et seront heureux d'avoir de ses nouvelles.

Je dois ensuite exprimer ma gratitude à Robert Slatzer qui a écrit l'introduction de *Victime*. Si quelqu'un est au courant des détails précis concernant la mort de son amie de longue date, Marilyn Monroe, c'est bien lui. Et comme il sait également ce que je pense en la matière, son nom m'est venu tout de suite à l'esprit. Je lui suis également reconnaissant de m'avoir fourni un grand nombre d'excellentes photos de Marilyn provenant de sa collection personnelle. Merci aussi à Debbie Slatzer, la femme de Robert, pour l'aide et les conseils pertinents qu'elle m'a apportés.

J'ai une grande dette à l'égard de John Miner qui m'a confié les transcriptions des deux bandes que Marilyn avait enregistrées à l'attention de son psychiatre, le Dr Ralph Greenson, peu de temps avant sa mort. Elles sont très révélatrices et forment le noyau des nouveaux éléments divulgués dans cet ouvrage. Je lui suis également reconnaissant d'avoir reconstitué son mémorandum à mon intention, dont il avait envoyé l'original au coroner, Theodore Curphey, accompagné d'une copie au procureur, Manley Bowler. Les deux exemplaires originaux de ce document ont disparu corps et biens

Tom Reddin, qui était l'adjoint de William Parker, chef de la police de Los Angeles, et qui prit lui-même la tête de la police par la suite, m'a donné des conseils et un soutien que j'ai beaucoup appréciés. J'exprime ma gratitude au Dr Thomas Noguchi, car il a accepté de me décrire en détail l'autopsie qu'il a effectuée sur le corps de Marilyn et m'a autorisé à citer des extraits de son livre, *Coroner*. Le Dr Cyril Wecht m'a également fait profiter de son expérience et je l'en remercie beaucoup. Patte B. Barham a elle aussi gentiment accepté que je cite des extraits de l'excellent ouvrage qu'elle a écrit à quatre mains avec Peter Harry Brown, *Marilyn Monroe : Histoire d'un assassinat*, et m'a également aidé par ailleurs, et je lui en suis très reconnaissant. Un grand remerciement aussi à Jeanne Carmen, amie et voisine de Marilyn, avec laquelle j'entretiens une correspondance depuis qu'elle m'a parlé.

Debra Conway du JFK Lancer de Dallas m'a apporté une contribution positive dont je la remercie, de même que je remercie Anne Lajeunesse, Greg Schreider et William Bailey pour leurs aide et conseils de spécialistes avisés. Stanley Rubin s'est donné beaucoup de mal pour me mettre en contact avec des personnes dont l'apport m'a été très utile et Ted Landreth m'a également indiqué la bonne direction. J'ai aussi beaucoup apprécié l'amabilité de Marvin Paige. Mes remerciements à tous.

Lors de mes recherches (il me semble les avoir effectuées il y a bien longtemps), je me suis entretenu avec Antoinette Giancana, Ralph de Toledano et Natalie Jacobs, qui m'ont tous aidé. Le Dr Robert Litman a eu la bonté de me parler et le Dr Norman Farberow a pris le temps de m'écrire. Je les en remercie. Je dois aussi mentionner l'aide de Andy Winiarczyk de la librairie Last Hurrah et d'Al Navis de Almark and Co. à Thornill, au Canada, qui m'ont aidé à trouver des livres dont j'avais besoin. Je remercie aussi la direction et le personnel du Hollywood Plaza Inn où j'ai résidé pendant que j'effectuais mes recherches.

Jack Clemmons m'a fourni une aide sans faille, et j'ai beaucoup apprécié de pouvoir converser avec Milo Speriglio. Robert Mitchum et moi avons bavardé des heures durant et je lui suis très redevable des souvenirs qu'il a bien voulu me confier. Malheureusement, Jack, Milo et Robert Mitchum ne sont plus parmi nous.

Andy McKillop, de Random House, s'est tenu à ma disposition pendant l'écriture de ce livre. J'ai beaucoup apprécié son soutien et ses conseils. Je remercie aussi Hannah Black et Deborah Bosley qui ont tout fait pour rendre la mise au point du texte aussi peu douloureuse que possible.

Comme toujours, je n'oublie ni l'aide ni le soutien de ma femme, Margaret, sans laquelle il n'y aurait pas de livre. L'enthousiasme et l'assistance de ma famille comptent aussi beaucoup pour moi. Mes fils, Stephen et Michael, m'ont aidé à aller au bout, comme d'habitude. Stephen relit à présent régulièrement les épreuves avec moi pendant que Michael se consacre à la révision du texte. Merci à tous les deux.

Table

Cet ouvrage a été composé par
Nord Compo (Villeneuve-d'Ascq)
et imprimé sur presse Cameron
par **Bussière Camedan Imprimeries**
à Saint-Amand-Montrond (Cher)
pour le compte des Editions Plon
76, rue Bonaparte
Paris 6ᵉ

Achevé d'imprimer en octobre 2003.

N° d'édition : 13695. — N° d'impression : 035135/1.
Dépôt légal : octobre 2003.
Imprimé en France